LE CHOIX
DES MORRISON

MARY LAWSON

LE CHOIX
DES MORRISON

Traduit de l'anglais (Canada)
par Cécile Arnaud

belfond
12, avenue d'Italie
75013 Paris

Titre original :
CROW LAKE
publié par Chatto & Windus, Londres.

Si vous souhaitez recevoir notre catalogue
et être tenu au courant de nos publications,
envoyez vos nom et adresse, en citant ce livre,
aux Éditions Belfond,
12, avenue d'Italie, 75013 Paris.
Et, pour le Canada,
à Vivendi Universal Publishing Services,
1050, bd René-Lévesque-Est,
Bureau 100,
Montréal, Québec, H2L 2L6.

ISBN 2-7144-3883-0

À Eleanor,
à Nick et à Nathaniel,
et, surtout, à Richard.

PREMIÈRE PARTIE

Prologue

On raconte que mon arrière-grand-mère Morrison avait fixé un pupitre à son rouet afin de pouvoir lire tout en filant. Un samedi soir, elle était tellement absorbée par sa lecture qu'en levant les yeux elle s'aperçut qu'il était minuit et demi : elle avait travaillé une demi-heure le jour du sabbat. En ce temps-là, c'était considéré comme un péché grave.

Si j'évoque cet épisode de la légende familiale, ce n'est pas seulement pour la petite histoire. Je suis récemment parvenue à la conclusion que mon arrière-grand-mère et son pupitre ont à répondre de beaucoup. Elle était morte depuis des décennies au moment où se sont produits les événements qui ont anéanti notre famille et brisé nos rêves, mais cela ne signifie pas qu'elle n'a pas eu d'influence sur eux. Quant à ce qui s'est passé entre Matt et moi, on ne peut le comprendre sans faire référence à notre aïeule. Il est juste qu'elle endosse sa part de responsabilité.

Autrefois, il y avait une photo d'elle dans la chambre de mes parents. Étant toute petite, je m'en approchais et me mettais au défi de la regarder dans

11

les yeux. Menue, les lèvres pincées, très droite, elle était vêtue de noir avec un col de dentelle blanc (qu'elle devait frotter sans merci chaque soir et repasser chaque matin avant l'aube). Elle avait un air strict, désapprobateur, et paraissait totalement dénuée d'humour. Mais comment s'en étonner : elle avait eu quatorze enfants en treize ans et possédait deux cents hectares de terres arides dans la péninsule de Gaspé. Je n'ai jamais compris comment elle trouvait le temps de filer, encore moins de lire.

De nous quatre – Luke, Matt, Bo et moi –, Matt était le seul qui lui ressemblait un tant soit peu. Il n'avait pas son allure austère, mais avait la même bouche sévère, le même regard gris et franc. Quand je m'agitais pendant l'office et m'attirais un coup d'œil réprobateur de ma mère, j'observais Matt à la dérobée pour voir s'il s'en était rendu compte. Il s'en rendait toujours compte, son visage s'assombrissait puis, au dernier moment, alors que je commençais à désespérer, il me faisait un clin d'œil.

Matt avait dix ans de plus que moi. Il était grand, sérieux, intelligent. Il avait une passion pour les étangs, situés à deux ou trois kilomètres de l'autre côté de la voie ferrée – d'anciennes carrières de cailloux, abandonnées des années plus tôt après la construction de la route, que la nature avait comblées de toutes sortes de créatures merveilleuses et frétillantes. J'étais toute petite quand Matt avait commencé à m'y emmener. Il devait me porter sur ses épaules à travers la forêt infestée de sumacs vénéneux, le long des rails où des wagons poussiéreux attendaient leur chargement de betteraves à sucre, puis sur le sentier sablonneux qui descendait en pente raide jusqu'aux étangs. Une fois arrivés, on s'allongeait à plat ventre, le dos

12

en plein soleil, et on observait l'eau noire : on allait voir ce qu'on allait voir !

De toutes les images de mon enfance, aucune n'est restée gravée aussi nettement dans ma mémoire que celle-ci : un garçon d'environ quinze ou seize ans, blond et dégingandé ; une fillette, plus blonde encore, les cheveux tressés, ses petites jambes offertes à la brûlure du soleil. Ils se tiennent parfaitement immobiles, le menton posé sur les mains. Il lui montre des choses. Ou plutôt, des choses se montrent, glissant de sous les pierres et les ombres, et il lui explique ce que c'est.

— *Bouge le doigt, Kate. Agite-le dans l'eau. Elle va s'approcher. Elle ne peut pas résister...*

La fillette remue prudemment le doigt ; une petite tortue happante glisse tout aussi prudemment vers elle pour voir ce qui se passe.

— *Tu vois ! Elles sont très curieuses quand elles sont jeunes. Mais, en grandissant, elle deviendra méfiante et hargneuse.*

— *Pourquoi ?*

La vieille tortue qu'ils avaient un jour prise au piège avait semblé plus endormie que méfiante. L'animal avait la tête ridée, comme du caoutchouc, et la fillette avait eu envie de le toucher. Matt lui avait tendu une branche de l'épaisseur de son pouce que la tortue avait sectionnée d'un coup de son bec corné.

— *Leur carapace est petite pour la taille de leur corps – plus petite que celle des autres tortues –, si bien qu'elles ont beaucoup de peau exposée. Ça les rend agressives.*

La petite fille hoche la tête, et la pointe de ses nattes danse sur l'eau, créant de minuscules ondulations qui frémissent en s'éloignant sur la surface de l'étang. Elle est complètement absorbée par le spectacle.

Au fil des années, nous avons dû passer des centaines d'heures ainsi. J'ai appris à distinguer les têtards – ceux des grenouilles léopards, ceux, gros et gris, des ouaouarons, et les petits têtards noirs et frétillants des crapauds. Je savais reconnaître les tortues et les poissons-chats, les patineurs et les tritons, les gyrins qui tournaient comme des toupies sur l'eau. Des centaines d'heures... et pendant ce temps les saisons changeaient, la vie mourait et renaissait plusieurs fois dans les étangs ; moi, je devenais trop grande pour monter sur les épaules de Matt et devais me frayer un chemin derrière lui à travers bois. Bien sûr, je n'étais pas consciente de ces changements – ils survenaient de manière trop progressive, et les enfants n'ont pas vraiment la notion du temps. Demain, c'est pour toujours, et les années passent en un clin d'œil.

Un

Tout est arrivé sans prévenir, semble-t-il, de manière inopinée, et il m'a fallu des années avant de pouvoir reconstituer l'enchaînement des événements qui ont conduit à ce dénouement. Certains n'avaient rien à voir avec nous, les Morrison, mais concernaient seulement les Pye, nos plus proches voisins. Les Pye, qui possédaient une ferme à deux kilomètres de chez nous, étaient ce qu'on appelle une famille à problèmes – il en avait toujours été ainsi et il n'y avait aucune raison pour que cela change –, mais cette année-là, dans l'intimité de leur grande et vieille maison grise et à l'insu du reste du village, leurs problèmes avaient pris la dimension d'un vrai cauchemar. À ce moment-là, nous ignorions que le cauchemar Pye était voué à se mêler au rêve Morrison. Personne n'aurait pu le prédire.

Quand on tente de déterminer l'origine d'une chose, on peut, bien sûr, remonter jusqu'à l'infini. Jusqu'à Adam et Ève, voire avant. Mais, cet été-là, notre famille a vécu un tel drame qu'il a conditionné toute la suite. Un samedi de juillet, chaud et paisible, alors

15

que j'avais sept ans, notre vie de famille tranquille a pris fin, et même aujourd'hui, presque vingt ans plus tard, j'ai du mal à mettre l'événement en perspective.

Seule consolation, au moins tout s'est terminé sur une note positive, puisque la veille (notre dernier jour tous ensemble) mes parents avaient appris que Luke, mon « autre » frère – autre par rapport à Matt –, avait réussi le concours d'entrée à l'École normale. Ce succès était assez inattendu, car Luke n'était pas à franchement parler un intellectuel. Je me souviens d'avoir lu quelque part une théorie selon laquelle chaque membre d'une famille se voit attribuer un rôle – « l'intelligent », « la jolie », « l'égoïste ». Une fois qu'on a endossé ce rôle un certain temps, l'étiquette vous colle à la peau et, quoi qu'on fasse, il est impossible de s'en défaire, mais tout au début, d'après cette théorie, on dispose d'une certaine liberté dans le choix du rôle. Si c'est vrai, Luke a dû très tôt décider qu'il voulait être le « problème » familial. Je ne sais ce qui a motivé ce choix, mais il n'est pas impossible qu'il ait trop entendu l'histoire de notre arrière-grand-mère et de son illustre pupitre. Cette histoire a dû lui empoisonner l'existence. Ça, et le fait d'avoir eu Matt pour frère. Aucun doute, Matt était le véritable héritier intellectuel de notre aïeule – Luke ne pouvait pas rivaliser. Mieux valait pour lui essayer de trouver en quoi il était naturellement doué – comme, disons, d'exaspérer nos parents.

Pourtant, à l'âge de dix-neuf ans, et malgré lui, Luke venait de réussir ses examens. Après trois générations d'efforts, un membre de la famille Morrison s'apprêtait à entamer des études supérieures.

Ce n'était pas seulement le premier de la famille, mais aussi, je crois, le premier de tout Crow Lake, la petite communauté agricole du nord de l'Ontario au

16

sein de laquelle nous étions nés et avions grandi tous les quatre. À l'époque, Crow Lake n'était relié au reste du monde que par une route poussiéreuse et par la voie ferrée. Les trains ne s'arrêtaient que si on leur faisait signe, et la route menait uniquement vers le sud, personne n'ayant de raison de s'aventurer plus au nord. Une douzaine de fermes, un magasin général, quelques modestes maisons autour du lac, l'école et l'église : c'était à peu près tout. Par le passé, je l'ai dit, Crow Lake n'avait pas fourni grand-chose en matière d'intellectuels, et le succès de Luke aurait fait le gros titre de la lettre paroissiale le dimanche suivant, si notre drame familial ne l'avait éclipsé.

Luke avait dû recevoir la lettre lui confirmant sa place à l'École normale le vendredi matin puis avertir ma mère, qui avait appelé mon père à la banque de Struan où il travaillait, à trente kilomètres de chez nous. En soi, c'était déjà inédit : jamais une femme n'aurait dérangé son mari au travail, si c'était un travail de bureau. Mais elle lui avait téléphoné, et ils avaient dû convenir ensemble de nous annoncer la nouvelle au dîner ce soir-là.

Ce repas, je l'ai revécu de nombreuses fois en pensée, moins à cause de l'incroyable nouvelle concernant Luke que parce qu'il devait être notre dernier dîner familial. Je sais que la mémoire nous joue des tours, que des événements ou incidents inventés par notre esprit peuvent paraître aussi vrais que ceux qui se sont réellement produits, mais je suis néanmoins persuadée de me rappeler chaque détail de ce repas. Le plus poignant, quand j'y repense, a été sa sobriété. La discrétion était la règle chez nous. Les émotions, même positives, étaient sévèrement contrôlées. Ce onzième commandement, gravé sur sa propre tablette

de pierre, s'imposait exclusivement aux presbytériens :
Tu ne montreras point tes sentiments.

Comme chaque soir, ce dîner était donc assez austère, assez ennuyeux, seulement égayé par quelques interventions de Bo. Il existe plusieurs photos d'elle à l'époque : petite, toute ronde, avec une tignasse de cheveux blonds et fins hérissés sur la tête. Sur les photos, elle a l'air douce et gentille, ce qui tend seulement à prouver à quel point un appareil photo peut mentir.

Nous étions assis à nos places habituelles : Luke et Matt, respectivement dix-neuf et dix-sept ans, d'un côté de la table ; moi et Bo, sept ans et un an et demi, de l'autre. Je me souviens que mon père a commencé à dire le bénédicité et a été interrompu par Bo, qui réclamait du jus de fruits. « Une minute, Bo. Ferme les yeux », lui a dit ma mère. Mon père a repris du début, Bo l'a interrompu de nouveau et ma mère a dit : « Recommence, et tu vas directement au lit. » Sur ce, Bo a enfourné son pouce et s'est mise à le sucer, l'air menaçant, en faisant des petits bruits secs, pareils au tic-tac d'une bombe à retardement.

« Essayons encore, Seigneur, a poursuivi mon père. Merci pour ce repas que Tu as mis devant nous ce soir, et merci surtout pour la nouvelle que nous avons reçue aujourd'hui. Aide-nous à ne jamais oublier la chance que nous avons. Aide-nous à tirer le meilleur parti des occasions offertes et à mettre le plus modeste de nos dons à Ton service. Amen. »

Luke, Matt et moi nous sommes étirés. Ma mère a passé son jus de fruits à Bo. « C'est quoi, la nouvelle ? » a demandé Matt.

Il était assis en face de moi. Si je glissais sur ma chaise et étendais les jambes, je pouvais lui toucher le genou du bout de l'orteil.

« Ton frère, a répondu mon père en inclinant la tête vers Luke, a été reçu à l'École normale. Il a eu la confirmation aujourd'hui.

— Sans blague ? » a dit Matt en regardant Luke.

Moi aussi, je l'ai regardé. Je ne suis pas sûre de l'avoir jamais observé avant. Allez savoir pourquoi, nous n'étions pas très proches. Il y avait la différence d'âge, bien sûr, encore plus grande qu'entre Matt et moi, mais ce n'était pas la vraie raison. Nous n'avions simplement pas grand-chose en commun.

À cet instant-là, pourtant, j'ai fait attention à lui, assis près de Matt, comme il avait dû l'être pendant les dix-sept dernières années. Par certains côtés, ils se ressemblaient beaucoup ; on n'aurait eu aucun mal à deviner qu'ils étaient frères. Mais ils étaient bâtis différemment. Costaud, large d'épaules, Luke devait peser au moins quinze kilos de plus que Matt. Dans l'action, il était lent et puissant, tandis que Matt était vif et agile.

« Sans blague », a répété Matt, qui feignait un peu trop l'étonnement.

Luke lui a lancé un regard de travers. Matt lui a adressé un grand sourire, sincère, cette fois. « C'est génial ! Bravo ! »

Luke a haussé les épaules.

« Tu vas devenir professeur ? » ai-je demandé. J'avais du mal à l'imaginer. Les professeurs possédaient une grande autorité, alors que Luke...

« Ouais. »

Il était avachi sur sa chaise, mais pour une fois notre père ne lui a pas dit de se redresser. Matt non plus ne se tenait pas droit, mais il ne le faisait pas exprès comme Luke, il ne *s'étalait* pas, si bien qu'en comparaison il donnait l'impression de se tenir à peu près correctement.

« Il a beaucoup de chance », a dit ma mère. Elle faisait tellement d'efforts pour cacher une fierté et une joie inconvenantes qu'elle en paraissait presque fâchée. Elle servait le repas, du porc de chez les Tadworth, avec des pommes de terre, des carottes et des haricots à rames de la ferme de Calvin Pye, et de la compote de pommes des vieux pommiers bosselés de M. Janie. « Une telle opportunité n'est pas donnée à tout le monde. Loin de là. Tiens, Bo, ton assiette. Et mange convenablement. On ne joue pas avec la nourriture.

— Quand pars-tu ? a demandé Matt. Et où ? À Toronto ?

— Ouais. Fin septembre. »

Bo a pris une poignée de haricots et les a serrés contre son cœur en chantonnant.

« Il faudra peut-être te trouver un costume », a dit ma mère. Puis elle a regardé mon père. « Tu crois qu'il en aura besoin ?

— Je ne sais pas.

— Oui, c'est indispensable, a fait Matt. Il sera trop mignon en costume. »

Luke s'est contenté de grogner. Malgré leurs différences, et bien que Luke ait toujours eu des ennuis et Matt jamais, il y avait peu de véritables frictions entre eux. Aucun des deux n'était du genre à s'emporter facilement. La plupart du temps, ils habitaient des mondes séparés et n'avaient guère l'occasion de se frotter l'un à l'autre. Cela dit, il leur arrivait de se battre. Dans ces cas-là, les émotions qui n'étaient pas censées sortir sortaient toutes en même temps, et ils bafouaient allégrement le onzième commandement. Pour une raison quelconque, il ne leur était pas interdit de se battre – sans doute mes parents y voyaient-ils un comportement adolescent normal chez les garçons, arguant que si le Seigneur n'avait pas voulu qu'ils se battent, Il ne leur aurait pas donné de poings. Une fois pourtant, dans le feu de l'action, alors que son poing avait raté la tête de Matt pour aller s'écraser sur le montant de la porte, Luke avait dit : « Merde ! Espèce de salaud ! » Il avait été banni de la salle à manger une semaine durant et contraint de manger debout dans la cuisine.

Moi seule étais affectée par leurs bagarres. Matt était rapide, mais Luke beaucoup plus fort ; l'idée qu'un jour un de ses puissants coups de poing pouvait atteindre sa cible et tuer Matt me terrifiait. Je leur hurlais d'arrêter, et mes cris agaçaient tant mes parents que c'était souvent moi qu'on envoyait dans ma chambre.

« En tout cas, a dit mon père, réfléchissant encore à la question du costume, il aura besoin d'une valise.

— Oh », a fait ma mère. La cuillère de service est restée suspendue au-dessus du plat de pommes de terre. « Une valise. Oui. »

L'espace d'une seconde, j'ai lu de l'affliction sur son visage. J'ai cessé de tripoter mon couteau et je l'ai regardée, anxieuse. Jusqu'à cet instant-là, elle n'avait pas dû réaliser que Luke allait s'en aller.

Bo chantait pour ses haricots, qu'elle berçait doucement contre son épaule. « Gentil hari, gentil hari, gentil haricot, susurrait-elle.

— Pose ces haricots, Bo, lui a ordonné ma mère d'une voix absente, la cuillère toujours en l'air. Ils sont à manger. Repose-les dans ton assiette, je vais te les couper. »

Bo a eu l'air horrifiée. Elle a poussé un hurlement et serré les haricots passionnément contre son cœur.

« Oh, pour l'amour du ciel ! Arrête. Tu me fatigues. »

L'ombre sur le visage de ma mère avait disparu et tout était redevenu normal.

« Il faudra aller en ville, a-t-elle dit à mon père. À la Baie. Ils ont des valises. On peut y aller demain. »

Le samedi, ils sont donc partis ensemble pour Struan. Ils n'avaient pas besoin d'y aller ensemble ; n'importe lequel des deux aurait pu choisir seul une valise. Ils n'avaient pas non plus besoin de se dépêcher pour y aller ce week-end-là – la rentrée de Luke n'aurait pas lieu avant six semaines. Mais sans doute en avaient-ils envie. Le mot peut paraître étrange, appliqué à des gens aussi calmes et terre à terre, mais cette histoire avait dû les exciter. Après tout, il s'agissait de leur fils. Un Morrison allait devenir professeur.

Ils ne voulaient pas nous emmener, Bo et moi, et comme nous étions trop jeunes pour rester seules, ils ont attendu que Luke et Matt reviennent de la ferme de Calvin Pye, où ils travaillaient le week-end et pendant les vacances. M. et Mme Pye avaient trois enfants, dont deux filles ; Laurie, leur fils de quatorze ans, était trop petit pour les travaux de force, aussi M. Pye devait-il louer des bras.

Matt et Luke sont rentrés vers quatre heures. Mes parents ont proposé à Luke de les accompagner pour choisir lui-même sa valise, mais il a répondu qu'il avait trop chaud et préférait aller nager.

Je suis, je crois, la seule à avoir agité la main pour leur dire au revoir. J'invente, qui sait – je l'ai peut-être rêvé plus tard parce que je ne pouvais pas supporter de ne pas leur avoir dit adieu –, mais je pense que c'est un souvenir authentique. Les trois autres n'ont pas bougé : Bo était furieuse d'avoir été abandonnée ; Luke et Matt la regardaient d'un air lugubre en se

22

demandant lequel des deux allait se la coltiner pendant le reste de l'après-midi.

La voiture a tourné au coin de la route et disparu de notre vue. Bo s'est assise sur le gravier de l'allée et s'est mise à brailler.

« Bon, moi je vais me baigner, a dit Luke d'une voix forte, pour se faire entendre par-dessus les hurlements de Bo. J'ai chaud. J'ai travaillé toute cette fichue journée.

— Moi aussi, a fait Matt.

— Moi aussi », ai-je ajouté.

Du bout du pied, Matt a donné des petits coups dans le derrière de Bo.

« Et toi, Bo ? Est-ce que tu as travaillé toute cette fichue journée ? »

Bo a mugi de plus belle.

« Pourquoi se croit-elle obligée de faire ce boucan sans arrêt ? a demandé Luke.

— Parce qu'elle sait que tu adores ça », a répondu Matt. Il s'est baissé, a extrait le pouce de Bo de son poing fermé et le lui a fourré dans la bouche. « Et si on allait se baigner, Bo ? Ça te plairait ? »

Elle a hoché la tête, mugissant malgré son pouce.

C'était sans doute la première fois que nous allions nous baigner ensemble, tous les quatre. Le lac étant situé à moins de vingt mètres de la maison, on y allait dès qu'on en avait envie, et j'imagine qu'on n'en avait jamais eu envie tous en même temps. Ma mère aurait de toute façon toujours accompagné Bo. On se l'est passée de l'un à l'autre, comme un ballon de plage, et on s'est bien amusés. Ça, je m'en souviens.

Je me souviens aussi que Sally McLean est arrivée peu après notre baignade. M. et Mme McLean, les parents de Sally, possédaient le seul et unique magasin de Crow Lake. Ces dernières semaines, elle était passée assez souvent, donnant chaque fois l'impression de nous croiser par hasard sur sa route. C'était bizarre parce que cette route ne pouvait la mener nulle part. Notre maison, la dernière de Crow Lake, était assez à l'écart. Plus loin, c'était le désert, sur environ trois mille kilomètres, puis le pôle Nord.

Luke et Matt étaient en train de faire des ricochets quand Sally est apparue. Matt s'est arrêté, il est venu s'asseoir sur le sable et s'est intéressé à ce que nous faisions, Bo et moi. J'étais en train de l'ensevelir, c'était la première fois et elle était ravie. Je lui avais creusé un petit trou dans le sable chaud, où elle s'est installée, toute ronde, bronzée et nue comme un ver. Les yeux écarquillés, un immense sourire aux lèvres, elle m'a regardée combler le trou autour d'elle.

Sally McLean avait ralenti le pas en approchant de Luke, s'était immobilisée à un mètre de lui et traçait des lignes dans le sable avec son orteil tout en se déhanchant. Elle et Luke se parlaient à voix basse, sans se regarder. Je ne faisais pas très attention. J'avais enterré Bo jusqu'aux aisselles et je dessinais des motifs sur le monticule avec des petits cailloux que Bo déplaçait au fur et à mesure.

« Arrête, Bo, lui ai-je dit, je fais un dessin.

— P'tits pois, a dit Bo.

— Non. C'est des cailloux. Ça se mange pas. »

Elle en a mis un dans sa bouche.

« Non ! Crache-le.

— Idiote », a dit Matt. Il s'est penché, a pincé les joues de Bo pour l'obliger à ouvrir la bouche, puis a fourré les doigts à l'intérieur pour récupérer le caillou. Elle a rigolé, a mis son pouce dans sa bouche, l'a ressorti et l'a examiné. Il était plein de sable et de salive.

« Haricots, a-t-elle dit, avant de l'enfourner une nouvelle fois.

— Maintenant elle a plein de sable dans la bouche, ai-je constaté.

— Elle n'en mourra pas. »

Il regardait Luke et Sally. Luke continuait à faire des ricochets, mais avec plus de soin, en prenant le temps de choisir les galets les plus plats. Sally ramenait sans cesse ses cheveux en arrière. Ils étaient longs, épais, d'un éclatant roux cuivré. La brise du lac en soulevait de petites mèches et les lui rabattait sur le visage. Je les trouvais plutôt ennuyeux, tous les deux, mais Matt les observait avec une curiosité appliquée, comme lorsqu'il étudiait les habitants de l'étang.

Sa curiosité a éveillé la mienne. J'ai demandé : « Pourquoi elle est là ? Où est-ce qu'elle va ? »

Il n'a pas répondu pendant une minute puis : « Eh bien, je soupçonne que c'est à cause de Luke.

— Pourquoi ? Pourquoi à cause de Luke ? »

Il s'est tourné vers moi, les yeux plissés. « En fait, je ne suis sûr de rien. Tu veux un avis ?

— Oui.

— Bon. C'est juste une hypothèse, mais chaque fois que Luke va quelque part, Sally est là. Donc, je devine qu'elle est amoureuse de lui.

— Amoureuse de Luke ?

— Dur à croire, hein ? Mais les femmes sont très bizarres, Katie.

— Est-ce que Luke est amoureux d'elle ?

— Je n'en sais rien. J'imagine que c'est possible. »

Au bout d'un moment, Sally est repartie. Luke a fait quelques pas en s'éloignant du rivage, sourcils froncés, tête baissée, et Matt a levé un sourcil menaçant dans ma direction, signifiant que je serais bien avisée de ne rien dire au sujet de Sally McLean.

Nous avons déterré Bo de son tumulus, enlevé le sable dont elle était couverte et l'avons ramenée à la maison pour l'habiller. Puis je suis ressortie pendre mon maillot de bain à la corde à linge, c'est donc moi qui ai vu arriver la voiture de police.

On n'en voyait pas souvent à Crow Lake, et j'étais curieuse. J'ai couru jusqu'à l'allée pour la regarder. Le policier en est sorti, suivi, à ma grande surprise, par le révérend Mitchell et le Dr Christopherson. Le révérend Mitchell était notre pasteur, et sa fille, Janie, ma meilleure amie. Le Dr Christopherson vivait à Struan, mais c'était notre médecin – en fait le seul à cent cinquante kilomètres à la ronde. Je les aimais bien tous les deux. Le Dr Christopherson avait un setter irlandais du nom de Molly, qui savait cueillir les myrtilles avec les dents et l'accompagnait pendant sa tournée. J'ai sautillé jusqu'à eux et j'ai dit : « Papa et maman ne sont pas là. Ils sont partis faire des courses. Ils sont allés acheter une valise pour Luke, parce qu'il va être professeur. »

Le policier se tenait à côté de sa voiture, absorbé dans la contemplation d'une éraflure sur l'aile. Le révérend Mitchell a jeté un coup d'œil vers le Dr Christopherson puis vers moi de nouveau. « Est-ce que Luke est là, Katherine ? ou Matt ?

— Ils sont là tous les deux. Ils se changent. On est allés se baigner.

— Nous aimerions leur dire un mot. Peux-tu aller les prévenir ?

— J'y vais. » Puis, me rappelant mes bonnes manières : « Voulez-vous entrer ? Papa et maman vont revenir vers six heures et demie. »

Une bonne idée m'a traversé l'esprit. « Je peux vous faire une tasse de thé.

— Merci, a dit le révérend Mitchell. Nous allons

26

entrer, mais pour le thé, je ne crois pas que... merci. Pas pour le moment. »

Je les ai conduits dans la maison en leur demandant d'excuser le bruit de Bo – elle avait sorti toutes les casseroles et les poêles du placard du bas et tapait dessus, assise par terre dans la cuisine. Ils ont dit que ça ne faisait rien, alors je les ai laissés dans la salle à manger le temps d'aller chercher Matt et Luke. Je les ai ramenés tous les deux, ils ont lancé un regard étonné aux deux visiteurs – le policier était resté près de sa voiture – et les ont salués. Puis j'ai vu l'expression de Matt changer. Il regardait le révérend Mitchell et, tout d'un coup, il n'a plus eu l'air poli ou curieux, il a eu l'air effrayé.

« Quoi ? » a-t-il demandé.

Le Dr Christopherson a dit : « Kate, et si tu allais surveiller Bo ? Pourrais-tu... euh... »

Je suis retournée dans la cuisine. Bo ne faisait rien de mal, mais je l'ai prise dans mes bras et l'ai emmenée dehors. Elle grandissait, mais j'arrivais encore tout juste à la porter. Nous sommes retournées à la plage. Les moustiques commençaient à sortir, mais je suis restée là malgré tout, même lorsque Bo a piqué sa crise, parce que l'expression de Matt m'avait fait peur et que je ne voulais pas savoir ce qui l'avait provoquée.

Après un long moment, au moins une demi-heure, Matt et Luke nous ont rejointes à la plage. Je ne les ai pas regardés. Luke a soulevé Bo, l'a emmenée au bord de l'eau et s'est mis à marcher le long du rivage avec elle. Matt s'est assis à côté de moi et, quand Luke et Bo ont été très loin, il m'a annoncé que nos parents avaient été tués – leur voiture avait été heurtée par un camion chargé de bois dont les freins avaient lâché en descendant la colline Honister.

Je me rappelle avoir été terrifiée à l'idée qu'il se mette à pleurer. Sa voix tremblait, il luttait pour prendre sur lui ; moi, j'étais tétanisée par la peur, je n'osais pas lever la tête vers lui, j'osais à peine respirer. Comme si c'était ça le pire ; bien pire que cette nouvelle incompréhensible qu'il m'annonçait. Comme si la chose impensable était de voir Matt pleurer.

Deux

Les souvenirs. Je ne suis pas pour, en général. Il y en a de bons, mais dans l'ensemble j'aimerais les ranger dans un placard hermétique et refermer la porte. En fait, jusqu'à ces derniers mois, j'y avais assez bien réussi pendant plusieurs années. J'avais une vie à vivre. J'avais mon travail, j'avais Daniel, qui à eux deux me prenaient beaucoup de temps et d'énergie. Or, dernièrement, ça n'allait pas très fort dans ces deux domaines-là, mais il ne m'était pas venu à l'idée de relier ces problèmes au « passé ». Je croyais encore sincèrement, il y a un ou deux mois, que j'avais dépassé tout ça. J'avais le sentiment que je m'en sortais bien.

Et puis, en février dernier, j'ai trouvé une lettre de Matt en rentrant chez moi un vendredi soir. J'ai vu l'écriture et aussitôt j'ai revu Matt – vous savez, comme une écriture peut faire apparaître l'image d'une personne. En même temps, j'ai ressenti cette vieille souffrance, située plus ou moins au milieu de la poitrine, une douleur sourde, lourde, comme le deuil.

Malgré toutes ces années, elle ne s'était pas apaisée le moins du monde.

J'ai ouvert l'enveloppe en montant l'escalier, mon sac plein de rapports de labo sous le bras. Ce n'était pas une vraie lettre, mais une carte de Simon, le fils de Matt, m'invitant à la fête qu'il donnait pour ses dix-huit ans, à la fin du mois d'avril. Matt y avait attaché un petit mot : « On compte sur toi, Kate !! Pas d'excuse !!! » Cinq points d'exclamation en tout. Puis un P-S attentionné : « Amène quelqu'un si tu veux. »

Derrière le mot, il y avait une photo de Simon, mais j'ai d'abord cru reconnaître Matt. Matt à dix-huit ans. Ils se ressemblent tant. Bien sûr, ça a ranimé tout un tas de souvenirs de cette année désastreuse et des événements qui, peu à peu, en avaient découlé. À leur tour, ces souvenirs m'ont renvoyée à l'histoire de l'arrière-grand-mère Morrison et de son pupitre. La pauvre. Sa photo est maintenant accrochée dans ma chambre. Je l'avais emportée en quittant la maison. Elle ne semblait manquer à personne.

J'ai posé mon sac sur la table de mon salon-salle à manger et je me suis assise pour relire l'invitation. J'irais, bien sûr. Simon est adorable, et je suis sa tante. Luke et Bo seraient là ; ce serait une réunion de famille, et je suis pour les réunions de famille. Bien sûr que j'irais. J'avais prévu d'assister à un colloque à Montréal ce week-end-là mais, comme je n'y faisais aucune communication, rien ne m'empêchait d'annuler. Je n'avais pas cours le vendredi après-midi, je pouvais donc partir juste après le déjeuner. Prendre l'autoroute 400 et rouler vers le nord. C'est un long voyage, à peu près six cents kilomètres, mais les routes sont maintenant asphaltées sur la plus grande partie du trajet. Pendant la dernière heure seulement, lorsqu'on quitte l'autoroute pour aller vers l'ouest, la route devient mauvaise, la forêt reprend ses droits, et on a vraiment le sentiment de remonter le temps.

Quant à « amener quelqu'un »… non. Daniel adorerait venir, il brûle de curiosité à l'égard de ma famille et serait positivement *ravi* de m'accompagner, mais sa fascination et son enthousiasme seraient trop durs à supporter. Non, pas question d'inviter Daniel.

J'ai regardé la photo, voyant Simon, voyant Matt. Je savais d'avance comment ça se passerait : bien. Tout se passerait bien. La fête elle-même serait bruyante et joyeuse, il y aurait plein de bonnes choses à manger, on s'amuserait tous beaucoup, on se charrierait les uns les autres. Luke, Matt, Bo et moi parlerions du passé, mais seulement d'un certain passé. On éviterait certains sujets, on passerait certains noms sous silence. Calvin Pye, par exemple. Celui-là ne serait pas prononcé. Ni celui de Laurie Pye, d'ailleurs.

J'offrirais à Simon un cadeau très cher, preuve de mon affection pour lui, qui était sincère, et de mon attachement à la famille.

Le dimanche matin, au moment de partir, Matt m'accompagnerait à ma voiture. Il dirait : « On ne trouve jamais le temps de parler », et je répondrais : « Je sais. C'est bête, hein ? »

Je le regarderais, il me renverrait le regard gris et sérieux de l'arrière-grand-mère Morrison, m'obligeant à détourner les yeux. À mi-chemin de la maison, je m'apercevrais que je pleurais, et je passerais le mois suivant à essayer de comprendre pourquoi.

On en revient toujours à notre arrière-grand-mère.

Je n'ai aucun mal à évoquer une image d'elle et de Matt en grande conversation. Mon arrière-grand-mère est assise très droite sur une chaise à haut dossier.

Matt est assis en face d'elle. Il l'écoute avec attention, hoche la tête quand il est d'accord avec elle, attend poliment de donner son point de vue dans le cas contraire. Il est respectueux mais pas intimidé, elle le sait et s'en réjouit. Je le vois dans ses yeux.

Étrange, non ? Parce que, bien sûr, ils ne se sont jamais rencontrés. Mon arrière-grand-mère a eu beau vivre très vieille, elle était morte depuis longtemps quand Matt est entré en scène. Elle n'est jamais venue chez nous – n'a jamais quitté les rivages de Gaspésie –, et pourtant, quand j'étais petite, j'avais l'impression qu'elle était « avec nous » d'une mystérieuse façon. Dieu sait si son influence était grande ; elle aurait tout aussi bien pu être dans la pièce à côté. Pour ce qui est d'elle et de Matt, j'ai senti très tôt, je crois, l'existence d'une espèce de lien entre eux, tout en étant incapable de dire lequel.

Mon père nous racontait des histoires sur elle, bien plus que sur sa propre mère, la plupart visant à illustrer quelque grand principe moral. Malheureusement, ce n'était pas un très bon conteur, et le message y tenait plus de place que le suspense. Il y avait, par exemple, celle des protestants et des catholiques, dont les conflits au sein de la communauté entraînaient des bagarres entre bandes rivales de jeunes garçons. Mais le combat était inégal – les protestants étaient plus nombreux que les catholiques –, si bien que mon arrière-grand-mère avait ordonné à ses fils de se battre avec « l'autre côté », pour rétablir l'équilibre. Le fair-play : voilà ce qu'on devait retenir de cette histoire. Pas de scènes de bataille, pas de sang ni de gloire, mais une simple leçon : le fair-play.

Tout aussi fameux était le culte que notre arrière-grand-mère vouait à l'instruction – sujet qui avait le don d'éteindre toute lueur dans le regard de Luke. Ses quatorze enfants avaient fini l'école primaire, ce qui était assez extraordinaire en ce temps-là. Les devoirs passaient avant les travaux de la ferme – alors même que chaque bouchée de nourriture devait être arrachée à la terre. L'éducation était son rêve absolu, une passion intense, presque une maladie, qu'elle avait inoculée non seulement à ses propres enfants mais à des générations de petits Morrison à venir.

À entendre notre père, c'était un modèle – elle était équitable, bienveillante et aussi sage que Salomon –, une description qui cadrait mal avec sa photographie. Sur la photo, elle ressemble ni plus ni moins à une virago. Un coup d'œil suffit pour comprendre pourquoi il n'existe pas d'histoires relatant les bêtises de ses enfants.

Et où était son mari, notre arrière-grand-père, dans tout ça ? Dans les champs, j'imagine. Il fallait bien que quelqu'un y soit.

Mais nous savions tous quelle femme remarquable elle était ; même les piètres dons de conteur de notre père ne parvenaient pas à le masquer. Je me rappelle Matt, demandant un jour quels livres elle posait sur ce fameux support, à part la Bible, bien sûr. Il voulait savoir si c'étaient des romans, peut-être Charles Dickens, ou bien Jane Austen. Non, a répondu notre père. La littérature ne l'intéressait pas, même pas la grande littérature. Elle ne voulait pas « s'échapper » du monde réel, elle voulait le connaître. Elle possédait des livres sur la géologie, sur la vie des plantes, sur le système solaire ; il y en avait un intitulé *Les Vestiges de la Création*, qui traitait de la formation géologique du monde – il la revoyait, penchée sur le volume, secouant la tête et claquant la langue. L'ouvrage datait d'avant Darwin, mais comme lui ne s'accordait pas avec les enseignements de la Bible. Il avait beau la perturber, elle n'avait pas pour autant interdit à ses enfants ni à ses petits-enfants de le lire, ce qui prouvait, soulignait mon père, combien était profond son respect pour le savoir.

Le contenu de ces livres devait en grande partie la dépasser – elle n'avait jamais mis les pieds à l'école –, mais elle les lisait quand même et s'efforçait de comprendre. Cela m'impressionnait, même étant enfant. Aujourd'hui, je trouve cela touchant. Cette soif de connaissance, cette détermination face à une tâche écrasante – cela me semble à la fois admirable et triste. Notre arrière-grand-mère était une intellectuelle-née, à une époque et dans un lieu où le terme était inconnu.

Mais ses efforts ont porté leurs fruits. Je suis sûre que mon père était la prunelle de ses yeux, puisque à travers lui s'est réalisé son rêve de voir sa famille accéder à l'instruction et échapper à la terre. C'était le plus jeune fils de son plus jeune fils. Ses frères avaient accompli sa part de travaux agricoles pour lui permettre de terminer ses études secondaires – le premier membre de la famille à aller jusque-là. Après avoir célébré l'événement (il était arrivé premier dans toutes les matières ; j'imagine mon arrière-grand-mère, présidant aux réjouissances, dissimulant sa fierté sous un masque sévère), ils lui ont rempli un paquetage, avec des chaussettes propres, un mouchoir, un pain de savon et son certificat d'études secondaires, et l'ont envoyé faire son chemin dans le monde.

Il est parti vers le sud-ouest, allant d'une ville à l'autre, travaillant là où il trouvait de l'embauche, suivant toujours le large lit bleu du Saint-Laurent. Arrivé à Toronto, il s'y est arrêté, mais pas longtemps. Peut-être que la ville lui faisait peur – tous ces gens, tout ce bruit –, quoique dans mon souvenir il n'ait pas été du genre à s'effrayer facilement. La vie citadine lui a plus probablement paru vaine et superficielle. Cela s'accorde mieux à ce que je sais de lui.

Lorsqu'il a repris la route, il est monté vers le nord et légèrement vers l'ouest, loin de la prétendue civilisation, et, à l'âge de vingt-trois ans, il s'est établi à Crow Lake, une communauté assez semblable à celle qu'il avait quittée à mille cinq cents kilomètres de là.

Quand j'ai été en âge d'y réfléchir, je me suis dit que la famille de mon père avait dû être déçue de le voir s'installer dans un endroit pareil, alors qu'ils avaient tant sacrifié pour le lancer dans le monde. Il m'a fallu du temps pour admettre qu'ils auraient approuvé son choix. En dépit du lieu, sa nouvelle vie présentait d'énormes différences avec la leur. Il avait un emploi dans une banque de Struan, portait un costume au bureau, possédait une voiture et avait bâti une maison près du lac, une maison basse, fraîche et ombragée par les arbres, loin de la poussière et des mouches des cours de ferme. Il avait une bibliothèque pleine de livres dans son salon et, plus précieux encore, du temps libre pour les lire. Il s'était établi dans une collectivité rurale parce qu'il se reconnaissait dans les valeurs qui y avaient cours. L'important, c'est qu'il avait eu le choix. Voilà ce qu'ils lui avaient offert.

La banque octroyait à mon père deux semaines de congés annuels (les premières vacances que quiconque ait jamais eues dans sa famille). Un an après son emménagement à Crow Lake, il avait profité de ces congés pour retourner en Gaspésie et demander en mariage son amour de jeunesse. C'était une fille d'une ferme voisine, aux bonnes et solides origines écossaises comme les siennes. Elle devait aussi posséder l'esprit d'aventure car elle avait dit oui et elle était arrivée jeune mariée à Crow Lake. Il existe une photo d'eux prise le jour du mariage. Ils se tiennent à l'entrée d'une petite église, sur les rivages de la Gaspésie ; grands, forts, bien charpentés, blonds et sérieux tous les deux, ils auraient aussi bien pu passer pour frère et sœur que pour des époux. On voit à leur sourire qu'ils sont sérieux. Un sourire franc et honnête, mais avant tout sérieux. Ils ne s'imaginent pas qu'ils auront la vie facile – aucun des deux n'a été élevé comme ça – mais ils se croient capables de faire face. Ils feront de leur mieux.

Une fois rentrés ensemble à Crow Lake, ils ont aménagé leur maison et, au fil du temps, ont eu quatre enfants : deux garçons, Luke et Matt, puis, après un délai de dix ans et sans doute beaucoup de réflexion, deux filles : moi (Katherine, dite Kate) et Elizabeth (dite Bo).

Nous aimaient-ils ? Bien sûr. Le disaient-ils ? Bien sûr que non. Quoique ce ne soit pas tout à fait vrai. Ma mère me l'a dit un jour. J'avais fait une bêtise – à une période où je les accumulais –, elle était fâchée contre moi et ne m'avait pas adressé la parole pendant ce qui semblait des jours, plus probablement quelques heures. À la fin, effrayée, je lui avais demandé : « Maman, tu m'aimes ? » Surprise, elle m'avait regardée et avait simplement répondu : « À la folie. » Je ne connaissais pas l'expression, mais d'une certaine façon je la comprenais et ça m'avait rassurée. Je le suis toujours.

À une époque, sans doute assez tôt, notre père a planté un clou dans le mur de la chambre conjugale pour y accrocher le portrait de l'arrière-grand-mère Morrison, et nous avons tous grandi bercés par le récit de ses rêves et conscients de son regard sur nous. Pour moi, l'expérience n'avait rien d'agréable. J'ai toujours eu la certitude qu'aucun de nous n'était à la hauteur, à une exception près. À son expression, je voyais bien qu'elle jugeait Luke paresseux, moi trop rêveuse, Bo trop têtue pour ne pas s'attirer des ennuis toute sa vie. Mais quand Matt entrait dans la pièce, on aurait dit que son vieux regard ardent s'adoucissait. Dans ces moments-là, et seulement dans ceux-là, son expression changeait, on pouvait lire dans ses pensées : celui-là. C'est celui-là.

J'ai du mal à me rappeler les jours qui ont immédiatement suivi l'accident. Il ne m'en reste que quelques images, figées dans le temps comme une photographie. La salle de séjour, par exemple – je me souviens du désordre. Nous y avions tous dormi le premier soir : Bo n'avait pas dû vouloir se coucher ou je n'avais pas dû réussir à m'endormir, si bien qu'à la fin Luke et Matt y avaient apporté le petit lit de Bo et trois matelas.

Je garde une image de moi, allongée, les yeux grands ouverts dans le noir. J'essayais de dormir mais le sommeil fuyait et le temps n'avançait pas. Je savais que Luke et Matt aussi étaient réveillés mais, pour une raison ou pour une autre, j'avais peur de leur parler, et la nuit n'en finissait pas.

Certaines scènes ont semblé se répéter très fréquemment, mais en y repensant je ne suis pas sûre que ça n'ait pas été un effet de mon imagination. Je revois Luke à la porte d'entrée, Bo dans les bras, acceptant de sa main libre le grand plat couvert que quelqu'un lui tendait. Je sais que cela s'est produit, mais dans mon souvenir il a passé presque tout son temps dans cette position les premiers jours. Après tout, ça n'est pas impossible : chaque épouse, chaque mère, chaque vieille tante célibataire de la communauté a pincé les lèvres et s'est mise aux fourneaux dès qu'elle a appris la nouvelle. Les pommes de terre en salade arrivaient en abondance. Les jambons. Les ragoûts bien nourrissants, impossibles à avaler par cette chaleur. Chaque fois qu'on passait la porte, on trébuchait sur un panier de haricots ou une jatte de compote de rhubarbe.

Et je revois Bo dans les bras de Luke. L'a-t-il vraiment portée pendant chaque minute, ces premiers jours ? C'est le souvenir que j'en ai. J'imagine qu'elle était perturbée par l'atmosphère de la maison, que notre mère lui manquait et qu'elle se mettait à pleurer chaque fois qu'il la reposait.

Moi, je m'accrochais à Matt. À sa main, à sa manche, à la poche de son jean, à tout ce que je pouvais attraper. J'avais sept ans, j'aurais dû avoir dépassé ce stade, mais je ne pouvais pas m'en empêcher. Je le vois encore, détachant gentiment mes doigts quand il voulait aller aux toilettes et disant : « Attends, Katie. Laisse-moi une minute. » Et moi, debout derrière la porte, lui demandant « Tu as fini ? » d'une voix tremblante.

Je ne peux imaginer ce qu'ont dû être ces jours-là pour Luke et Matt ; l'organisation des funérailles et les coups de fil, les visites des voisins bien intentionnés qui proposaient leur aide, la nécessité pratique de s'occuper de Bo et de moi. La confusion et l'angoisse, sans parler de la douleur. Cette douleur dont on ne parlait pas. Nous étions bien les enfants de nos parents.

De nombreux coups de fil venaient de Gaspésie ou du Labrador, des différentes branches de la famille. Ceux qui n'avaient pas le téléphone appelaient de cabines des villes voisines : on entendait le cliquetis des pièces dans la machine, et une lourde respiration tandis que le correspondant, peu habitué au téléphone et encore moins aux appels longue distance en période de crise, cherchait ses mots.

« C'est oncle Jamie. » Un mugissement puissant venu du fin fond du Labrador.

« Ah, oui, bonjour. » C'était Luke.

« J'appelle à propos de votre père et de votre mère. » Il avait du coffre, l'oncle Jamie. Luke était obligé d'écarter le combiné de son oreille, et Matt et moi l'entendions de l'autre bout de la pièce.

« Oui, merci. »

Un silence sifflant et pénible.

« C'est bien à Luke que je parle ? L'aîné ?

— Oui, c'est Luke. »

Nouveau silence.

Luke, semblant plus fatigué que gêné : « C'est gentil d'avoir appelé, oncle Jamie.

— Oh, eh bien, c'est terrible, mon garçon. Terrible. »

L'idée générale du message, c'est qu'on ne devait pas se faire de souci pour l'avenir. La famille s'organisait et s'occuperait de tout. On ne devait pas s'inquiéter. Tante Annie, l'une des trois sœurs de mon père, viendrait dès que possible, mais sans doute pas à temps pour les obsèques. Pourrait-on se débrouiller seuls pendant quelques jours ?

J'avais la chance d'être trop jeune pour comprendre les implications de ces appels. Tout ce que je savais, c'est qu'ils inquiétaient Luke et Matt ; après chaque coup de fil, celui qui avait répondu observait longuement l'appareil. Luke avait l'habitude de se passer la main dans les cheveux quand il était anxieux : dans les jours et les semaines qui ont suivi l'accident, sa chevelure ressemblait à un champ bien labouré.

Je me souviens d'avoir soudain été frappée, en le regardant fouiller dans la commode de notre chambre, à Bo et à moi, à la recherche d'une tenue propre pour Bo, par l'idée que je ne le reconnaissais plus. Il n'était plus le même que quelques jours auparavant – ce garçon moitié rebelle, moitié mal dans sa peau, accepté de justesse à l'École normale –, et je ne savais plus vraiment qui il était. Jusqu'alors, je n'avais pas eu conscience que les gens pouvaient changer. Certes, je n'avais pas non plus conscience que les gens pouvaient mourir. En tout cas pas les gens qu'on aimait et dont on avait besoin. Je connaissais l'idée de la mort, pas la réalité. J'ignorais que cela pouvait arriver.

Le service funèbre avait eu lieu dans le cimetière. Des chaises, apportées de l'école du dimanche, avaient été alignées à côté des deux tombes ouvertes. On était assis au premier rang tous les quatre, et on essayait d'empêcher les pieds de chaise d'osciller sur la terre brûlante. Ou plutôt, on était assis tous les trois en rang : Bo était installée sur les genoux de Luke, le pouce dans la bouche.

J'en garde un souvenir très désagréable. Il faisait extrêmement chaud, et comme Luke et Matt avaient tenu à tout faire dans les règles nous portions nos vêtements les plus sombres ; dans mon cas, une jupe d'hiver et un pull de laine, et pour Bo une robe de flanelle de l'année précédente, beaucoup trop petite pour elle. Les garçons étaient vêtus de pantalons et de chemises noires. Bien avant le début du service, on était tous les quatre brillants de sueur.

Du service lui-même je me rappelle seulement avoir entendu plusieurs personnes renifler, mais sans pouvoir me retourner pour savoir qui c'était. Je n'arrivais pas à y croire, et c'est cela, je crois, qui m'a protégée de la réalité. Je n'arrivais pas à croire que mon père et ma mère étaient dans ces boîtes à côté des

40

tombes, encore moins qu'on allait les descendre en terre et les ensevelir, les empêchant à tout jamais d'en sortir. Je suis restée assise, silencieuse, entre Luke et Matt, puis debout à leur côté, tenant la main de Matt, pendant qu'on descendait les cercueils en terre. Matt serrait très fort ma main, cela, je m'en souviens.

Puis ç'a été fini, ou plutôt non, car tout le village devait nous présenter ses condoléances. La plupart ne nous ont en fait rien dit, ils se sont contentés de défiler devant nous, hochant la tête ou tapotant les cheveux de Bo, mais cela a malgré tout duré un certain temps. J'étais à côté de Matt. Une ou deux fois, il a baissé les yeux vers moi pour me sourire, mais son sourire n'était qu'une ligne blanche. Bo s'est très bien tenue, même si elle était rouge comme une tomate à cause de la chaleur. Elle était dans les bras de Luke, la tête posée sur son épaule, et regardait tout le monde par-dessus son pouce.

Sally McLean a été l'une des premières à défiler. Elle faisait partie de ceux qui avaient pleuré, ça se voyait à sa tête. Elle ne nous a pas regardés, Matt et moi, mais elle a tourné son visage barbouillé de larmes vers Luke en disant : « Je suis tellement désolée, Luke », dans un murmure déchirant.

« Merci. »

Elle l'a regardé, les lèvres tremblantes, puis ses parents se sont avancés et elle n'a plus rien dit. M. et Mme McLean étaient petits, réservés, silencieux ; rien à voir avec leur fille. M. McLean s'est éclairci la gorge mais n'a pas prononcé un mot. Mme McLean nous a souri tristement. De nouveau, M. McLean s'est éclairci la gorge et a dit à Sally : « On ferait mieux d'y aller, Sal », mais elle lui a lancé un regard de reproche et n'a pas bougé.

Calvin Pye est venu ensuite, poussant sa femme et

ses enfants devant lui. C'était le fermier pour lequel travaillaient Luke et Matt pendant l'été. Il avait un air dur. Sa femme, Alice, paraissait toujours effrayée. Ma mère la plaignait, je ne comprenais pas bien pourquoi. Il lui arrivait seulement de dire parfois : « Cette pauvre femme. »

Elle plaignait aussi les enfants. L'aînée, Marie, était allée en classe avec Matt jusqu'à l'année précédente, puis avait arrêté l'école pour aider à la maison. La dernière, Rosie, avait sept ans et était dans ma classe. Laurie, le garçon, avait quatorze ans. Il aurait dû être au lycée, mais il avait si souvent manqué l'école pour travailler à la ferme qu'il n'irait jamais. Les deux filles avaient le teint pâle et l'allure inquiète de leur mère. Laurie, lui, était le portrait craché de son père, avec le même visage maigre et osseux, les mêmes yeux sombres et furieux.

« Nous sommes désolés pour votre perte », a dit M. Pye, et Mme Pye a ajouté : « Oui. » Rosie et moi, on s'est regardées. Rosie paraissait avoir pleuré, mais elle avait toujours cet air-là. Laurie fixait le sol. Je crois que Marie a voulu dire quelque chose à Matt, mais M. Pye les a poussés en avant.

Mlle Carrington s'est avancée. C'était mon institutrice, après avoir été celle de Luke et de Matt. Il n'y avait qu'une seule salle à l'école publique, si bien qu'elle faisait la classe à tout le monde jusqu'au moment où certains allaient au lycée en ville tandis que les autres quittaient l'école pour travailler à la ferme paternelle. Elle était jeune et assez gentille, mais aussi très sévère, et elle me faisait un peu peur. Elle a dit : « Eh bien, Luke. Matt. Kate. » Sa voix tremblait et elle n'a rien dit d'autre, elle nous a juste adressé un pauvre sourire et a tapoté le pied de Bo.

Ensuite il y a eu le Dr Christopherson, sa femme et

ses enfants, quatre hommes inconnus qui se sont révélés être des gens de la banque où travaillait mon père, puis seuls, à deux ou par familles entières, tous les gens que je connaissais depuis ma naissance, tous bouleversés et tous disant à Luke et Matt : « Si on peut faire quelque chose... »

Sally McLean restait aussi près de Luke que possible. Elle gardait les yeux baissés pendant que les gens présentaient leurs respects, puis de temps en temps s'approchait et lui murmurait quelque chose à l'oreille. À un moment, je l'ai entendue dire : « Veux-tu que je porte ta petite sœur ? » Luke a répondu non et a serré Bo plus fort. Au bout d'une minute, il a ajouté : « Merci, elle est bien là. »

Mme Stanovich est passée dans les dernières, et je me souviens très bien de ce qu'elle a dit. Elle aussi avait pleuré et pleurait encore. C'était une grosse femme, très douce, qui semblait uniquement faite de chair et passait son temps à parler au Seigneur, pas seulement pendant les prières ou le bénédicité, comme nous. Un jour, Matt avait décrété qu'elle était toquée, comme tous les fondamentalistes, et mes parents l'avaient banni de la salle à manger pendant un mois. Il s'en serait sorti s'il avait seulement dit qu'elle était toquée : c'était sa critique sur la religion qui lui avait valu cette punition. La tolérance religieuse était un credo familial qu'on ne transgressait qu'à ses risques et périls.

Elle est donc venue vers nous et nous a regardés les uns après les autres, les joues baignées de larmes. On ne savait plus où regarder. M. Stanovich, qu'on appelait La Pie parce qu'il ne disait jamais un mot, a fait un signe de tête à Luke et Matt avant de retourner en hâte vers son camion. À ma grande stupéfaction, Mme Stanovich m'a soudain serrée contre son énorme poitrine en disant : « Katherine, trésor, c'est un jour de grande joie aux Cieux. Tes parents, bénies soient leurs chères âmes, sont partis rejoindre notre Seigneur, et l'Hôte céleste se réjouit de les accueillir. C'est dur, mon petit agneau, mais songe à quel point notre Seigneur va être content ! »

Elle m'a souri à travers ses larmes et m'a serrée de plus belle contre elle. Sa poitrine sentait le talc et la sueur. Je ne l'oublierai jamais. Le talc et la sueur, et l'idée que là-haut, au paradis, ils se réjouissaient de la mort de mes parents.

Pauvre Lily Stanovich. Je sais qu'elle était sincèrement bouleversée par la mort de nos parents. Mais cette vision d'elle reste mon plus clair souvenir des obsèques, et, franchement, j'ai du mal à l'accepter, même après tout ce temps. J'aurais préféré un souvenir plus agréable, c'est tout. Une image nette et forte de nous quatre, tout près les uns des autres, nous soutenant les uns les autres. Mais chaque fois que je fais apparaître cette image en pensée, Lily Stanovich s'interpose, la poitrine en avant, et la brouille de ses larmes.

Trois

Il m'a fallu du temps avant de parler de ma famille à Daniel. Lorsque nous avons commencé à sortir ensemble, nous avons échangé des bribes d'informations personnelles, comme il se doit, mais d'ordre très général. Je crois lui avoir dit que mes parents étaient morts quand j'étais jeune, que j'avais de la famille dans le Nord à qui je rendais visite de temps en temps. Rien de plus.

J'étais mieux renseignée sur le milieu de Daniel car il était impossible de passer à côté en étant à l'université. Il y a un professeur Crane (Daniel) au département de Zoologie, un Pr Crane (son père) au département d'Histoire, et un Pr Crane (sa mère) au département des Beaux-Arts. Les Crane forment une petite dynastie, ou plutôt, comme je l'ai appris plus tard, une petite sous-section d'une large dynastie Crane. Les ancêtres de Daniel ont hanté les capitales culturelles d'Europe avant d'émigrer au Canada. Ils étaient médecins, astronomes, historiens ou musiciens, chacun devant être éminent dans son domaine. En comparaison, le petit pupitre artisanal de mon arrière-grand-mère Morrison semblait un peu pitoyable et je l'ai donc passé sous silence.

Mais Daniel est un homme curieux. Il partage avec Matt – c'est leur seul point commun, n'allez pas vous imaginer que j'ai choisi Daniel comme substitut à Matt – une insondable curiosité. Un soir, alors que nous sortions ensemble depuis quelques semaines, il a lancé : « Bon, parle-moi de toi, Kate Morrison. »

C'était, je le répète, au tout début de notre histoire. Je l'ignorais à l'époque, mais cette simple requête de sa part a marqué l'origine de ce qui allait devenir un problème entre nous : le problème, me disais-je, était qu'il me demandait plus que je ne pouvais donner, tandis que lui se prétendait exclu de ma vie.

Dans mon milieu, on ne parle pas des problèmes rencontrés dans une relation. Si quelqu'un dit ou fait quelque chose qui nous contrarie, on se tait. Sans doute encore un truc de presbytériens : après le onzième commandement (« Tu ne montreras point tes sentiments »), le douzième est « Tu n'admettras point être contrarié », ou, quand il devient évident pour tout le monde qu'on est contrarié : « Tu n'expliqueras en aucun cas pourquoi. » Non, on ravale nos senti-ments, on les garde enfouis à l'intérieur, là où ils peuvent se nourrir, croître, s'étendre et enfler jusqu'à nous faire exploser, de manière inexcusable, à la plus grande stupéfaction de celui ou celle qui nous a contrariés. Dans la famille de Daniel, il y a beau-coup plus de cris, d'accusations, de portes claquées et beaucoup moins de stupéfaction, parce que les gens s'expliquent.

Dans les mois suivants, je n'ai donc pas dit à Daniel qu'il me donnait parfois le sentiment de vouloir mettre ma vie entière sur l'une de ses petites lamelles de verre, et me glisser, tel un malheureux microbe, sous son microscope afin d'y étudier mon âme. Lui, en revanche, m'a dit, gentiment mais très sérieusement, qu'il avait l'impression que je refusais de me livrer. Il y avait une barrière quelque part, qu'il sentait mais ne parvenait pas à identifier, et qui représentait pour lui un réel problème.

À cette date, cependant, tout cela appartenait au futur ; notre histoire était encore très jeune et très excitante. Ce soir-là, nous étions dans un *deli* : tubes au néon, tables en plastique jaune sur de maigres pieds en métal, incessants bruits de casseroles en provenance de la cuisine. Gros sandwiches au pain de seigle, coleslaw, excellent café et cette simple requête : Parle-moi de toi.

À ce moment-là, je n'aurais su expliquer pourquoi l'idée me semblait aussi insurmontable. En partie, j'imagine, parce qu'il n'est pas dans ma nature de m'épancher. Adolescente, je n'ai jamais été du genre à m'asseoir sur le lit des copines, à chuchoter, pouffer et échanger des secrets, la main sur la bouche. Il m'a toujours paru un peu déplaisant de jeter sa famille en pâture à un quasi-étranger, de sacrifier leur intimité au rituel amoureux des présentations. Aujourd'hui, je crois que ce manque d'enthousiasme venait surtout du fait que l'histoire de ma vie est étroitement liée à celle de Matt : il n'était pas question pour moi de disséquer cela autour d'un café avec quiconque, *a fortiori* quelqu'un qui avait aussi brillamment réussi que Daniel Crane.

J'ai donc esquivé la question en répondant : « Je crois que je t'ai déjà tout raconté.

— Tu ne m'as pratiquement rien dit. Je connais ton nom et je sais que tu viens du Nord, c'est à peu près tout.

— Que veux-tu savoir d'autre ?

— Tout. Raconte-moi tout.

— Tout d'un coup ?

— Commence par le début. Non, commence avant le début. Parle-moi de l'endroit d'où tu viens.

— Crow Lake ?

— C'est ça. Comment était-ce, de grandir à Crow Lake ?

— Bien, c'était bien. »

Daniel a attendu la suite. Au bout d'une minute, il a lancé : « Tu es une conteuse-née, Kate. Vraiment.

— Mais je ne sais pas ce qui t'intéresse !

— Tout. C'était grand comment ? Combien d'habitants ? Comment était le centre-ville ? Est-ce qu'il y avait une bibliothèque ? Un Dairy Queen ? Une laverie automatique ?

— Oh, non ! Pas du tout. Il n'y avait qu'un magasin, et pas vraiment de centre-ville. Un magasin et l'église. Et l'école. Et les fermes. Presque que des fermes. »

Penché au-dessus de son café, il essayait de visualiser l'endroit. Grand et mince, Daniel a le dos légèrement voûté à force de passer son temps à regarder dans ses microscopes. Avec un nom pareil – Crane –, vous pourriez le croire la cible des blagues des étudiants, mais non. Il passe pour le meilleur prof du département. J'ai eu la tentation d'aller l'espionner pendant un de ses cours, pour voir comment il s'y prend, mais je n'ai jamais osé. Pour ce qui est d'enseigner, j'ai la réputation d'être plutôt sèche.

« La vraie vie d'autrefois, a-t-il dit.

— Non ! C'est encore plus ou moins comme ça aujourd'hui, et dans beaucoup d'endroits. Ils ne sont plus aussi isolés, parce que les routes sont meilleures et les voitures plus performantes. Struan n'est qu'à trente kilomètres. Avant, c'était un long trajet, maintenant ce n'est rien du tout. Sauf en hiver. »

Il hochait la tête, tentant toujours de se faire une idée.

« Tu n'es jamais allé dans le Nord ? » ai-je demandé.

Il a réfléchi.

« Si. Je suis allé à Barrie.

— Barrie ! Franchement, Daniel, Barrie n'est pas le Grand Nord ! »

En fait, j'étais assez choquée. C'est un homme tellement intelligent, et qui est allé partout. Il a passé son enfance à faire et défaire ses valises, chaque fois que l'un ou l'autre de ses parents acceptait un poste de « professeur invité » ici ou là. Il a vécu un an à Boston, un an à Rome, un à Londres, un à Washington et un autre à Édimbourg. Et il a une telle méconnaissance de son propre pays ! Ce n'est pas comme s'il était égyptologue et avait passé son existence à fouiller les tombes : c'est un microbiologiste. Un spécialiste des sciences de la vie qui n'a jamais mis les pieds dans son propre jardin !

Le choc a dû vaincre mes réticences habituelles, parce que je me suis mise à lui parler de Crow Lake, à lui raconter qu'il n'y avait rien là-bas, un vrai désert, avant que les compagnies d'exploitation du bois se mettent à se frayer un chemin vers le nord, et construisent une route jusqu'à cette petite étendue d'eau bleue qu'ils avaient baptisée Crow Lake. Une route qu'avaient empruntée en leur temps trois jeunes gens, des gaillards sans un sou vaillant qui en avaient assez de travailler dans les fermes des autres et voulaient la leur en propre. À eux trois, ils possédaient trois chevaux, un bœuf, une scie passe-partout et divers autres outils, ressources qu'ils avaient mises en commun avant de commencer à défricher. C'étaient

49

des terres de la Couronne – chacun réclamait une parcelle de vingt hectares – et, comme le gouvernement voulait coloniser la région, située au bout du monde, ils les avaient obtenues gratuitement. Au début, ils avaient défriché quarante ares chacun et construit trois misérables cabanes en rondin pour vivre. Puis, l'un après l'autre, ils avaient fait le chemin inverse jusqu'à New Liskeard, y avaient trouvé des femmes – une pour chacun – qu'ils avaient ramenées dans leurs cabanes.

« Quatre murs et un toit, ai-je dit à Daniel. Le sol en terre. Rien de plus. L'eau, rapportée de la rivière dans des seaux. Ça, c'était la vraie vie d'autrefois.

— Comment faisaient-ils pour la nourriture, avant de pouvoir planter ?

— Ils allaient la chercher en chariot tiré par des chevaux. Ils ont aussi rapporté des poêles à bois, des éviers, des lits et tout le reste. Une chose après l'autre. Et ils continuaient à défricher, petit à petit. Il fallait des années pour défricher. Des générations. On continue encore aujourd'hui.

— Et ils ont tous réussi ? À bâtir leur ferme ?

— Oh, oui. Le sol n'est pas mauvais, là-haut. Pas extraordinaire, mais pas mal. La période de pousse est courte, bien sûr.

— Ça se passait il y a combien de temps ? » m'a demandé Daniel.

J'ai réfléchi. « Il y a trois ou quatre générations. » Ça ne m'avait jamais traversé l'esprit avant, mais ces trois-là devaient être contemporains de l'arrière-grand-mère Morrison.

« Leurs familles sont encore là ?

— En partie. Frank Janie, l'un des trois, a eu une nombreuse descendance, et ils se sont spécialisés dans l'industrie laitière. Ça marche bien pour eux. Le deuxième s'appelait Stanley Vernon. Sa ferme a été vendue à une époque, mais l'une de ses filles vit encore là-bas. La vieille Mlle Vernon. Elle doit avoir dans les cent ans.

— Est-ce qu'ils habitent toujours dans des cabanes en rondin ? »

Je l'ai regardé pour voir s'il plaisantait. C'est parfois difficile à dire, avec Daniel, et je n'étais sûre de rien.

« Non, Daniel, non, ils ne vivent plus dans des cabanes en rondin. Ils habitent dans des maisons, comme les gens normaux.

— Quel dommage. Que sont devenues les cabanes ?

— On a dû les utiliser comme remises ou comme granges après la construction des maisons. Elles ont sûrement fini par pourrir et s'effondrer. C'est ce qui arrive souvent au bois non traité, comme tu le sais sans doute, en tant que biologiste. Toutes, sauf celle de Frank Janie, qui a été achetée et transportée par camion à New Liskeard, pour figurer dans une reconstitution historique pour touristes.

— Une reconstitution historique », a répété Daniel. Il a encore réfléchi une minute, puis secoué la tête. « Comment sais-tu tout cela ? C'est incroyable ! Tu te rends compte, connaître l'histoire de tout ton village !

— Il n'y a pas grand-chose à savoir. Je suppose qu'on s'en imprègne. Par osmose.

— Et le troisième ? Sa famille est encore là-bas ?

— Jackson Pye... » J'ai revu la ferme en prononçant le nom. La grande maison grise, l'immense grange de guingois, les pièces de matériel agricole répandues çà et là, les champs plats et jaunes sous le soleil. Les étangs, calmes et silencieux, reflétant l'intense bleu du ciel.

Daniel attendait ma réponse.

« Le troisième s'appelait Jackson Pye. En fait, les

Pye étaient nos plus proches voisins. Mais les choses ne se sont pas trop bien passées pour eux, à la fin. »

Plus tard, je me suis surprise à repenser à Mlle Vernon. À une histoire qu'elle m'avait racontée, et dont j'aurais préféré ne pas me souvenir. Mlle Vernon, avec ses claquements de dents et sa longue mâchoire couverte de barbe, dont le père avait été l'un de ces trois pionniers. L'été, quand j'étais adolescente, je l'aidais à cultiver son potager. À l'époque, elle avait déjà l'air centenaire. Elle avait de l'arthrite et ne pouvait plus faire grand-chose, sinon s'asseoir sur une chaise de cuisine qu'elle me demandait d'installer dehors afin de pouvoir garder un œil sur moi. C'est en tout cas ce qu'elle prétendait, mais en réalité elle avait surtout besoin de compagnie. Elle parlait pendant que je sarclais. Contrairement à ce que j'ai dit à Daniel, il y a des limites à ce que l'on peut apprendre par osmose, et Mlle Vernon a été ma principale source d'information sur l'histoire de Crow Lake.

Cette fois-là, elle me parlait de sa jeunesse, des jeux auxquels ils se livraient et des ennuis dans lesquels ils se fourraient. Un jour, au début de l'hiver, elle, son frère et deux des fils Pye – les enfants de Jackson Pye – jouaient au bord du lac. Le lac était gelé depuis peu et on leur avait formellement interdit de marcher dessus, mais Norman Pye, le plus âgé de la bande, leur avait assuré qu'ils ne risquaient rien s'ils y allaient sur le ventre. C'est donc ce qu'ils avaient fait.

« Nous trouvions cela excitant, comme tout ce qui était défendu, m'avait dit Mlle Vernon. On entendait la glace craquer, mais elle résistait, et on a glissé dessus comme des phoques. Oh, que c'était drôle ! La glace était aussi transparente que du verre ; on voyait le fond, avec tous les cailloux, plus vifs et plus colorés qu'ils ne le sont à travers l'eau. On distinguait même des poissons. Et puis, tout d'un coup, on a entendu un énorme craquement, toute la couche de glace s'est rompue, et on s'est retrouvés dans l'eau. Elle était glaciale. Comme on était tout près du rivage, on est remontés très vite. Mais Norman n'a pas voulu rentrer chez lui. Il a dit qu'il valait mieux pas. »

Elle s'est tue et s'est mise à entrechoquer ses dents, de cette façon particulière qu'elle a, comme si l'histoire s'arrêtait là. Au bout d'une minute, j'ai demandé : « Vous voulez dire qu'il ne voulait pas rentrer avant de s'être séché ? » Je l'imaginais claquant des dents, la peau bleue de froid, tentant de trouver un moyen de ne pas geler en attendant que ses vêtements soient secs, terrifié à l'idée de la raclée qui l'attendait si son père découvrait la vérité. Étant l'aîné, c'était lui qui risquait le plus gros.

Mlle Vernon a répondu : « Non, non. Il n'est pas rentré du tout.

— Jamais ?

— Il a dit qu'il allait suivre la route, et qu'un camion de bois finirait peut-être par le faire monter. On ne l'a jamais revu. »

Cette histoire m'a obsédée longtemps après. Durant toute mon adolescence, elle n'a pas cessé de me revenir. L'image de ce garçon s'éloignant sur la route. Se frappant les bras pour se réchauffer, les pieds engourdis dans ses bottes, trébuchant sur le chemin gelé. L'obscurité qui descendait. La neige qui tombait.

Ce qui m'obsédait le plus était l'idée que, trois générations plus tôt, un fils Pye avait préféré risquer de mourir de froid plutôt que d'affronter son père.

Quatre

Tante Annie est arrivée deux jours après l'enterrement. Je dois vous parler de tante Annie, car elle a joué un rôle dans ce qui s'est passé. Elle était la sœur aînée de mon père, une digne descendante de l'arrière-grand-mère Morrison, qu'aucune tâche n'effrayait. C'était la première fois qu'elle quittait la Gaspésie, et, si Luke et Matt l'avaient déjà vue – nos parents les avaient emmenés en visite « au pays », quand ils étaient petits –, Bo et moi la rencontrions pour la première fois.

Beaucoup plus âgée que mon père, petite et grosse – avec un derrière dont je me félicite de ne pas avoir hérité – alors qu'il était grand et maigre, elle n'en avait pas moins un air de famille, et j'ai tout de suite eu l'impression de la connaître. Elle n'était pas mariée. La mère de mon père était morte quelques années plus tôt, en fait pas si longtemps après l'arrière-grand-mère Morrison, et depuis lors tante Annie tenait la maison pour son père et ses frères. La famille l'avait peut-être envoyée, pour ce qu'ils estimaient être une tâche féminine, parce qu'elle n'avait pas d'enfants et qu'on

54

pouvait plus facilement se passer d'elle. Cependant, je soupçonne une autre raison. Le message qu'elle venait nous transmettre – les dispositions prises pour nous par la famille – était pénible, et je doute qu'il y ait eu beaucoup de volontaires.

« Désolée d'avoir mis tant de temps pour venir, nous a-t-elle dit quand le révérend nous l'a présentée – nous n'avions plus de voiture depuis l'accident, aussi était-il allé la chercher à l'arrêt du train –, mais ce pays est décidément trop vaste. Avez-vous des toilettes ? J'imagine que oui. Kate, tu es le portrait de ta mère, quelle chance tu as. Et voici Bo. Bonjour, Bo. »

Bo, dans les bras de Luke, lui a lancé un regard froid, mais tante Annie n'a pas paru s'en émouvoir. Elle a retiré son chapeau, une petite chose ronde et marron qui ne la flattait pas, et a cherché autour d'elle un endroit où le mettre. Tout était en désordre, mais elle a fait semblant de rien. Elle a fini par le poser sur le buffet, à côté d'une assiette avec un vieux bout de gras de jambon dedans. Puis elle a levé les mains pour se tapoter les cheveux.

« Ai-je l'air d'un épouvantail ? Tant pis. Montrez-moi les toilettes, et ensuite, au boulot. Je suppose qu'il y a beaucoup à faire. »

Elle parlait d'un ton naturel et enjoué, comme si c'était une visite tout à fait ordinaire et que nos parents se soient juste absentés un moment. Mais son attitude me paraissait la bonne. Tout à fait conforme à ce qu'on attendait d'eux. J'ai décidé qu'elle me plaisait. Je ne comprenais pas du tout pourquoi Luke et Matt semblaient si inquiets.

« Voilà, a-t-elle dit quelques minutes plus tard en sortant des toilettes. Bon, quelle heure est-il ? Quatre heures. Bien. Nous devrons tous faire connaissance, mais j'espère que cela viendra naturellement.

55

Maintenant, d'après moi, il nous faudrait établir les priorités – cuisine, ménage, lessive, ce genre de choses. Le révérend Mitchell m'a dit que vous vous étiez très bien débrouillés, mais il doit sûrement y avoir des... »

Elle s'est interrompue. L'expression de Matt et Luke a dû la distraire, car elle n'a pas fini sa phrase. D'un ton un petit peu moins brusque et un peu plus doux, elle a ajouté : « Je sais que nous avons des choses à discuter, mais nous devrions attendre un jour ou deux. Il nous faudra trier les papiers de votre père, voir son notaire et la banque. À ce moment-là, nous saurons où nous en sommes. Il ne sert pas à grand-chose d'en discuter avant. Est-ce que vous êtes d'accord ? »

Ils ont hoché la tête et, soudain, tous deux ont paru se relâcher, comme si, après avoir retenu leur souffle, ils respiraient de nouveau.

Pendant un jour ou deux, nous avons connu une espèce d'état de grâce, durant lequel tante Annie a tout remis en ordre et permis à Luke et Matt de souffler. La lessive était le plus gros problème, elle a donc commencé par là. Elle s'est ensuite attelée au ménage, s'est discrètement débarrassée des vêtements de nos parents, s'est occupée du courrier en retard et des factures en souffrance. Elle était efficace, discrète et ne cherchait pas à se faire aimer. Je suis sûre qu'en d'autres circonstances nous l'aurions adorée.

Un jeudi, presque deux semaines après l'accident, Luke et elle sont allés en ville, pour voir le notaire de mon père et la banque. Le révérend Mitchell les y a conduits ; Matt est resté avec Bo et moi.

Après leur départ, nous sommes descendus au lac. Je me demandais si Matt allait proposer de se baigner, mais après plusieurs minutes passées à regarder Bo

trépigner au bord de l'eau, tout d'un coup il a dit :
« Et si on retournait aux étangs ?

— Et Bo ?

— On l'emmène. Le moment est venu de faire son
éducation.

— Mais elle va tomber à l'eau. » J'étais anxieuse.
Contrairement au lac, le bord des étangs était à pic.
Ces jours-ci, j'avais l'impression que le drame couvait
partout autour de nous ; je vivais dans l'angoisse. Le
soir, je me couchais avec cette peur et me réveillais
avec elle le matin.

Mais Matt a dit : « C'est sûr qu'elle va tomber, hein,
Bo ? Les étangs sont faits pour ça. »

Il a pris Bo sur ses épaules pour traverser la forêt,
comme il le faisait avec moi autrefois. Nous ne disions
rien. Nous n'avons jamais beaucoup parlé pendant ces
expéditions, mais ce n'était pas le même silence.
Avant, nous ne ressentions pas le besoin de parler ; ce
jour-là, nous avions la tête pleine de choses que nous
ne pouvions pas exprimer.

Nous n'étions pas retournés aux étangs depuis la
mort de nos parents, et quand je les ai vus, quand j'ai
glissé sur le talus près du premier, j'ai repris courage,
en dépit de tout. Celui-là, c'était « notre » étang, pas
seulement parce que c'était le plus proche, mais parce
que d'un côté, sur deux mètres de long environ, l'eau
n'avait pas plus d'un mètre de profondeur. Elle était
claire et chaude, de nombreux habitants de l'étang s'y
agglutinaient et, bien sûr, on voyait jusqu'au fond.

Bo regardait autour d'elle, de son poste d'observation sur les épaules de Matt.

« Ça ! a-t-elle dit en pointant le doigt vers l'eau.

— Tu verrais ce qu'il y a dedans, Bo ! lui ai-je dit.
On va te dire tous les noms. »

Je me suis allongée à plat ventre, comme je le faisais

toujours, à l'affût. Les têtards qui s'accrochaient au bord de l'étang se sont éloignés en masse quand mon ombre est tombée sur eux, avant de revenir petit à petit en frétillant. Ils étaient bien développés, leurs pattes de derrière complètement formées et leur queue courte et épaisse. Comme chaque année, nous les avions vus grandir, Matt et moi, depuis le premier jour où ils avaient commencé à bouger à l'intérieur des minuscules globes transparents de leurs œufs.

Des épinoches dérivaient de-ci de-là. La période du frai était finie, il était donc difficile de différencier les mâles des femelles. Pendant la reproduction, les mâles étaient très beaux, le ventre rouge, des écailles argentées sur le dos et les yeux bleus brillants. Matt m'avait dit – au printemps dernier, à peine quelques mois plus tôt, même si cela semblait être dans une autre vie – que les mâles épinoches faisaient tout le boulot. Ils construisaient les nids, faisaient la cour aux femelles, puis éventaient les nids pour que les œufs aient suffisamment d'oxygène. Une fois les œufs éclos, c'étaient encore les mâles qui les gardaient. Si un bébé s'écartait du groupe, le père l'aspirait dans sa bouche puis le recrachait vers la masse.

« Et les femelles, qu'est-ce qu'elles font ? lui avais-je demandé.

— Oh, elles se la coulent douce. Elles vont prendre le thé. Papoter avec leurs copines. Tu sais comment sont les femmes.

— Non, mais en vrai. Qu'est-ce qu'elles font ?

— Je ne sais pas. Elles mangent beaucoup, sans doute. Elles doivent avoir besoin de reprendre des forces après avoir produit tous ces œufs. »

Il était alors couché à côté de moi, le menton sur les mains, les yeux rivés sur l'eau. Nous avions l'esprit tout occupé par ce petit monde silencieux qui s'étalait devant nous.

Quand je me suis retournée, cette fois, il était debout, à un mètre de l'étang, et le regardait sans le voir. Sur ses épaules, Bo tendait le cou. « Descendre ! a-t-elle dit.

— Tu ne viens pas voir ? ai-je demandé.

— Si, si. »

Il a posé Bo par terre, et elle a titubé jusqu'au bord de l'eau.

« Allonge-toi, Bo, lui a dit Matt. Allonge-toi comme Kate et observe les poissons. »

Bo m'a jeté un coup d'œil et s'est accroupie à côté de moi. Elle portait une petite robe bleue, d'où dépassait sa couche, si bien que quand elle s'est accroupie la robe a bouffé par-dessus et lui a fait comme un énorme derrière.

« Luke n'est pas très doué pour mettre les couches », ai-je dit.

Tante Annie avait proposé de s'occuper du change, mais Bo ne s'était pas laissé faire, aussi cette tâche revenait-elle toujours à Luke ou à Matt.

« Merci, c'est moi qui lui ai mis cette couche, et j'en suis fier », a déclaré Matt.

Il m'a souri, mais quand j'ai croisé son regard, je n'y ai vu aucune gaieté. Je me suis soudain rendu compte qu'il n'y avait plus trace de bonheur en lui. De bonheur sincère : il faisait seulement semblant, pour moi. J'ai vite détourné la tête et reporté mon attention sur l'eau. La peur et l'angoisse tapies au fond de moi sont montées comme une rivière en crue. Je me suis concentrée sur l'étang, en les repoussant bien fort vers le fond.

Au bout d'une minute, Matt s'est couché à côté de Bo, qui était donc entre nous deux.

« Regarde les poissons, Bo. » Il a montré l'eau, et Bo a regardé son doigt. « Non, regarde dans l'eau. Tu vois les poissons ?

— Oooh ! »

Bo s'est levée, a sautillé sur place, avec des cris excités, et les poissons ont disparu comme par enchantement. Elle s'est immobilisée pour scruter l'eau. Puis elle a jeté un regard incrédule à Matt.

« Tu leur as fait peur, a-t-il expliqué.

— Pas poissons ! » Elle était désemparée, affligée, son visage s'est décomposé et des larmes se sont mises à couler.

« Arrête, Bo. Tiens-toi tranquille et ils vont revenir. »

Elle lui a lancé un coup d'œil méfiant, a mis son pouce dans sa bouche, mais s'est de nouveau accroupie. Une minute plus tard, alors que Matt l'incitait à ne pas bouger, une petite épinoche a glissé vers nous.

« En voilà un », a chuchoté Matt.

Tout excitée, Bo s'est levée d'un bond, elle s'est pris le pied dans un coin de sa couche et elle est tombée à l'eau.

Au retour, en longeant la voie ferrée, nous avons croisé Marie Pye, un sac d'épicerie dans chaque bras. La ferme des Pye était située derrière les carrières – le terrain sur lequel elles se trouvaient leur appartenait – et, pour aller au magasin des McLean, il était plus rapide de suivre les rails que de passer par la route. Matt a ralenti l'allure en la voyant approcher. Marie a fait de même, puis elle s'est arrêtée et nous a attendus.

« Salut, Marie, a dit Matt en déplaçant légèrement Bo sur ses épaules.

— Salut. » Nerveuse, elle a regardé derrière nous,

en direction de la ferme, comme si elle s'attendait à voir son père surgir du sentier de la carrière, en fureur, pour la gronder. Ma mère avait dit un jour que Marie était la seule personne normale de toute cette pauvre famille, mais moi je la trouvais aussi agitée que les autres. Elle était bien charpentée et dégageait une impression de force, mais elle avait le teint pâle, un halo de cheveux clairs et fins, et de grands yeux inquiets. Matt et elle devaient bien se connaître, ou en tout cas depuis longtemps. Elle avait un an de plus que lui mais Matt avait sauté une classe, si bien qu'ils avaient été ensemble à l'école. Ils avaient aussi dû se voir, même de loin, quand il travaillait chez les Pye.

Ils ne s'étaient pas revus depuis l'enterrement, et aucun des deux ne semblait savoir que dire. Je ne comprenais pas pourquoi ils devaient se parler. J'étais fatiguée et je voulais rentrer à la maison.

« Bo est allée à la pêche », a fini par dire Matt, frottant sa tête contre le ventre de Bo.

Marie a levé les yeux vers Bo, trempée et pleine d'algues, puis elle a souri d'un air incertain. Ensuite elle a de nouveau regardé Matt, a rougi et dit très vite : « Je... je suis vraiment désolée pour vos parents.

— Ouais... Merci.

— Est-ce que... est-ce que tu sais ce que vous allez faire ? Ce qu'il va se passer ?

— Pas encore. On devrait le savoir... » Il s'est interrompu, et je n'ai pas eu besoin de le regarder pour deviner qu'il me désignait de la tête.

« Oh, a dit Marie. En tout cas, je suis vraiment désolée. »

On est encore restés là une minute, puis Marie nous a souri, à Bo et à moi.

« Bon, alors au revoir », a-t-elle fait.

Et on est repartis. Je me suis demandé : Que va-t-il

61

se passer ? Va-t-il se passer autre chose ? Qu'est-ce qu'il ne sait pas encore ? Que va-t-il se passer ? Une chose horrible, pour qu'il ne veuille pas en parler devant moi.

Nous sommes arrivés au sentier qui partait des rails pour s'enfoncer dans la forêt. Là, protégée par l'intimité sombre des arbres, j'ai essayé de l'interroger. J'ai ouvert la bouche, mais le désir de ne pas savoir a été plus fort que le besoin de savoir, et je n'ai pas réussi à parler. Après mon cerveau, mes pieds se sont engourdis et je me suis arrêtée. Matt s'est retourné vers moi.

« Tu as un caillou dans ta chaussure ? »

J'ai demandé : « Qu'est-ce qu'elle voulait dire ? en respirant par saccades.

— Qui ?

— Marie. Quand elle t'a demandé ce qui allait se passer. Qu'est-ce qu'elle voulait dire ? »

Il n'a pas répondu tout de suite. Bo examinait les cheveux de Matt, elle en soulevait de longues mèches en chantonnant. Lui aussi avait la chemise trempée et couverte d'algues.

« Qu'est-ce qu'elle... » Et là, tout d'un coup, je me suis mise à pleurer, en silence, toute droite, les bras le long du corps. Matt a reposé Bo, s'est agenouillé et m'a prise par les épaules.

« Katie, Katie, qu'est-ce que tu as ?

— Qu'est-ce qu'elle voulait dire ? Qu'est-ce qu'il va se passer ? Qu'est-ce qu'elle voulait dire ?

— Katie, tout va aller pour le mieux. On va prendre soin de nous. Tante Annie s'en occupe.

— Pourquoi elle t'a demandé ça, alors ? Tu as dit que tu ne savais pas encore. Qu'est-ce que tu ne sais pas ? »

Il a inspiré profondément, puis relâché son souffle.

« Ce qui se passe, Katie, c'est qu'on ne va pas pouvoir rester ici. On va devoir aller vivre avec la famille.

— Tante Annie ne vient pas habiter avec nous ?

— Non, c'est impossible. Elle doit s'occuper de ses parents, et elle travaille à la ferme. Elle a trop à faire.

— Chez qui, alors ? Chez qui on va aller ?

— Je ne sais pas encore. C'est ça que je ne sais pas. Mais qui que ce soit, tout va bien se passer. Ils seront gentils. Ils sont tous gentils dans la famille.

— Mais je veux vivre ici. Je ne veux pas partir. Je veux que Luke et toi, vous vous occupiez de nous. Pourquoi est-ce que vous ne pouvez pas vous occuper de nous ?

— Ça coûte cher de s'occuper des gens, Katie. On n'aurait pas assez d'argent pour vivre. Écoute, tu ne dois pas t'inquiéter. Tout ira bien. C'est pour ça que tante Annie est là. Pour arranger les choses. Tout ira bien, tu verras. »

Luke et tante Annie sont rentrés peu après cinq heures. Tante Annie nous a demandé de venir nous asseoir dans le salon, ce que nous avons fait, sauf Luke, qui est resté debout à côté de la fenêtre, à regarder le lac. Tante Annie, très droite sur sa chaise, nous a dit les choses suivantes :

Notre père nous avait laissé un peu d'argent, mais pas beaucoup.

Du bureau du notaire, elle avait passé plusieurs coups de fil à la famille, et il était convenu que Luke irait à l'École normale, comme prévu. La plus grande partie de l'argent y passerait, mais de l'avis de tout le monde c'était ce qu'auraient voulu nos parents.

Quant à nous... à ce stade, tante Annie, malgré sa posture rigide, a eu quelques difficultés. Elle a détourné le regard, puis l'a ramené vers nous, ses yeux passant de Matt à moi avant de se poser sur Bo... Quant à nous, malheureusement, aucune branche de la famille n'était en mesure d'accueillir trois enfants supplémentaires. En fait, les conditions financières étaient telles qu'aucune n'avait les moyens d'en entretenir même deux. En conséquence, et afin que Bo et moi ne soyons pas séparées, il avait été décidé que, si Matt était d'accord, il retournerait à la ferme avec elle. Il pourrait y travailler, et l'argent ainsi gagné aiderait à entretenir ses sœurs. Luke, espérait-on, apporterait sa contribution dès qu'il aurait fini ses études et trouvé un emploi. Dans l'intervalle, les gains de Matt, ajoutés à la participation du reste de la famille, permettraient à tante Emily et oncle Ian, qui vivaient à Rivière-du-Loup et avaient déjà quatre enfants, de nous recueillir, Bo et moi.

Cinq

Aujourd'hui, la souffrance des enfants s'étale partout. Les guerres et les famines se déroulent sous nos yeux, dans nos salons ; chaque semaine ou presque, on voit des images d'enfants qui ont vécu des épreuves et des drames inimaginables. La plupart du temps, ils ont l'air très calmes. Ils regardent la caméra, droit dans l'objectif. Sachant ce qu'ils ont subi, on s'attendrait à lire de la terreur ou de la douleur dans leurs yeux, mais souvent aucune émotion n'y est visible. Ils ont le regard si vide qu'il serait facile d'imaginer qu'ils ne ressentent pas grand-chose.

Loin de moi l'idée de comparer ma propre expérience avec la souffrance de ces enfants, et pourtant je me rappelle avoir éprouvé cette espèce de vide. Je revois Matt me parler – les autres aussi, mais surtout Matt – et je me souviens de l'énorme effort que je devais faire rien que pour l'entendre. J'étais submergée par tant d'émotions incontrôlables que je ne ressentais plus rien. Comme si j'étais au fond de l'eau.

« Kate ? »

Je regardais ses genoux. Les miens étaient maigres, bruns et noueux. Ceux de Matt, dépassant de son short, étaient au moins deux fois plus gros.

« Kate ?

— Quoi ?

— Tu m'écoutes ?

— Oui.

— Regarde la carte. Ce n'est pas loin, tu vois ? Je pourrai venir te voir. Ce n'est pas si loin que ça. Tu vois ? »

Il y avait moins de poils sur ses genoux que sur ses cuisses et ses mollets, et la peau n'était pas pareille. Elle y était plissée à force de se baisser. Moi, je n'avais pas du tout de poils sur les genoux, et les plis étaient plus petits.

« Regarde ça, Kate. »

Nous passions beaucoup de temps assis là, sur le canapé. Luke et lui avaient recommencé à travailler chez M. Pye, mais le soir il m'emmenait de nouveau aux étangs ou, s'il était trop tard ou qu'il plût, il s'asseyait avec moi et me parlait de nos nouvelles vies et de ses futures visites. J'écoutais. Ou du moins j'essayais, mais une tornade mugissait en moi et m'empêchait d'entendre.

« On s'arrangera, disait Matt. Il y a une échelle, là, tu vois ? Ça dit combien il y a de kilomètres pour un centimètre. »

La carte n'était pas très bonne. New Richmond, la ville la plus proche de la ferme de tante Annie, n'y figurait pas, mais Matt lui avait demandé de nous montrer où c'était, puis il avait pris un crayon et, bien qu'on n'ait pas eu le droit d'écrire sur les livres, il avait mis un point à l'endroit indiqué et avait écrit le nom, New Richmond, très soigneusement à côté.

Nous devions tous rester à Crow Lake jusqu'à la rentrée de Luke, puis tante Annie, Matt, Bo et moi partirions tous les quatre vers l'est. Matt et tante Annie nous accompagneraient à Rivière-du-Loup et y resteraient trois jours, le temps que Bo et moi nous acclimations à notre nouveau foyer. Ensuite, ils nous laisseraient pour retourner à la ferme de tante Annie.

En attendant, Calvin Pye avait grand besoin d'aide, et tante Annie a estimé qu'il n'y avait pas de raison que les garçons n'en profitent pas pour gagner un peu d'argent. Je n'étais pas censée l'entendre ajouter que ça permettrait à Bo et moi de nous habituer à leur absence.

« Pose ton pouce sur l'échelle, Kate. Très bien. Maintenant, regarde. Ta première phalange, de là à là, représente environ deux cents kilomètres. Tu vois ? Mets-la sur la carte. Regarde. Ça ne fait pas beaucoup plus de deux cents kilomètres, si ? Deux cents cinquante à tout casser. Je viendrai te voir sans problème. »

Il parlait, et la tornade mugissait.

« Qui est-ce ? m'a demandé tante Annie. Kate ? Qui est-ce qui remonte l'allée ?

— Mlle Carrington.

— Et qui est Mlle Carrington ?

— Mon institutrice.

— Oh, a fait tante Annie, intéressée. Elle m'a l'air bien jeune pour une institutrice. »

Nous étions assises sous la véranda, à équeuter des haricots. Tante Annie croyait fermement aux vertus d'un travail utile comme remède à tous les maux. Elle me faisait parler. À ce jeu-là, elle était bien meilleure que Matt parce qu'elle ne lâchait pas prise.

« Est-elle une bonne institutrice ? Est-ce que tu l'aimes bien ?

— Oui.

— Qu'est-ce que tu aimes, chez elle ? »

Silence.

« Kate ? Qu'est-ce que tu aimes, chez Mlle Carrington ?

— Elle est gentille. »

J'ai échappé à la suite de l'interrogatoire parce que Mlle Carrington était à portée de voix.

« Bonjour, l'a saluée tante Annie, reposant son panier de haricots et se levant pour l'accueillir. Je crois que vous êtes l'institutrice de Kate. Je suis Annie Morrison. »

Elles ont échangé une poignée de main assez guindée. Tante Annie a proposé : « Voulez-vous un rafraîchissement ? ou du thé ? Vous êtes venue à pied du village ?

— Oui, a répondu Mlle Carrington. Merci. Je prendrais volontiers du thé. Bonjour, Kate. Tu es en plein travail à ce que je vois. »

Elle m'a adressé un sourire vague, et je me suis rendu compte qu'elle était nerveuse. Je ne remarquais pas grand-chose, ces temps-ci, mais je l'ai remarqué parce que c'était inhabituel.

« Kate, crois-tu que tu pourrais aller nous préparer du thé ? m'a demandé tante Annie. Tu pourrais sortir la belle porcelaine, qu'en penses-tu ? Pour Mlle Carrington ? » Elle a souri à Mlle Carrington avant d'ajouter : « Kate fait le meilleur thé que je connaisse. »

Je me suis levée, suis rentrée dans la maison et j'ai mis la bouilloire sur le feu. La maison était silencieuse. Bo était dans notre chambre – tante Annie l'y avait couchée pour sa sieste, et, après avoir hurlé, ma sœur avait dû finir par s'endormir.

Pendant que la bouilloire chauffait, je suis montée sur une chaise pour attraper la plus belle théière de ma mère, posée sur l'étagère du haut dans la cuisine. De forme ronde, toute lisse, elle avait une jolie couleur crème et une branche de pommier peinte dessus, avec plusieurs feuilles vert sombre et deux pommes très rouges. Les pommes étaient en relief, si bien qu'on pouvait en éprouver la rondeur avec les mains. Il y avait aussi un petit pot à lait et un sucrier assortis, six tasses avec six soucoupes et six petites assiettes, tous décorés de pommes et sans aucune ébréchure. Tante Annie m'avait dit que le service à thé était un cadeau de mariage offert à mes parents par une dame de New Richmond, qu'il me reviendrait quand je serais grande, mais que je pouvais déjà l'utiliser, si je le souhaitais, lorsque des gens importants nous rendaient visite. Je savais que j'étais censée être contente.

J'ai chauffé la théière et préparé le thé. Puis je l'ai posée sur notre plus beau plateau et l'ai recouverte avec le cache-théière. J'y ai disposé deux tasses avec les soucoupes, le lait et le sucre, et j'ai emporté le plateau en faisant bien attention. Je voyais tante Annie et Mlle Carrington par la porte-moustiquaire. Mlle Carrington disait : « J'espère que vous ne m'en voudrez pas, mademoiselle Morrison. N'y voyez pas d'offense. »

Tante Annie m'a aperçue et s'est levée pour m'ouvrir la porte.

« Merci, Kate. C'est très joliment servi. Écoute, Mlle Carrington et moi devons nous entretenir de certaines choses – crois-tu que tu pourrais emporter les haricots dans la cuisine et finir de les éplucher ?

Ou sur la plage, si tu préfères. Qu'est-ce que tu préfères ?

— La plage », ai-je répondu, même si cela m'était égal.

J'ai ramassé les haricots, la casserole et le couteau, j'ai descendu les marches de la véranda puis j'ai contourné la maison. Juste à cet endroit, j'ai fait tomber le couteau. Il devait être à mes pieds, mais l'herbe était haute et je ne le voyais pas. Pendant que je balayais délicatement l'herbe avec mes orteils, tenant d'un côté les haricots et leur casserole, j'ai entendu Mlle Carrington dire : « Je me rends bien compte que ça ne me regarde pas, mais je ne peux pas me taire. Ces enfants sont tous intelligents, bien sûr, mais Matt est plus que cela. Il a une telle soif d'apprendre... c'est un intellectuel, mademoiselle Morrison. Un intellectuel-né. L'enfant le plus brillant à qui il m'ait été donné d'enseigner. De loin. Et il ne lui reste plus qu'une année de lycée...

— Vous voulez dire deux ans.

— Non, une seule. Il a sauté une classe. Bien qu'il ait deux ans de moins que Luke, il est dans la classe en dessous. Il passera son examen au printemps prochain. Et il obtiendra une bourse pour aller à l'université. C'est sûr. Sans aucun doute. »

Il y a eu un silence. Mes orteils ont touché quelque chose de froid et de dur. Je me suis penchée pour ramasser le couteau.

Tante Annie a dit : « Cette bourse couvrirait-elle toutes ses dépenses courantes ? Son logement ?

— En fait, non. Mais cela couvrirait les frais de scolarité. Pour le logement, on pourrait s'arranger. J'en suis sûre. Je suis sûre qu'on trouverait un moyen. Mademoiselle Morrison, pardonnez-moi d'insister, mais vous devez comprendre, ce serait une tragédie que Matt n'aille pas à l'université. Sincèrement, ce serait une tragédie. »

Au bout d'une minute, tante Annie a dit doucement : « Mademoiselle Carrington, une tragédie bien pire a déjà eu lieu ici.

— Je le sais ! Oh, mon Dieu, j'en suis consciente ! Mais ce serait d'autant plus injuste que Matt doive subir cette deuxième épreuve. »

Silence. Soupir de tante Annie. Enfin, d'un ton toujours doux, elle a repris : « Je crois que vous ne comprenez pas bien la situation. Nous aiderions Matt si c'était en notre pouvoir. Nous aiderions tous les enfants. Mais nous n'avons pas d'argent. Cela semble improbable, je m'en rends bien compte, mais c'est vrai. Les cinq, six dernières années ont été très dures pour tous les fermiers de Gaspésie. Mes deux frères sont endettés. Mon père est endetté. À la fin de sa vie, il a des dettes, alors que jusqu'ici il n'a jamais dû un penny à quiconque.

— Mais cette maison...

— L'argent de la maison, ajouté à ce qu'a laissé Robert, paiera les études de Luke et fournira une petite somme dont chacun des autres disposera à l'âge de vingt et un ans. Une toute petite somme. En conscience, nous ne pourrions en priver les filles pour permettre à Matt d'aller à l'université. Et, de toute façon, ça ne suffirait pas.

— Mais il y a sûrement...

— Je vous en prie, écoutez-moi, mademoiselle Carrington. Je ne devrais pas vous dire cela, c'est assez... inopportun... Mais je veux vous expliquer. J'apprécie que vous vous fassiez du souci pour Matt et je veux que vous compreniez à quel point la situation est... douloureuse pour la famille. Si Robert a laissé si peu, c'est parce qu'il nous aidait. Il se sentait redevable, voyez-vous. Mes frères se sont sacrifiés pour qu'il ait sa chance, il a saisi cette chance et a très bien réussi, aussi, quand les choses sont devenues difficiles pour nous, il s'est senti obligé de nous aider. C'était très généreux de sa part... Bien sûr, il ne pouvait pas savoir que ses enfants... il comptait sur un bon salaire pendant des années. »

Il y a eu un silence. Je poussais les haricots du bout de mon couteau.

Mlle Carrington a repris d'une voix sombre : « Une vraie tragédie, comme vous dites.

— J'en ai peur.

— Ne pourriez-vous... ne pourriez-vous au moins le laisser finir le lycée. Mademoiselle Morrison, il *mérite* au moins d'aller jusque-là.

— Chère mademoiselle, ma sœur – pas celle qui prend Kate et Elizabeth – a quatre fils, qui méritaient tous de finir leurs études secondaires, méritaient tous d'aller à l'université. Ce sont des garçons intelligents. C'est, je crois, une famille intelligente. Aujourd'hui, ils se sont tous embarqués sur des bateaux de pêche. Ils n'ont même plus d'avenir à la ferme. Vous pouvez parler de tragédie, mais c'est assez courant en ce bas monde. Pour être honnête avec vous, il m'est beaucoup plus douloureux de devoir séparer ces enfants que d'empêcher Matt de finir sa scolarité. Il a déjà plus d'instruction que la plupart. »

Un silence, encore. J'imaginais Mlle Carrington, pinçant les lèvres comme elle le faisait en classe lorsqu'elle était fâchée.

« Nous devrions nous estimer heureux, vous savez. Les enfants auraient pu être dans la voiture. »

Je suis descendue à la plage. Quand j'ai eu fini d'équeuter les haricots, je suis restée assise un

moment, à regarder les vagues, à écouter leur bruisse-
ment régulier. Leur bruit, dans toute sa variété, avait
constitué le fond sonore de ma vie. Depuis l'instant de
ma naissance, il avait toujours été là.

Un peu après, j'ai ramassé le couteau et appuyé la
pointe contre mon doigt. La peau s'est fendue, une
petite goutte de sang sombre et brillant a coulé. Je n'ai
presque pas eu mal.

Six

Oh, les hasards, les fragiles petits incidents qui déterminent le cours de nos vies. Si je dis que le cours de ma vie a été infléchi par la mort de mes parents, c'est compréhensible ; il s'agit d'un événement majeur, de nature à modeler le futur de n'importe qui. Mais si je dis que le cours de ma vie a dévié parce que Mlle Carrington est venue ce jour-là, que j'ai laissé tomber un couteau, que Matt, quelques heures plus tard, dans une piètre tentative pour m'aider, m'a pressée de questions, que Luke se trouvait là à ce moment-là, tentant de lire son journal, et que Bo hurlait...

« Tu t'es coupé le doigt », m'a dit Matt.

Nous étions assis sur le canapé, après le dîner. J'avais fini d'essuyer la vaisselle. Tante Annie, persistant dans son effort pour nous habituer à une nouvelle discipline, était en train de coucher Bo, dont les cris rageurs s'entendaient à travers deux portes fermées. « Pas ! hurlait-elle. Pas ! Pas ! »

Elle voulait dire « pas tante Annie », nous le savions tous, à commencer par la principale intéressée.

Allongé par terre sur les coudes, le menton dans les mains, Luke faisait semblant de lire le journal.

« Comment t'es-tu fait ça ? m'a demandé Matt.

— Avec un couteau.

— Qu'est-ce que tu fabriquais avec un couteau ?

— J'épluchais les haricots.

— Tu devrais faire plus attention. »

Il s'est penché en arrière, a fait jouer ses omoplates en grognant. « J'ai horriblement mal au dos. Crois-moi, il vaut mieux éplucher des haricots que de faire ce qu'on a fait, Luke et moi. »

Il voulait que je lui demande ce qu'ils avaient fait, je le savais, mais les mots semblaient enfouis si profondément en moi que je n'arrivais pas à les extraire.

Il me l'a dit quand même.

« Aujourd'hui, on a ramassé la paille. Et je t'assure que c'est un boulot atroce. La poussière te rentre dans le nez et dans la bouche, on a de la paille plein la chemise et le pantalon, la sueur et la poussière forment une espèce de colle entre les orteils, et pendant ce temps-là le père Pye est appuyé sur sa fourche, comme une sorte de vieux troll, à attendre que tu te relâches pour pouvoir te croquer. »

Il voulait me faire rire, mais c'était trop me demander. J'ai réussi à lui sourire. Il m'a souri lui aussi, avant d'ajouter : « Maintenant, raconte-moi ta journée. Qu'est-ce que tu as fait d'intéressant, à part éplucher les haricots ? »

Rien ne me venait. Penser m'était devenu aussi difficile que parler. Mon esprit était comme englouti, tel un bateau dans la brume.

« Allez, Katie. Qu'as-tu fait ? Y a-t-il eu des visites ?

— Mlle Carrington.

— Mlle Carrington ? C'est bien. Qu'est-ce qu'elle avait à raconter ? »

Je tâtonnais dans le brouillard. « Elle a dit que tu étais intelligent. »

Matt a ri. « Vraiment ? »

À présent, ça me revenait. Elle était nerveuse. Elle avait peur de tante Annie, elle se forçait à parler, et ça lui faisait une drôle de voix.

« Elle a dit que tu étais le plus intelligent de tous les garçons à qui elle avait enseigné. Elle a dit que ce serait une… tragédie… une vraie tragédie… si tu n'allais pas à l'université. »

Il y a eu un instant de silence. Matt a dit : « Cette bonne vieille Carrington. Ça paye toujours, de faire de la lèche à un prof, Kate. Tu peux me croire. »

Lui aussi avait maintenant une drôle de voix. Je me suis tournée vers lui, mais il regardait Luke et il était tout rouge. Luke avait levé les yeux de son journal et ils s'observaient. S'adressant à moi mais sans quitter Matt des yeux, Luke a demandé : « Et tante Annie, qu'a-t-elle répondu ? »

J'ai essayé de me le rappeler. « Elle a dit qu'on n'avait pas assez d'argent. » Elle n'avait pas seulement dit cela, mais je ne me souvenais pas du reste.

Luke a hoché la tête. Il regardait toujours Matt.

Au bout d'une minute, Matt a dit : « C'est vrai, elle a raison. De toute façon, ça n'a pas d'importance. »

Luke n'a rien dit.

Et soudain, Matt a eu l'air en colère. « Si tu veux passer ta vie à culpabiliser parce que tu es né en premier, libre à toi, mais laisse-moi en dehors de tout ça. »

Luke n'a pas répondu. Il s'est détourné et s'est replongé dans son journal. Matt s'est penché, il a ramassé un feuillet, y a jeté un œil puis l'a lancé par terre. Il a regardé sa montre. « On devrait aller à l'étang. Il va faire jour encore une heure. » Aucun de nous n'a bougé.

Au loin, Bo criait toujours.

Luke s'est levé brusquement, il a quitté la pièce pour aller dans notre chambre. On a entendu des voix, la sienne, furieuse, celle, très ferme, de tante Annie, et celle de Bo, désespérée, qui maintenant pleurait pour de bon ; on la voyait presque tendre les bras vers Luke. Puis la voix de tante Annie nous est parvenue, dure et étonnamment claire : « Tu ne lui rends pas service, Luke. Pas le moins du monde. »

Ensuite, on a entendu les pas de Luke, sonores et furieux, et la porte claquer quand il est sorti de la maison.

Le plus étrange, avec Luke, c'est que, jusqu'au jour où nos parents sont morts, je ne me rappelle pas l'avoir jamais vu prendre Bo dans ses bras. Pas une seule fois. Matt le faisait. Pas Luke. Je ne me souviens pas non plus d'avoir eu une vraie conversation avec lui. Des milliers avec Matt, aucune avec Luke. Mises à part les occasionnelles disputes ou plaisanteries entre lui et Matt, je n'ai pas le souvenir que Luke ait manifesté le moindre signe qu'il connaissait notre existence, ou s'en souciait.

Le lendemain matin, il n'était pas là.

Il avait dormi dans son lit, il y avait un bol de céréales dans la cuisine, mais pas trace de lui. Matt et lui étaient censés travailler à la ferme.

« Il est peut-être déjà parti, a suggéré tante Annie. Pour commencer tôt.

— Impossible », a répondu Matt. Il était très en colère. À la porte, il enfilait ses bottes de travail, nouait brutalement les lacets et tirait le bas de son jean par-dessus pour empêcher la paille de rentrer à l'intérieur.

« Où est-ce qu'il est parti ? ai-je demandé.

— Je ne sais pas, Kate. S'il avait laissé un mot, je le saurais, mais crois-tu qu'il l'aurait fait ? C'est typique. Le jour où Luke prendra la peine de nous dire où il va, ce sera un grand jour. »

C'était vrai. Luke, l'ancien Luke, celui d'il y avait deux mois, rendait nos parents fous en omettant de les informer de ses allées et venues. À l'époque, Matt s'en fichait, parce que cela ne l'affectait pas.

Je me suis mise à me ronger le doigt, à l'endroit de la coupure. Je craignais que Luke ne nous ait quittés. Qu'il se soit enfui ou qu'il soit mort.

« Mais tu crois qu'il est parti où ?

— Kate, je ne sais pas. Ça n'a pas d'importance. Ce qui compte, c'est que s'il n'est pas là dans les deux minutes, on sera en retard au travail.

— Tu n'as qu'à partir sans lui », a dit tante Annie. Elle préparait des sandwiches pour leur déjeuner – des sandwiches de paysans, avec d'énormes morceaux de pain et des tranches de jambon d'un centimètre d'épaisseur. « Il devra se trouver une excuse lui-même. Crois-tu qu'il aurait pu aller en ville, pour une raison quelconque ? Aurait-il eu un moyen d'y aller ?

— Oui, avec le lait. M. Janie part vers quatre heures du matin – il aurait pu embarquer dans le camion.

— Est-ce qu'il va revenir ? » Ma voix commençait à trembler. Après tout, nos parents aussi étaient allés en ville.

« Bien sûr qu'il va revenir. Tout ce qui m'inquiète, c'est ce que je vais bien pouvoir raconter au père Pye. Il va être fou de rage.

— Mais comment tu peux savoir qu'il va revenir ?

« — Kate, je le sais. Laisse ton doigt tranquille. » Il a écarté ma main de ma bouche. « Je le sais, d'accord ? Je le sais. »

J'ai passé la matinée à aider à la maison, et l'après-midi à la plage avec Bo. Bo avait déclaré la guerre à tante Annie. J'imagine qu'elle l'estimait responsable de tous les changements survenus dans sa vie et ne voyait d'autre solution que de lui livrer un combat sans merci. À mon avis, elle aurait d'ailleurs fini par gagner. Je soupçonne tante Annie de l'avoir pensé elle aussi.

On a donc été exilées loin de la maison, pour permettre à tante Annie de reconstituer ses défenses. Je nous revois toutes les deux sur le sentier de la plage, main dans la main, moi traînant les pieds, Bo martelant si fort le sol qu'elle soulevait des petits nuages de poussière à chaque pas. Mes cheveux pendaient, ternes et tout mous ; les siens, hérissés sur la tête, irradiaient sa rage comme une vague de chaleur. Deux adorables petites sœurs.

On s'est assises sur le sable chaud et on a regardé le lac. Il était d'un calme mortel. On le voyait seulement respirer, une respiration lente et profonde sous sa brillante surface plate et argentée. À côté de moi, Bo serrait des cailloux entre ses doigts et soupirait de temps à autre, le pouce dans la bouche.

J'essayais d'apaiser la tornade qui s'agitait en moi, et quand j'y suis parvenue, quand, à force de volonté, j'ai réussi à la calmer, à isoler des pensées afin de pouvoir les considérer, ces pensées m'ont accablée. Vivre sans Matt. Vivre sans Luke. Quitter la maison. Aller habiter chez des inconnus. Tante Annie m'avait parlé d'eux ; il y avait quatre enfants, trois garçons et une fille. Ils étaient tous plus âgés que Bo et moi, et elle avait dit qu'ils étaient très gentils. Mais comment pouvait-elle en être sûre ? On ne pouvait pas savoir, à moins d'être soi-même un enfant. Matt m'avait dit que je devrais m'occuper de Bo, mais il devait pourtant se douter que j'en étais incapable. J'avais trop peur. J'avais beaucoup plus peur que Bo.

J'ai braqué les yeux sur un petit bateau, au milieu du lac, et me suis obligée à me concentrer sur lui. Je le connaissais, c'était celui de Jim Sumack, un ami de Luke qui vivait dans la réserve indienne.

« C'est Gros Jim Sumack », ai-je dit très fort à Bo. Je voulais parler, étouffer mes pensées.

Bo a soupiré et s'est mise à sucer son pouce avec plus d'ardeur. Ces temps-ci, son doigt paraissait tout détrempé, et un gros durillon blanc avait commencé à se former au bout.

« Il va à la pêche. Il va attraper un poisson pour le dîner. On l'appelle Gros Jim Sumack parce qu'il pèse près de cent kilos. Il ne va plus à l'école, mais Mary Sumack est en primaire. Cet hiver, elle n'est pas venue en classe, alors ils sont allés voir sa mère, et c'était parce qu'elle n'avait pas de chaussures. Les Indiens, ils sont vraiment pauvres. »

Ma mère avait dit qu'on aurait tous dû avoir honte. Je n'étais pas sûre de bien comprendre pourquoi et je m'étais sentie vaguement coupable. J'ai pensé à ma mère. J'ai tenté de faire apparaître son visage, mais je n'ai pas réussi à obtenir une image nette. Bo avait déjà cessé de la réclamer.

Un plongeon a émergé de nulle part à deux mètres du rivage. « Un plongeon », ai-je dit.

Bo a encore soupiré et l'oiseau a disparu.

« Uke ? a-t-elle demandé soudain, retirant son pouce et me regardant.

— Il n'est pas là.

— Att ?

— Il n'est pas là non plus. Ils vont bientôt rentrer. »

J'ai cherché autour de moi de quoi la distraire, de quoi l'empêcher de faire une colère. Une araignée avançait vers nous sur le sable, en traînant un taon mort : en réalité, elle allait à reculons, nous tournant le dos, tenant le taon dans ses mâchoires et ses pattes de devant, les autres raclant le sol. Un jour, Matt et moi avions observé une petite araignée qui essayait d'extraire un éphémère trois fois plus gros qu'elle d'un trou dans le sable. Le sable était sec, et chaque fois qu'elle hissait son fardeau à mi-chemin, les bords du trou s'effondraient et l'araignée retombait au fond. Et elle réessayait, encore et encore, sans varier de sa route, sans ralentir l'allure. Matt avait dit : « La question est : Est-elle très très déterminée, ou a-t-elle la mémoire si courte qu'elle oublie ce qui s'est passé deux secondes plus tôt et croit qu'elle le fait pour la première fois ? Voilà la question. »

Nous l'avions observée pendant presque une demi-heure, et à la fin, pour notre plus grande joie, elle avait réussi : nous en avions conclu qu'elle n'était pas seulement très déterminée mais aussi très intelligente.

« Regarde, Bo, ai-je dit. Tu vois l'araignée ? Elle a attrapé un taon et elle le traîne jusqu'à son nid. Une fois chez elle, elle filera un cocon tout autour et plus tard, quand elle aura faim, elle le mangera. »

Je n'essayais pas de partager avec elle ma fascination, comme Matt l'avait fait avec moi. Mon but était moins élevé. En l'intéressant, j'espérais seulement la détourner de sa colère, parce que je ne me sentais pas le courage de supporter l'une de ses crises.

Ça n'a pourtant pas marché. J'ai eu un espoir en la voyant se pencher en avant et, l'espace de quelques secondes, regarder intensément l'araignée. Mais ensuite elle a retiré son pouce de sa bouche, s'est levée, a titubé jusqu'à l'insecte et l'a écrasé.

Sept

Matt est rentré à la maison juste avant six heures. Je l'attendais sur les marches de la véranda. Il m'a demandé si Luke était revenu et n'a rien dit quand j'ai répondu non. Il est descendu directement à la plage, s'est débarrassé de tous ses vêtements à l'exception de son caleçon et il a plongé dans l'eau.

Je l'avais suivi et suis restée au bord de l'eau, silencieuse, à regarder les vaguelettes s'éloigner à l'endroit où il avait disparu. Quand il a émergé, on aurait dit un phoque, mouillé et luisant. Il avait le corps divisé en carrés sombres et clairs : le visage, le cou et les avant-bras bronzés, le dos et le torse plus pâles, les jambes blanches.

« Tu peux aller me chercher du savon ? m'a-t-il demandé. J'ai oublié d'en prendre. »

Je suis remontée à la maison pour en rapporter.

Il s'est savonné avec énergie, se frottant le corps, se frictionnant les cheveux. Puis il a jeté le savon sur la plage avant de replonger dans l'eau, formant un nuage d'un blanc laiteux dans l'eau sombre. Il a nagé très loin.

On n'avait pas le droit de lancer le savon sur la plage, parce qu'il était ensuite presque impossible d'en retirer le sable. On était censés le poser sur un rocher. Je l'ai ramassé, l'ai plongé dans l'eau pour essayer de le nettoyer, mais le sable n'a fait que s'incruster davantage.

Matt est revenu et il est sorti de l'eau.

« Ne t'embête pas avec ça, Kate », m'a-t-il dit en me prenant le savon des mains. Sur le chemin du retour, il m'a adressé un petit sourire crispé, pas un vrai sourire, juste la peau qui s'étire.

Tante Annie a retardé l'heure du dîner autant que possible, dans l'espoir de voir apparaître Luke, mais elle a fini par le servir sans lui. Elle avait cuisiné un jambon. Il y avait un grand saladier de compote de pommes que j'adorais mais que j'étais incapable de manger. Je ne pouvais rien avaler. De la bave n'arrêtait pas de se former dans ma bouche, que j'avais du mal à faire descendre.

Bo aussi avait des problèmes. Quand tante Annie avait posé son dîner devant elle, elle l'avait balancé par terre. Épuisée, blême, les yeux cernés d'ombres d'un violet sombre, elle était à présent assise devant une assiette vide, à sucer son pouce d'un air lugubre.

Matt mangeait de manière appliquée, méthodique, ingurgitant la nourriture comme on alimente une chaudière. Il avait passé un jean et une chemise propres. Ses cheveux, peignés en arrière, gouttaient régulièrement sur son col. Ses mains et ses bras étaient couverts d'égratignures à cause de la paille. Noires avant son bain, elles étaient maintenant d'un rouge vif.

« Encore un peu de viande ? » a demandé tante Annie, d'une voix désespérément enjouée. Si elle se faisait du souci pour Luke, elle n'avait pas l'intention de le montrer.

« Merci. » Matt lui a tendu son assiette.

« Des pommes de terre ? Des carottes ? De la compote ?

— Merci.

— C'est Mme Lily Stanovich qui l'a apportée. Elle est passée cet après-midi. Elle a demandé des nouvelles de vous tous. Un peu geignarde. Mais c'était gentil de sa part d'apporter la compote – ça m'évite une corvée d'épluchage. Quand je lui ai dit que tu étais à la plage, Kate, elle a absolument voulu y aller pour discuter avec toi, mais j'ai dit que tu avais beaucoup à faire avec Bo, peut-être une autre fois. Les légumes viennent d'Alice Pye. Voilà une bien étrange personne. Il doit s'agir de la femme de ton employeur, Matt. »

Elle s'est interrompue d'une façon qui appelait une réponse, alors Matt a hoché la tête.

« Et lui, il est comment ?

— M. Pye ?

— Oui. Il est comment ? C'est agréable de travailler pour lui ? »

Matt mâchait. « Il paye correctement, a-t-il fini par répondre.

— Ce n'est pas ce que j'appellerais une description très détaillée. Essaie de lui donner un peu de consistance. »

Elle avait eu assez d'émotions pour la journée et, dût-elle en mourir, elle ferait tout pour qu'on ait une conversation digne de ce nom autour du dîner.

« Vous voulez que je décrive M. Pye ?

— C'est cela. Parle-nous de lui. Nous avons envie d'être diverties. »

Matt a coupé une pomme de terre et en a avalé un morceau. On le voyait considérer certains adjectifs avant de les rejeter. « Je pense qu'il est probablement fou, a-t-il fini par répondre.

— Par pitié, Matt. Une description objective.

— C'est une description objective. Je pense qu'il est probablement fou. C'est mon opinion.

— Fou dans quel sens ?

— Il n'arrête pas de piquer des crises.

— Des crises… ça ne veut pas dire grand-chose.

— Des crises de colère. De fureur. De rage.

— Tu t'es disputé avec lui ?

— Pas moi. Il ne s'en prend pas à Luke et à moi – il sait qu'on le planterait là, sinon. C'est à ses enfants qu'il s'en prend. Surtout à Laurie. Vous auriez dû l'entendre, cet après-midi. Laurie avait laissé une barrière ouverte – vous auriez dû l'entendre.

— C'est grave », a déclaré tante Annie d'un ton désapprobateur. Elle n'appréciait pas la description que Matt avait faite de son employeur. « Tu ne peux pas le savoir, parce que tu n'as pas été élevé dans une ferme, mais le bétail peut faire des ravages dans un champ. Une moisson entière peut y passer.

— Je le sais bien, tante Annie ! Ça fait des années que je travaille dans cette ferme. Laurie aussi le sait ! Il n'y avait aucune bête dehors. De toute façon, je ne parle pas seulement d'aujourd'hui, c'est tout le temps comme ça. Le père Pye est sur son dos toute la journée. »

Il faisait un effort pour ne pas être désagréable, mais je sentais la tension dans sa voix. Il était tellement en colère contre Luke qu'il aurait préféré ne pas parler du tout, surtout pas de M. Pye.

Tante Annie a soupiré. « Eh bien, c'est regrettable, mais il n'y a pas de quoi le traiter de fou. Il arrive à la plupart des pères et des fils de passer par des moments difficiles.

— Un moment difficile ? Ça fait quatorze ans que ça dure, et c'est de pire en pire... »

Il s'est interrompu. Il avait remarqué, au même moment que moi, l'étrange attitude de Bo. Elle avait sorti son pouce de sa bouche, tenait les mains à moitié levées et écarquillait les yeux, en une caricature de quelqu'un qui dresse l'oreille.

« Au nom du ciel, qu'est-ce qu'elle a encore ? » a demandé tante Annie, fâchée, et Bo a dit : « Uke ! » Elle s'est retournée et, en effet, Luke descendait l'allée.

« Très bien, a fait Matt en reposant ses couverts et en repoussant sa chaise. Maintenant, je vais le tuer.

— Tu restes à ta place, Matt. On n'a pas besoin de ça. »

Il n'a pas paru l'entendre. Il se dirigeait vers la porte.

« Assieds-toi, Matthew James Morrison ! Assieds toi sur ta chaise et écoute ce qu'il a à dire !

— Je me fiche de ce qu'il a à dire.

— Assieds-toi ! »

Elle parlait d'une voix mal assurée. Quand je l'ai regardée, son menton tremblait, elle avait les yeux rouges et fatigués. Matt aussi l'a regardée. Il a rougi, s'est excusé et s'est assis.

Luke est entré. Il s'est arrêté dans l'embrasure de la porte et nous a dit bonjour.

Bo s'est mise à gazouiller, les bras tendus, et il l'a soulevée. Elle a enfoui le visage dans son cou et l'a embrassé passionnément.

« J'arrive trop tard pour le dîner ? » a-t-il demandé.

Le menton de tante Annie tremblait toujours. Elle a dégluti et répondu sans le regarder : « Il en reste un peu. Mais il est froid. »

Luke regardait Matt, qui ne le quittait pas des yeux.

« C'est bon, a-t-il dit d'un ton absent. Ça ne me dérange pas. »

Il s'est assis, Bo sur les genoux.

Matt a dit : « Où étais-tu ? » en détachant chaque syllabe, d'un ton terriblement calme.

« En ville. Je suis allé voir M. Levinson, le notaire de papa. J'avais des choses à régler. Des choses que j'avais besoin de savoir. Je finirais bien les pommes de terre, si personne n'en veut.

— Et tu ne pouvais pas nous prévenir. » La voix de Matt était plate, dure et coupante.

« Je voulais que tout soit réglé avant d'en parler. Pourquoi ? » Il nous a regardés tour à tour. « Il y a eu un problème ? »

Matt a fait un bruit de gorge.

« Peu importe, a dit tante Annie. Raconte-nous, maintenant.

— Est-ce que je peux finir mon dîner d'abord ? Je n'ai rien avalé de la journée.

— Non, a dit Matt.

— Qu'est-ce qui te prend ? OK, OK ! Du calme. Je vais vous le dire, ce n'est pas très compliqué. En deux mots, je n'irai pas à l'École normale. Je reste ici. On reste ici tous les quatre. Je m'occupe de vous. Tout est légal, j'ai l'âge requis et tout ça. Nous aurons l'argent que j'aurais dépensé pour mes études – pas celui de la maison, évidemment, puisqu'on ne la vendra pas, mais tout le reste. Il nous en faudra davantage, mais je peux trouver du boulot, travailler le soir – après ton retour du lycée, Matt, comme ça tu pourras garder Kate et Bo. Je serai probablement obligé d'aller en ville, on aura donc besoin d'une voiture et il faudra dépenser un peu d'argent pour l'acheter, mais M. Levinson m'a dit qu'il ouvrirait l'œil, au cas où une occasion se présenterait. Je lui ai dit que tu voulais aller à l'université, et il m'a dit qu'il faudrait voir avec la banque de papa pour un prêt, qu'ils pourraient se montrer bienveillants. Évidemment, tu devras décrocher une bourse, mais puisque tu es un génie, ça ne sera pas un problème, si ? De toute façon, on n'a pas à s'en inquiéter tout de suite. L'important, c'est que nous restons ici tous ensemble. Alors, merci beaucoup pour tous vos projets, tante Annie, mais nous n'en aurons pas besoin. Mais remerciez tout le monde pour nous, d'accord ? »

Il y a eu un silence.

Bo a montré la compote de pommes. « Ça », a-t-elle dit en se léchant les babines. Personne ne lui a prêté attention.

Matt a dit : « Tu ne vas pas à l'École normale.

— Exact.

— Tu restes ici. Tu renonces à devenir professeur.

— Je n'en avais pas tellement envie. C'est surtout papa et maman qui le voulaient. »

Il s'est levé de sa chaise, a flanqué Bo dessus, a pris une assiette et commencé à se servir de la viande. Je me sentais bizarre, comme si des abeilles bourdonnaient dans ma tête. Parfaitement immobile, les mains croisées sur les genoux, tante Annie regardait la table. Elle avait toujours les yeux rouges.

« Ça ! disait Bo en faisant des bonds sur la chaise de Luke et en tendant le cou pour voir l'intérieur du saladier de compote. Ça ! »

« Non merci », a dit Matt.

Luke l'a regardé. « Quoi ?

— Je sais pourquoi tu fais ça. Je n'en veux pas, merci.

— Qu'est-ce que tu racontes ?

— Tu te sentirais comment ? » Matt était blanc comme un linge. « Si je renonçais à une place sûre à l'université pour que tu puisses essayer d'en décrocher une, tu te sentirais comment ? Ta vie entière, tu te sentirais comment ?

— Je ne fais pas ça pour toi. Je le fais pour Bo et Kate. Et parce que j'en ai envie.

— Je ne te crois pas. Tu fais ça à cause de ce que Kate a dit hier soir.

— Je me fous complètement que tu me croies ou non. Le jour de tes dix-huit ans, tu peux prendre ta part de l'argent et ficher le camp à Tombouctou si ça te chante, pour ce que j'en ai à faire. »

Son assiette remplie, il a soulevé Bo de sa chaise pour la poser par terre, s'est assis et a commencé à manger.

« Ça ! a crié Bo. Ça… gâteau ! »

Luke a attrapé le saladier de compote et l'a posé à côté d'elle.

Matt a repris : « Tante Annie, dites-lui que c'est impossible. »

Je l'ai regardé d'un air incrédule. Luke nous offrait le salut et Matt refusait. Je n'arrivais pas à y croire. Je n'arrivais pas à le comprendre. En réalité, il m'a fallu des années pour le comprendre. Des années pour réaliser à quel point il désirait ce que Luke lui offrait, pour Bo et moi autant que pour lui-même, et que ça le rendait malade et furieux parce qu'il avait le sentiment de devoir refuser.

« Tante Annie, dites-lui ! » a-t-il répété.

Tante Annie n'avait pas quitté des yeux le plat de viande. Elle a pris une inspiration. « Luke, je crains que Matt n'ait raison. C'est très généreux de ta part, vraiment très généreux, mais je crains que cela ne soit pas possible. »

Luke lui a lancé un regard, sans cesser de manger.

De sous la table nous parvenaient les claquements de langue de Bo.

« Je regrette que tes parents ne soient pas là pour t'entendre faire cette offre », a ajouté tante Annie. Elle lui a souri. Son visage était froid et aussi blanc que celui de Matt. Encore une autre chose qu'il m'a fallu des années avant de comprendre : à quel point cela avait dû être difficile pour elle. Elle désirait tant faire ce qu'il y avait de mieux pour nous – en souvenir de son frère et aussi, je crois, parce que en dépit de ce qu'on lui avait fait subir elle nous aimait bien – et les solutions qui s'offraient à elle étaient très limitées. Elle devait voir que le sacrifice de Luke résolvait à la perfection, en apparence, les problèmes de chacun, et aussi comprendre le dilemme de Matt. Surtout, elle devait savoir que Luke ne se rendait pas vraiment compte de ce qu'il proposait.

« Le problème, Luke, c'est que ça ne marcherait pas. Je m'étonne que M. Levinson ne s'en soit pas aperçu. Mais c'est vrai que c'est un homme. »

Luke la regardait, mâchant sa viande. « Et alors ?

— Il ne mesure pas l'ampleur de la tâche. Élever des enfants est un travail à plein temps. Tu ne peux pas à la fois gérer une famille et gagner de l'argent pour vous faire vivre. Quant à nous, nous ne pourrions vous envoyer assez pour subvenir à vos besoins. En tout cas pas sur une base régulière, sur laquelle vous pourriez compter.

— Matt aidera. Il pourra travailler pendant les vacances.

— Même avec l'aide de Matt, tu ne t'en sortirais pas. Tu n'as aucune idée de ce que cela implique, Luke. Comment le pourrais-tu ? J'ai déjà eu du mal à m'occuper des filles ces dernières semaines, alors que j'ai dirigé une maison pendant trente ans.

— Oui, mais vous n'avez pas l'habitude des enfants. Moi, si.

— C'est faux, Luke. Vivre avec eux, ce n'est pas pareil que d'en être responsable. S'en occuper. Pourvoir à chacun de leurs besoins, pendant des années et des années. C'est une tâche difficile et sans fin. Ciel, à elle seule, Bo est déjà un travail à temps complet.

— Oui, mais moi, elle m'aime bien. » Il a rougi. « Je ne dis pas qu'elle ne vous aime pas, seulement qu'elle est plus facile avec moi. Je sais que je peux y arriver. Je sais que ce ne sera pas simple, mais les voisins nous aideront. On se débrouillera. Je sais que j'en suis capable. »

Tante Annie s'est légèrement raidie sur sa chaise. Elle a regardé Luke droit dans les yeux. Soudain, j'ai vu notre père en elle – il avait exactement la même expression quand il avait décidé qu'une discussion était allée assez loin et qu'il était temps d'y mettre un terme. Lorsqu'elle a repris la parole, elle avait aussi la même intonation que lui.

« Luke, tu ne peux pas savoir. Pendant un temps, tu te débrouilleras, mais ça deviendra de plus en plus difficile. Les voisins ne vous aideront pas indéfiniment. Une fois Matt parti, tu te retrouveras seul avec deux jeunes enfants. Tu t'apercevras que tu as renoncé à ta propre vie...

— C'est ma vie. Je peux en faire ce que je veux, et c'est ça que je veux. »

Il semblait déterminé, résolu, intraitable, mais il a posé sa fourchette et s'est passé les deux mains dans les cheveux. Lui aussi avait vu notre père en elle.

« C'est ce que tu veux maintenant, a repris tante Annie. Dans un an, il se peut que tu aies changé d'avis, mais tu auras laissé passer ta chance. Je suis désolée, Luke. Je ne peux pas te permettre de... »

Il y a eu un autre son. Aigu. Une plainte. Venant de moi. Je me suis aperçue que j'avais la bouche ouverte, grande ouverte, les yeux écarquillés, et que je gémissais. Les autres m'observaient, et ma bouche essayait d'articuler des mots ; mes lèvres crispées, tremblantes, essayaient d'articuler ces mots : « S'il te plaît... s'il te plaît... s'il te plaît... »

DEUXIÈME PARTIE

Huit

La nuit qui a suivi l'arrivée de l'invitation du fils de Matt, j'ai mal dormi. J'ai fait une série de rêves vagues et incohérents, certains en rapport avec la maison, d'autres avec mon travail, puis, peu avant l'aube, un rêve très réaliste, qui m'a poursuivie la journée entière. Matt et moi (nos moi adultes) étions à plat ventre au bord de l'étang, à regarder un petit insecte maigre et aérodynamique, nommé patineur, qui rasait la surface en quête d'une proie. Il s'est arrêté pile sous notre nez, et on voyait distinctement les rides que faisaient ses pattes sur la surface de l'eau. Matt a dit : « L'eau est recouverte d'une espèce de peau, Kate. Cela s'appelle la tension superficielle. C'est la raison pour laquelle il ne coule pas. »

J'étais étonnée qu'il croie devoir m'expliquer une chose aussi élémentaire. Je travaille en ce moment sur les surfactants, les composés qui réduisent la tension superficielle de l'eau. Cela fait partie de mon domaine de recherches. « Je sais, lui ai-je dit gentiment. Et la tension superficielle est une conséquence de la très grande cohésion de l'eau. Les molécules sont polaires ;

les atomes d'hydrogène positifs d'une molécule sont attirés par l'atome d'oxygène négatif d'une autre. On appelle cela la liaison hydrogène. »

J'ai lancé un coup d'œil à Matt pour m'assurer qu'il avait compris, mais il était plongé dans la contemplation de l'eau. J'ai attendu un long moment, mais il n'a plus rien dit. Ensuite le réveil a sonné.

C'était un samedi. L'après-midi, je devais aller voir une exposition avec Daniel, avant de retrouver ses parents en ville pour dîner. Ayant une grosse pile de rapports de labo à corriger, dont je voulais absolument me débarrasser d'abord, je me suis levée, j'ai pris une douche et me suis préparé du café, encore tout imprégnée d'une sensation désagréable laissée par le rêve. J'ai avalé un bol de corn flakes devant la fenêtre de la cuisine, avec sa splendide vue sur le puits de jour et la cuisine de l'appartement d'en face, puis j'ai emporté mon café dans le réduit sombre qui me sert de salon-salle à manger, où les rapports m'attendaient, empilés sur la table. La correction de rapports de labo est une des activités les plus déprimantes de l'humanité. Ils sont rédigés juste après une expérience de laboratoire, quand tout ce que l'étudiant a appris devrait être encore frais dans son esprit, aussi révèlent-ils de manière précise ce qu'il ou elle n'a pas compris. C'est à pleurer. Je suis maître de conférences depuis moins d'un an, et la partie enseignement me fiche déjà le moral à zéro. Pourquoi les élèves vont-ils à l'université s'ils ne sont pas désireux d'apprendre ? De toute évidence, ils y voient une solution de facilité. Ils viennent pour la bière et les fêtes ; la moindre connaissance glanée en cours de route est parfaitement secondaire.

J'ai lu le premier rapport. Il n'avait ni queue ni tête. Je l'ai relu. À la troisième lecture, je me suis rendu compte que, si ennuyeux fût-il, le problème ne venait pas de là mais de moi. Je l'ai reposé et j'ai tenté de comprendre ce qui m'arrivait, de mettre un nom sur cette espèce de gueule de bois d'après rêve, et soudain j'ai su : c'était de la honte.

C'était parfaitement irrationnel – avoir honte d'une chose qui avait eu lieu en rêve. Dans la réalité, jamais je ne donnerais de leçon à Matt. Je m'en suis toujours bien gardée. À vrai dire, jamais je ne lui parle de mon travail, parce qu'il me faudrait simplifier, et ça me semblerait lui faire insulte, même si lui ne verrait peut-être pas les choses ainsi.

Je me suis replongée dans les rapports. Un ou deux témoignaient d'un effort de rigueur, d'une certaine conscience de la méthode scientifique. Une demi-douzaine étaient tellement déprimants que je me suis retenue d'écrire en bas « Laissez tomber le cours ». La sonnerie de l'interphone a retenti alors qu'il m'en restait encore deux. Je suis allée ouvrir puis suis retournée m'asseoir.

« J'ai presque fini », ai-je dit quand Daniel est entré, essoufflé d'avoir monté les marches. Pour un homme de trente-quatre ans, il n'est pas en très grande forme physique. Il fait partie de ces gens naturellement maigres qui n'engraissent jamais, mais mince ne veut pas dire en bonne santé. Chaque fois que je l'asticote à ce propos, il hoche la tête d'un air préoccupé et convient qu'il doit faire plus de sport/manger de manière plus équilibrée/dormir davantage. J'imagine qu'il a très tôt appris cette tactique, consistant à admettre très sérieusement la critique. Sa mère (le Pr Crane du département des Beaux-Arts) possède ce que l'on appelle une personnalité dominatrice, et son père (le Pr Crane du département d'Histoire) est pire. Daniel a une façon très habile de s'y prendre avec eux : il acquiesce à tout ce qu'ils disent puis n'en tient aucun compte.

« Il y a du café, ai-je proposé. Sers-toi. »

Il est allé dans la cuisine, en est revenu avec une tasse et s'est planté derrière moi pour lire les rapports par-dessus mon épaule.

« Ils sont mauvais, c'est incroyable, ai-je dit. Absolument nuls. »

Il a hoché la tête. « Ils le sont toujours. Pourquoi les corriges-tu toi-même ? Les assistants sont faits pour ça.

— Comment saurais-je sinon où en sont les étudiants ?

— Pourquoi veux-tu savoir où ils en sont ? Considère-les comme des éléphants qui passent. » Il a agité la main vers un troupeau disparaissant dans le lointain.

Pure comédie, bien sûr. Daniel est au moins aussi consciencieux que moi. Il prétend que je prends tout trop au sérieux, sous-entendant que lui laisse ses étudiants se débrouiller seuls. En fait, il consacre plus de temps que moi à l'enseignement, mais lui, ça n'a pas l'air de le rendre dingue.

Pendant que je continuais à corriger, Daniel s'est promené dans la pièce, buvant une gorgée de café, soulevant un objet, le retournant, le reposant. C'est un « tripoteur », pour reprendre l'expression de sa mère. Il aime bien tripoter les choses. Au fil des années, sa mère a rassemblé une collection de très beaux objets qu'elle a dû se résoudre à enfermer derrière des portes vitrées pour empêcher Daniel de mettre la main dessus.

« Je parie que c'est un membre de ta famille. »

J'ai levé les yeux. Il tenait une photographie. Simon. J'avais oublié que je l'avais laissée sur le canapé.

« Mon neveu.

— Il ressemble un peu à la noble vieille dame accrochée dans ta chambre. Ton arrière-arrière-arrière-grand-mère ou je ne sais plus quoi.

— Arrière seulement. »

Je me sentais tendue tout à coup. Je ne me rappelais plus où j'avais mis l'invitation, accompagnée du mot de Matt : « Amène quelqu'un si tu veux. » Était-il resté avec l'invitation ? Daniel l'avait-il vu ?

« Vous avez tous ces cheveux incroyables ?

— Ils sont blonds, c'est tout. »

Ma voix a dû me trahir, parce qu'il m'a regardée de manière bizarre, avant de reposer la photo. « Désolé. Elle était là. Je n'ai pas pu m'empêcher de remarquer la ressemblance.

— Bien sûr, ai-je répliqué comme si de rien n'était. Je sais. Les gens trouvent qu'on se ressemble tous beaucoup. »

Avait-il, oui ou non, vu l'invitation ?

Je dois préciser ici que Daniel m'a présenté ses parents moins d'un mois après que nous avons commencé à sortir ensemble. Nous sommes allés dîner chez eux. Ils habitent exactement là où l'on s'attend à voir vivre des universitaires distingués, dans une belle demeure « historique », avec une plaque sur la façade, dans un quartier appelé l'Annex, près de l'université. Il y avait des tableaux aux murs – des originaux, pas des reproductions – et quelques sculptures massives çà et là. Les meubles paraissaient vieux, de bonne facture, et avaient ce lustre que l'on obtient seulement, j'imagine, après les avoir cirés avec amour une fois par semaine pendant au moins un siècle. D'où je viens, un tel étalage de bon goût susciterait une certaine réprobation, pour ce qu'il révèle d'amour des choses matérielles. Mais je sais que cela relève d'une sorte de snobisme, et, pour être honnête, je trouve leur maison plus intéressante que prétentieuse.

Malgré tout, la soirée avait été pénible. Indépendamment du cadre – nous avions dîné tous les quatre dans une salle à manger au papier peint rouge sombre, autour d'une table ovale assez grande pour accueillir une douzaine de convives –, j'ai trouvé les parents de Daniel assez inquiétants. Tous deux s'expriment extrêmement bien, ils ont des opinions extrêmement tranchées et passent leur temps à se couper la parole et à se contredire, si bien que l'atmosphère est lourde, la conversation ponctuée d'interruptions, de démentis et de remarques acerbes, fusant à toute vitesse. À certains moments, l'un ou l'autre se rappelait soudain notre présence, s'arrêtait au milieu d'une attaque, prenait l'air préoccupé le temps de suggérer : « Daniel, ressers donc un peu de vin à Katherine », puis repartait aussitôt à la charge.

La mère de Daniel disait par exemple : « Le père de Daniel voudrait vous faire croire ceci ou cela, Katherine. » Elle levait un sourcil élégant dans ma direction, attendant de moi que je me moque de l'absurdité de ceci ou cela. Grande, émaciée, elle a une allure saisissante, avec ses cheveux virant à l'argent plutôt qu'au gris, coupés court derrière et retombant en biseau le long de la mâchoire.

Le père de Daniel, qui est plus petit qu'elle mais dégage une impression de puissance, de masse, d'énergie féroce, contenue à grand-peine, souriait alors et se tapotait les lèvres avec sa serviette d'une façon qui évoquait irrésistiblement un tireur d'élite visant sa cible. Il appelait sa femme « l'honorable professeur ». « L'honorable professeur essaie de vous gagner à sa cause, Katherine. Ne vous laissez pas abuser. La logique n'est pas de son côté… »

J'étais là à les écouter, je répondais nerveusement quand une réponse était requise, me demandant par quel hasard de la génétique ces deux-là avaient pu engendrer un être aussi pacifique et aussi dénué d'esprit de compétition que Daniel.

Daniel faisait un sort au plat de gibier, sans leur prêter la moindre attention. J'admirais son courage d'oser les montrer à quiconque – s'ils avaient été mes parents, j'aurais juré ne pas les connaître – et je m'attendais qu'il s'excuse pour eux à la fin. Mais ce ne fut pas le cas ; apparemment, il les jugeait parfaitement normaux. Il ne doutait pas que je les aimerais ou, sans aller jusque-là, que du moins je les tolérerais par égard pour lui. Et, quand j'ai appris à mieux les connaître, j'ai en effet fini par les apprécier, plus ou moins, à petite dose. Ils m'ont tous deux très bien accueillie, et je les trouve intéressants. Par ailleurs, hasard ou pas, ils ont engendré Daniel, ils ne peuvent donc pas être si mauvais.

Quoi qu'il en soit, Daniel tenait pour acquis que j'apprendrais à les connaître. D'après lui, c'est ce qui arrivait quand on devenait proche de quelqu'un – on l'intégrait à son cercle familial. Après cette première soirée, nous les avons vus à intervalles réguliers, environ une fois par mois. Nous allions parfois chez eux, ou nous nous retrouvions au restaurant en ville. Ils appelaient Daniel, et celui-ci m'annonçait : « L'heure est venue de voir le ministère de la Guerre », ainsi qu'il les appelait. Il présumait que moi aussi j'aurais envie de les voir, et il avait raison.

Mais, évidemment, il attendait la réciproque. Même si la situation était différente, en raison de l'éloignement, je savais qu'il était dérouté – plus que dérouté – par le fait que je ne l'aie jamais emmené chez moi. Je le savais, parce qu'un mois avant l'arrivée de l'invitation de Simon il l'avait quasiment dit.

Nous étions sortis avec des amis, un collègue du département et sa nouvelle femme, qui nous racontaient leur premier Noël avec leurs familles. Ils avaient passé la soirée du 24 dans sa famille à lui, et le 25 avec ses parents à elle ; cet arrangement n'avait satisfait personne, d'autant qu'entre les deux ils avaient dû faire cent cinquante kilomètres de route en pleine tempête de neige. À les entendre, c'était plutôt drôle, mais j'ai trouvé l'histoire assez déprimante. Sur le chemin du retour, Daniel s'est montré anormalement silencieux, et j'en ai déduit qu'il partageait mon sentiment. J'ai dit quelque chose comme « Bon, au moins, ils arrivent à en rire », et Daniel a répondu « Humm ». Puis, après une minute de silence : « Kate, où allons-nous ? »

J'ai cru qu'il demandait si on allait chez moi ou chez lui. Il loue le dernier étage d'une vieille maison délabrée à environ un kilomètre de l'université. C'est un endroit sombre, plein de coins et de recoins, avec de petites fenêtres et d'énormes radiateurs très courts sur pattes qui dégagent une telle quantité de chaleur qu'il doit laisser les fenêtres ouvertes toute l'année, mais au moins il y a la place de se retourner, ce qu'on ne peut pas dire de mon horrible petite boîte à chaussures, si bien qu'on y passe la plus grande partie de notre temps. « Chez toi ? » ai-je suggéré.

Il était au volant. J'ai toujours aimé le profil de Daniel – celui d'un gentil rapace – mais à cet instant-là, éclairé à intervalles par les phares des voitures venant en sens inverse, il semblait anormalement sérieux. Il m'a lancé un coup d'œil : « Je ne parlais pas de cela. »

L'inflexion de sa voix m'a fait un petit coup au cœur. Daniel n'est pas du genre à dramatiser. Il prend la vie avec humour, ou du moins voudrait le faire croire, et, quel que soit le sujet abordé, ne se départ jamais d'un ton léger et vaguement amusé. À cet instant, on devinait pourtant autre chose, même si j'ignorais précisément quoi. « Désolée, ai-je dit. De quoi parlais-tu ? »

Il a hésité puis : « Te rends-tu compte que nous sortons ensemble depuis plus d'un an ?

— Oui, oui, je sais.

— Eh bien, je ne suis pas sûr que... que nous allions où que ce soit. Je n'ai aucune idée de ce que tu penses de... de rien en fait. Si notre relation est importante pour toi.

— Elle l'est, oui, ai-je répondu très vite, en le regardant.

— Importante comment ? Un peu ? Assez ? Très ? Cochez la case correspondant à votre réponse.

— Très. Très importante.

— Eh bien, j'en suis soulagé. »

Il est resté silencieux un moment. Je n'ai rien dit non plus. Tendue, je serrais les mains entre mes genoux.

« Il n'y a rien qui le... montre, vois-tu ? Que cette relation compte pour toi. Franchement, je ne le savais pas. Je veux dire, de quoi parlons-nous ? De boulot. D'amis et de collègues, mais surtout de leur boulot. On couche ensemble, ce qui est très bien – vraiment très bien –, mais après on se retourne et on discute de ce qu'on va faire le lendemain au boulot. Le travail est important, c'est vrai. Mais il n'y a pas que cela, si ? »

Il s'est arrêté à un feu rouge et l'a contemplé fixement, comme s'il possédait la réponse à je ne sais quelle question. Moi aussi, je l'ai regardé.

« J'ai encore le sentiment de ne presque rien savoir de toi. » Il m'a jeté un regard en s'efforçant de sourire. « J'aimerais te connaître. Nous sortons ensemble depuis plus d'un an et je crois qu'il est grand temps. Est-ce que tu… je ne sais pas si je me fais bien comprendre… J'ai l'impression qu'il y a une sorte de… » Il a lâché le volant et fait un geste de la main, paume ouverte, comme s'il tâtonnait contre un mur. « … Une sorte de barrière. Un obstacle. Comme si tu ne montrais qu'une petite partie de toi… Je ne sais pas. Je ne sais pas comment l'exprimer. »

Au bout d'un moment, il m'a regardée de nouveau, esquissant un autre sourire. « Mais c'est un problème. Tu dois savoir que c'est un problème. »

Le feu est passé au vert. Nous sommes repartis.

J'ai eu peur. J'étais à mille lieues d'imaginer qu'il ressentait cela. J'étais épouvantée par la possibilité qu'il fût en train de m'annoncer que tout était fini, et bouleversée de découvrir à quel point cela m'affectait.

Comprenez-moi : je n'avais jamais pensé tomber amoureuse un jour. Ce n'était pas dans les cartes, en ce qui me concernait. Pour être honnête, je me croyais incapable d'un sentiment d'une telle intensité. Quand j'avais « découvert » Daniel, si je puis dire, j'avais été comme étourdie par sa seule existence. Je n'avais pas cherché à analyser mes sentiments, ni voulu me tourmenter à propos des siens, craignant sans doute, si je découvrais que je l'aimais trop et avais trop besoin de lui, qu'il ne fût voué à disparaître. Les gens que j'aime et dont j'ai besoin ont tendance à s'évanouir de ma vie. Pour la même raison, je ne me suis pas trop autorisée à penser à l'avenir – notre avenir. Je me contentais de croiser les doigts.

Seul le recul me permet de dire tout cela. À l'époque, je n'en étais pas consciente. Je n'avais jamais réfléchi à l'évolution ou à l'approfondissement de notre relation ; il ne m'était même pas venu à l'idée que c'était nécessaire ou simplement souhaitable. J'étais fataliste : cela marcherait ou ne marcherait pas, je n'y pouvais pas grand-chose. Je croisais les doigts. Je suppose que c'est comme de conduire les yeux fermés.

Je ne savais que lui dire. Comment lui faire comprendre. J'étais bouleversée. « Daniel, je ne suis pas douée pour... parler de ce genre de choses. De l'amour et du reste. Mais cela ne veut pas dire que je ne le ressens pas.

— Je sais. Mais c'est plus que cela, Kate.

— Quoi, alors ? »

Au bout d'un moment, il a répondu : « Tu pourrais m'inclure dans d'autres aspects de ta vie. D'autres choses qui sont importantes pour toi. »

Il n'a pas été jusqu'à dire « Tu pourrais me présenter à ta famille », mais il le sous-entendait, du moins en partie. Il sous-entendait que, pour commencer, j'aurais dû l'emmener chez moi et lui présenter Luke et Bo. Et Matt.

Le problème, c'est que c'était précisément la chose que je ne pouvais pas m'imaginer faire. Ne me demandez pas pourquoi, j'ai encore du mal à le comprendre. Même si je savais qu'il les apprécierait, et qu'eux l'apprécieraient, l'idée ne m'en semblait pas moins inenvisageable. C'était ridicule, je n'arrêtais pas de me le répéter.

Il avait tourné au coin d'une rue latérale et s'était arrêté au bord du trottoir. J'ignorais depuis combien de temps nous étions là, moteur allumé, la neige chuintant sur le pare-brise.

« Je vais essayer, Daniel, je vais vraiment essayer. »

Il a hoché la tête. J'espérais qu'il dirait quelque

chose – qu'il comprendrait – mais non. Il a passé une vitesse et m'a déposée chez moi. Un mois s'est écoulé, sans qu'on en reparle. Mais le problème était toujours là, entre nous ; il n'avait pas disparu.

Je n'avais donc pas de mal à imaginer ce qu'il devait ressentir, s'il avait vu l'invitation de Matt. Il devait y voir l'occasion rêvée, à juste titre, d'ailleurs.

Il a reposé la photo de Simon sur la table, avec précaution, comme s'il devinait qu'elle avait une signification particulière pour moi. Et, à cause de cette attention, juste à ce moment-là, j'ai presque réussi à l'inviter. Presque réussi à me forcer à surmonter l'obstacle. Mais Matt m'était encore très présent à l'esprit à la suite du rêve, et une vision nette de leur rencontre m'est alors apparue. Leur sourire et leur poignée de main. Je l'ai vu comme si j'y étais : Matt s'enquiert du trajet, Daniel répond « formidable, beau paysage ». Tous deux s'avancent vers la maison. Matt dit : « Vous êtes à l'université, n'est-ce pas ? En micro-biologie, m'a expliqué Kate… » Et tout à coup le ressentiment est monté en moi avec une force telle que j'en ai eu le souffle coupé. J'ai baissé les yeux sur le rapport posé devant moi, avec dans la bouche un goût amer comme le métal.

« Kate ? »

J'ai levé les yeux vers lui à contrecœur. Sourcils froncés, il avait l'air déconcerté. Daniel Crane, le plus jeune professeur du département de Zoologie, debout dans mon salon, l'air déconcerté, parce qu'un détail dans sa vie n'était pas exactement parfait.

J'avais envie de lui dire : « Tout a été si facile pour toi. Si facile. Tu as certes travaillé dur, mais la chance a toujours été de ton côté, et je parie que tu ne t'en rends même pas compte. Tu es intelligent, je le sais, je ne le nie pas, mais je dois dire que, comparé à lui, tu n'as rien d'extraordinaire. Pas vraiment. Pas comparé à Matt. »

« Ça ne va pas ?

— Si si, ai-je dit. Pourquoi ?

— Tu as l'air... »

J'ai attendu qu'il poursuive, mais il n'a rien ajouté. Il a pris sa tasse de café et en a bu une gorgée, sans me quitter des yeux. Je pensais : Je ne peux pas. Je ne peux pas faire ça. S'il a vu l'invitation, eh bien, tant pis. Ainsi soit-il.

« J'ai presque fini », ai-je dit, et j'ai continué à corriger les rapports.

Neuf

Il y a quelque temps, j'ai participé à un colloque à Edmonton et fait une communication sur l'effet des pesticides sur la vie des étangs stagnants. Ledit colloque n'était pas particulièrement brillant mais, au retour, l'avion a traversé le nord de l'Ontario à très basse altitude, et cela seul valait le déplacement. J'ai été stupéfiée par cette immensité. Ce vide. Nous avons survolé des kilomètres et des kilomètres de désert, de rochers, d'arbres et de lacs, une étendue magnifique et désolée, aussi perdue que la lune. Puis, soudain, j'ai distingué une fine ligne d'un gris pâle, qui serpentait au milieu de cette immensité désertique, se frayait un chemin autour des lacs, des marais et des affleurements de granit. Et, un peu plus haut, attachée à cette ligne fragile comme un ballon au bout d'une ficelle, est apparue une petite clairière au bord d'un lac. On distinguait les limites des champs, quelques maisons éparses, tous pris dans un maillage d'autres lignes gris pâle. Plus ou moins au centre, reconnaissable à sa courte flèche trapue et au petit cimetière propret autour, il y avait l'église, et à côté, au milieu du carré bosselé qu'était la cour de récréation, l'école.

Ce n'était pas Crow Lake, mais ç'aurait tout aussi bien pu. Chez moi, me suis-je dit.

Puis : Comme nous étions courageux !

Je ne pensais pas à nous en particulier, mais à tous ceux qui osaient vivre à l'écart de leurs semblables sur une terre aussi vaste et silencieuse.

Depuis ce jour-là, quand je songe à la maison, j'ai souvent l'impression de la voir du ciel. Je zoome dessus, pour ainsi dire, je descends progressivement, et les détails surgissent, de plus en plus distincts, jusqu'au moment où je nous voie, tous les quatre. En général, nous sommes à l'église. Nous voici, deux garçons et deux filles, assis en rang. Bo ne se tient pas aussi bien qu'elle l'aurait dû si notre mère avait été là, mais pas trop mal, compte tenu des circonstances, et nous autres sommes silencieux et attentifs. Nos vêtements ne sont peut-être pas très propres, nos chaussures pas cirées, mais je ne me rapproche pas suffisamment pour le discerner.

Étrangement, je nous vois toujours tous les quatre, alors que nous n'avons été ensemble que la première année. Ensuite, Matt n'a plus été avec nous. Mais il est vrai que cette période a été déterminante. J'ai le sentiment qu'il s'est passé plus de choses cette année-là que pendant toutes mes années d'enfance réunies.

Tante Annie est restée chez nous jusqu'à la mi-septembre. Parvenue bien malgré elle à la conclusion que je risquais de ne pas survivre à l'éclatement de la famille, elle avait été obligée d'accepter le projet de Luke de renoncer à sa carrière afin d'« élever les filles ». Elle n'agissait pas de gaieté de cœur, mais il n'y avait pas d'autre solution, aussi a-t-elle attendu que l'école ait repris et qu'on soit tous bien installés pour s'en aller.

Je me souviens que nous l'avons conduite à la gare dans notre nouvelle (vieille) voiture. Nous n'étions pas obligés d'aller jusque-là – nous aurions pu faire signe au train de s'arrêter, à l'endroit où il croisait la Northern Side Road –, mais je suppose que pour Luke et Matt de tels adieux auraient manqué de dignité. Je me rappelle le train, énorme et noir, et comment il haletait comme un chien dans la chaleur. Je me rappelle la stupeur de Bo, dans les bras de Luke ; elle n'arrêtait pas de lui prendre le visage dans ses mains et de l'obliger à tourner la tête vers le train pour qu'il manifeste lui aussi sa stupéfaction.

Tante Annie ne nous a pas dit adieu. Au moment de monter, elle a répété pour la deuxième fois qu'elle me nommait chef du courrier, pour la troisième fois que nous devions téléphoner en cas de problème, puis elle a grimpé assez prestement sur le marchepied que le contrôleur avait abaissé pour elle. Nous l'avons regardée descendre l'allée, suivie du contrôleur qui portait ses bagages. Elle s'est installée à côté d'une fenêtre et nous a fait signe. Elle ouvrait et fermait les doigts, d'un mouvement joyeux et enfantin. Je m'en souviens parce que ce geste et son sourire contrastaient étrangement avec les larmes qui coulaient sur ses joues. N'y faites pas attention, disaient le sourire et les doigts. Ignorant donc les larmes, comme si elles n'avaient rien à voir avec tante Annie, nous avons agité gravement les mains en réponse.

Je me rappelle le trajet du retour : tous les quatre assis à l'avant, Matt au volant, Bo sur les genoux de Luke, et moi entre les deux. Nous n'avons pas dit un mot. Quand nous avons tourné au coin de l'allée, Luke a lancé un regard à Matt et dit : « Ça y est.

— Ouais, a répondu Matt.

— Tout va bien ?

— Sûr. »

Il semblait inquiet cependant, et pas très heureux. Et Luke ? Luke paraissait farouchement heureux. Comme un homme qui part au combat, la fleur au fusil, sachant Dieu à ses côtés.

Il s'est passé autre chose ce jour-là, un incident sans rapport avec le départ de tante Annie. À l'époque, nous ne lui avons pas attribué de signification parti-culière, je n'y ai plus pensé pendant longtemps, et il m'a fallu plus de temps encore pour comprendre qu'il avait peut-être de l'importance.

Ce soir-là, après dîner, Matt et moi faisions la vais-selle et Luke s'apprêtait à coucher Bo.

Tante Annie avait laissé la maison dans un ordre presque trop parfait. Les jours précédant son départ, elle avait récuré chaque surface, astiqué chaque vitre et lavé le moindre bout de tissu, rideaux compris. Elle connaissait Luke suffisamment bien maintenant pour savoir que la plupart de ces objets n'auraient plus jamais le moindre contact avec l'eau et le savon ; je suppose aussi que, dans son souci pour nous, elle voulait passer un marché avec Dieu : si elle faisait tout ce qui était en son pouvoir pour nous assurer un bon départ, Il devrait tout faire pour qu'il ne nous arrive rien de mal.

Matt et moi nous trouvions donc dans notre cuisine étincelante, à frotter nos brillantes casseroles avant de les essuyer avec des torchons lavés, bouillis, amidonnés et repassés jusqu'à ce qu'ils soient aussi blancs et lisses que des feuilles de vélin. Bo et Luke sont entrés. Bo – vêtue, vision surréelle, d'un pyjama propre – réclamait à boire. Luke lui a servi un verre de jus de fruits du réfrigérateur, a attendu qu'elle ait fini puis l'a reprise dans ses bras et lui a demandé de nous dire bonsoir. Il se montrait ferme, pour lui faire comprendre qu'il était désormais le chef, et Bo était si bien disposée après ce qu'elle devait considérer comme sa victoire sur tante Annie qu'elle lui a laissé croire qu'il allait s'en tirer comme ça.

« Dis bonsoir aux galériens », a-t-il dit.

Bo regardait par la fenêtre. Elle a tourné la tête et, docile, nous a souri, à Matt et à moi, puis elle a pointé le doigt vers l'obscurité en disant : « Monsieur ! »

La nuit tombait. La lumière de la cuisine était allumée, mais on voyait encore la découpe de chaque arbre. Et, en prêtant attention, on distinguait aussi une forme sombre, assez distante pour presque se fondre dans les bois qui, la nuit, semblaient se refermer sur la maison. Nous avons tous regardé dehors. L'ombre a bougé, s'est reculée un peu plus.

Matt a froncé les sourcils. « On dirait Laurie Pye. »

Luke a hoché la tête. Il est allé ouvrir la porte et a crié : « Hé ! Laurie ! »

La silhouette a hésité, puis s'est avancée lentement. Luke a fait passer Bo sur son autre hanche et a tenu la porte ouverte. « Comment ça va, Laurie ? Entre. »

Laurie s'est arrêté à quelques pas de la porte. « Pas la peine, a-t-il dit. Ça va.

— Entre donc, a répété Luke. Viens prendre un verre de jus de fruits ou autre chose. Que peut-on faire pour toi ? »

Matt et moi nous étions aussi approchés de la porte. Laurie nous a lancé un bref regard, nous balayant juste de ses yeux noirs. « Non, ça va. Laisse tomber. » Il a fait demi-tour et il est reparti.

C'est tout.

Nous avons attendu qu'il se fonde dans les arbres. Matt et Luke se sont regardés, puis Luke a doucement refermé la porte.

« Bizarre, a fait Matt.

— Tu crois qu'il y a un problème ?

— Pas la moindre idée. »

Nous n'y avons plus pensé. Matt et moi sommes retournés à la vaisselle, Luke est allé coucher Bo. Fin de l'épisode.

Avec le recul, je me dis qu'il avait dû venir dans l'espoir de parler à Luke ou à Matt. Je ne vois pas d'autre explication. Il était plus proche d'eux que de quiconque, hormis sa propre famille – ils travaillaient côte à côte dans les champs de son père depuis des années – et il avait sûrement confiance en eux.

D'un autre côté, j'ai du mal à imaginer Laurie Pye parlant à qui que ce soit. Quand je revois ce visage blanc et morne, ces yeux troublants, je ne peux me le représenter prononçant ces mots qu'il devait avoir si désespérément besoin de dire.

À moins qu'il ne soit arrivé là presque par hasard ? C'est la seule autre possibilité. Il était allé marcher et s'était soudain retrouvé devant chez nous. Mais même cette hypothèse suggère que, consciemment ou non, il cherchait quelqu'un à qui parler.

Quelle qu'ait été la raison de sa venue, il était resté dehors, dans l'obscurité grandissante, à regarder à l'intérieur. J'imagine l'impression qu'il avait eue. La tension et l'angoisse qui pesaient toujours sur Luke et Matt, la fragilité de Bo, mon état de prostration – rien de tout cela ne devait être perceptible pour lui. Il aura vu la maison propre et en ordre, la scène domestique gaie et tranquille, nous quatre qui continuions à vivre, nous aidant les uns les autres, la plus jeune dans les bras de l'aîné. Une vision en apparence idyllique, qui rendait impossible, complètement hors de question, l'idée d'entrer et de parler de ce qui se passait chez lui. Si Bo avait été en train de hurler, Matt et Luke de se disputer, ou si simplement nous ne nous étions pas trouvés tous ensemble dans cette cuisine étincelante, cela aurait pu être possible. Il avait juste mal choisi sa soirée.

Luke n'a trouvé aucun emploi en ville correspondant aux horaires particuliers qu'il souhaitait, mais il a été embauché pour travailler au magasin des McLean. Quand j'y repense aujourd'hui, je doute que M. et Mme McLean aient réellement eu besoin de lui. Ils géraient le magasin depuis vingt ans et s'étaient toujours très bien débrouillés. Malgré tout, ils ont prétendu que l'aide de Luke serait bienvenue, deux heures par jour, et aucun d'entre nous n'y a vu un nouvel acte de charité.

C'étaient des gens bizarres. Bizarres, pris individuellement, et encore plus bizarres en tant que famille. Si on avait mis n'importe quel groupe d'enfants à un bout d'une pièce, un groupe de parents à l'autre, et qu'on vous ait demandé de reconstituer les familles, Sally aurait été la dernière que vous auriez attribuée à M. et Mme McLean. Pour commencer, tous deux étaient petits et effacés, alors que Sally était grande et possédait une chevelure flamboyante. Ensuite, M. et Mme McLean étaient connus pour leur timidité, tandis que Sally, surtout à l'adolescence, avait la réputation inverse. Prenez son langage corporel : sa façon de se tenir, le bassin en avant, les seins dressés, le menton levé… Un langage que n'avait jamais parlé

Mme McLean, et que M. McLean n'avait sûrement jamais compris.

Ils étaient connus pour leur amour des enfants. Quand ils se tenaient tous deux derrière le long comptoir sombre, qui occupait la moitié de la longueur du magasin, et qu'un enfant entrait, leur sourire timide se transformait en un rayonnement de pur plaisir. Ils étaient faits pour en avoir une dizaine, mais Sally était leur fille unique. À sa naissance, ils devaient avoir largement dépassé la quarantaine – ils étaient assez âgés, comparés à la plupart des parents de ma connaissance. Je suppose qu'ils avaient « essayé » pendant des années, sans succès, puis, ainsi qu'il arrive souvent, longtemps après qu'ils eurent accepté leur stérilité comme étant la volonté de Dieu, Sally était née. Une surprise, disaient-ils. À mon avis, elle n'avait pas dû cesser de les surprendre par la suite.

Luke est donc allé travailler pour M. et Mme McLean. Je ne me souviens pas de ce que m'a inspiré cet arrangement à l'époque. Je n'y ai sans doute pas beaucoup réfléchi. Mais j'aimais bien le magasin, ou du moins je l'aimais bien avant, du temps où j'accompagnais ma mère dans sa tournée de courses hebdomadaires. C'était une ancienne grange, vaste, avec des poutres apparentes, garnie de rangées d'étagères de bois inégales et bourrée du sol au plafond de tout un bric-à-brac inimaginable : boisseaux et cageots de fruits et légumes, pain en tranches, conserves de haricots, paquets de raisins secs, fourches, savon, pelotes de laine, tapettes à souris, bottes en caoutchouc, caleçons longs, papier toilettes, rouleaux à pâtisserie, cartouches de pistolet, papier à lettres, laxatifs. Ma mère me confiait une partie de sa liste (sur laquelle elle avait écrit avec soin les noms des articles pour que je puisse les lire), puis je sillonnais les allées jusqu'à trouver celui que je cherchais et je le mettais dans mon panier. On se croisait à plusieurs reprises, ma mère et moi, on se souriait et elle me demandait comment je me débrouillais, ou si par hasard j'avais remarqué, disons, les raisins secs, ou les pêches au sirop, sur mon chemin. Quand nous avions rassemblé nos provisions, nous les apportions au comptoir, où M. McLean les rangeait dans des sacs, pendant que Mme McLean notait les prix avec un épais crayon noir, tous deux m'adressant des sourires radieux pendant toute la durée de l'opération.

Je chéris les souvenirs de ces expéditions, qui comptent parmi les rares où nous n'étions que toutes les deux, ma mère et moi.

À présent, Luke se tenait lui aussi derrière le comptoir, même si le sourire radieux ne lui venait pas très naturellement. Il était employé du lundi au vendredi, de quatre heures de l'après-midi, quand Matt rentrait de l'école, jusqu'à la fermeture du magasin à six heures. Le lundi soir, il travaillait plus tard, car il allait en ville chercher l'approvisionnement de la semaine dans le camion des McLean puis garnissait les rayons.

Parfois, Sally l'accompagnait. À la lumière de ce qui a filtré ensuite, je la vois bien s'asseoir plus près de lui que nécessaire, et lui poser la main sur la cuisse pour reprendre son équilibre quand ils roulaient sur des bosses ou des nids-de-poule. Ce que Luke ressentait, je peux seulement le deviner. Les choses habituelles, sans doute, ajoutées à la confusion que lui inspirait la conscience de sa position.

Le samedi, il travaillait à la ferme de Calvin Pye le matin, et Matt y travaillait l'après-midi. Pour ce que j'en sais, il n'a jamais plus été question de l'étrange apparition de Laurie devant notre porte. Calvin aurait pu employer Luke six jours par semaine, mais mon frère tenait à s'occuper lui-même de Bo et de moi. Plus d'un voisin avait proposé de nous garder quelques heures tous les après-midi, mais ni lui ni Matt n'étaient d'accord. Bo avait pris en grippe tous les étrangers, et ils s'inquiétaient aussi pour moi. Apparemment, je demeurais très renfermée, et ils considéraient qu'il valait mieux m'éviter toute nouvelle perturbation.

Pour Matt, le baby-sitting consistait bien sûr à nous emmener aux étangs, Bo et moi, et tant que le beau temps a duré – largement jusqu'au mois d'octobre, cette année-là – nous y sommes allés presque tous les après-midi. Entre parenthèses, je recommande l'observation des étangs comme thérapie. À cause de l'eau, même si on n'a pas d'intérêt particulier pour les formes de vie qu'elle recèle. Après tout, c'est le milieu d'où nous venons. Nous avons tous été bercés par l'eau à l'origine.

Le seul inconvénient de ces après-midi, de mon point de vue, était les rencontres avec Marie Pye sur le chemin du retour. À cette heure-là de la journée, j'étais toujours fatiguée, j'avais faim et envie de rentrer à la maison. Je tournais autour de Matt, donnant des coups de pied impatients aux traverses des rails, pendant qu'ils discutaient. Je ne voyais pas ce qu'ils avaient à se dire qui ne puisse attendre le samedi, jour où Matt travaillait à la ferme. Tous deux étaient chargés, Marie avec ses courses, Matt avec Bo, qui pesait comme un sac de sable sur ses épaules : on aurait pu penser qu'ils avaient hâte de rentrer. Mais ils restaient là, encombrés par leur fardeau, à parler de choses sans importance. Les minutes s'étiraient, je creusais des trous dans la poussière avec mes chaussures et je me mordillais le doigt d'énervement. À la fin, Matt disait : « Il faut que j'y aille... », Marie acquiesçait, et c'était reparti pour dix minutes de conversation.

Un jour, elle lui a demandé d'un ton hésitant : « Comment vas-tu, Matt ? Est-ce que tu vas... bien ? »

Tout le monde nous posait tout le temps la question, et on devait répondre « Oui, merci, tout va bien ». Cette fois, pourtant, Matt n'a pas répondu tout de suite. J'ai levé les yeux vers lui et me suis aperçue qu'il regardait au loin, vers les bois de l'autre côté de la voie ferrée. Puis il a reporté son attention sur Marie, lui a souri et dit : « À peu près. »

Elle a esquissé un geste, un mouvement involontaire des bras, bien qu'ils fussent chargés de provisions. Matt a haussé les épaules et lui a souri de nouveau. « Bon, il faut que j'y aille. »

Aujourd'hui, je me demande si Matt n'a pas été plus affecté que nous tous par la mort de nos parents. De l'avis général, j'étais la plus touchée, mais était-ce bien la vérité ? Moi, j'avais Matt sur qui m'appuyer. Lui n'avait personne. Il avait eu dix-huit ans au début du mois de septembre, il était considéré, et se considérait lui-même, comme un adulte, capable de faire face.

J'espère que Bo et moi lui avons apporté un certain réconfort. Il en a puisé, j'en suis sûre, dans le spectacle des étangs : là, la vie ne s'arrêtait jamais, la perte d'une vie ne détruisait pas la communauté, et la mort faisait partie du scénario.

Quant à Marie... Je me rends compte aujourd'hui qu'il devait aussi trouver du réconfort dans ces brèves rencontres avec elle.

Dix

Je devrais vous parler des Pye. Presque tout ce que je sais, je l'ai appris par Mlle Vernon, quand, étant adolescente, je m'occupais de son potager. Sa mémoire n'était peut-être pas très fiable, mais d'un autre côté elle avait été un témoin direct, elle avait vu cette famille pratiquement à chaque étape, depuis l'époque de Jackson Pye. On peut donc la considérer comme une bonne source. Elle ne m'a pas seulement parlé des Pye, bien sûr : toute l'histoire de Crow Lake et de ses premiers habitants a défilé au-dessus des rangs de carottes et de haricots. Elle racontait pendant que je travaillais, haussant la voix à mesure que je progressais dans chaque rang jusqu'au moment où elle criait : « Viens don' m'aider à bouger, pour l'amour du ciel ! Comment veux-tu que je te parle de tout là-bas ? » J'allais l'aider à se lever, je déplaçais sa chaise de cuisine le long du carré de légumes et l'installais à un endroit où elle pourrait à nouveau parler à son aise.

À l'en croire, Jackson Pye était un homme très intelligent. Je me souviens qu'elle m'a demandé un jour si j'avais déjà prêté attention à la maison des Pye.

Je ne comprenais pas où elle voulait en venir – cette maison, je l'avais vue des milliers de fois –, mais ensuite j'y suis retournée pour la regarder de plus près. C'était une grande bâtisse de bois, construite à distance de la route. La façade avait ce que Mlle Vernon appelait de « belles proportions ». De très grandes fenêtres à guillotine flanquaient la porte d'entrée, et une élégante et large véranda l'entourait sur trois côtés. Jackson avait laissé trois gros bouleaux à proximité, qui offraient un supplément d'ombre l'été et contribuaient à la protéger du vent l'hiver. On pouvait s'imaginer assis sous la véranda par une soirée d'été, à écouter la brise dans les bouleaux, en se détendant après une dure journée de travail. C'est ce que Jackson Pye devait avoir en tête lorsqu'il l'avait bâtie, même si j'ai du mal à me le représenter assis là. En fait, je n'ai pas le souvenir d'y avoir jamais vu quiconque. Se détendre n'était pas une activité très prisée chez les Pye.

Mais, comme le disait Mlle Vernon, c'était une maison supérieure à la moyenne, surtout si l'on considérait qu'elle avait été conçue et construite par un homme qui n'avait reçu nulle formation d'aucune sorte. Il avait aussi dessiné la maison des Janie et celle des Vernon et, là encore, avait fait du bon travail. « Il avait en tête une image précise de ce qu'il voulait, m'avait dit Mlle Vernon. Et il était capable de déterminer comment arriver à ce résultat. Oh oui, c'était un homme intelligent. Et aussi un bon fermier. Il avait très bien choisi sa terre. La ferme des Pye était la meilleure du lot. Bien irriguée. Bon sol, pour le coin. Meilleure que la nôtre. Ou que celle des Janie. Il aurait pu en faire un bien bel endroit, s'il ne s'était pas disputé avec tous ses garçons. Les fermiers ont besoin de fils, tu sais. Les filles ne valent pas grand-chose. Enfin, ça va pour certaines, mais en général elles n'ont pas les muscles requis. La culture est un dur métier. Tu n'as pas idée à quel point. » Alors que depuis deux heures je sarclais son potager sous le soleil ardent de juillet.

« Il avait combien d'enfants ? » ai-je demandé. À l'époque, la plupart de ses vieilles histoires ne m'intéressaient guère – les jeunes ne s'intéressent pas au passé, ils se concentrent sur le futur –, mais celle des Pye faisait exception. Tout le monde s'intéresse aux catastrophes. De plus, j'avais aussi, à ce moment-là, des raisons personnelles de vouloir en savoir plus sur eux.

« Sept. Que ça ne t'empêche pas de sarcler. Toi, tu sarcles et moi, je raconte ; comme ça, on fait toutes les deux ce pour quoi on est douées. Sept enfants, cinq garçons et deux filles. Des jumelles, mais elles sont mortes étant bébés. De quoi, je ne sais pas, moi aussi j'étais toute petite. Peut-être la scarlatine. Mais peu importe.

« Les garçons, maintenant. Voyons, l'aîné s'appelait Norman. Il était un petit peu plus âgé que moi. Il s'est enfui. Je t'en ai déjà parlé, non ? Il est tombé dans le lac gelé un hiver et avait trop peur de son père pour rentrer chez lui. Ensuite, il y avait Edward. Celui-là était un peu attardé. Mme Pye avait eu du mal à le mettre au monde, ce qui explique peut-être cela. En tout cas, il n'a jamais appris à lire ou à écrire, et sa lenteur rendait son père fou. Il n'arrêtait pas de lui crier dessus, et Edward, pauvre innocent, n'avait aucune idée de ce qui se passait.

« Un jour il a fichu le camp, en plein milieu des hurlements de son père. Il a tourné le dos et il s'en est allé, comme si, après avoir essayé de comprendre pendant toutes ces années, il avait enfin réussi et conclu que les choses ne s'amélioreraient jamais. Alors, il est parti.

« Et de deux. Pete était le troisième. Peter Pye : tu parles d'un nom ! Tout le monde l'appelait Peter Pan, bien sûr. Mais je veux bien croire que ce n'était pas son principal souci. Ça non. »

Elle a fait claquer ses dents, les épaules voûtées, le regard perdu dans le passé. Je me souviens d'avoir songé à la longueur de son passé. Toutes ces années.

« Tu veux un peu de citronnade ? » m'a-t-elle soudain demandé.

J'ai hoché la tête.

« Va don' en chercher. »

Ma première tâche, les après-midi où je travaillais pour elle, consistait à préparer un litre de citronnade que je fourrais dans son vieux réfrigérateur puant. Après quelques rangs, elle m'envoyait nous en chercher un verre pour chacune, et, après quelques verres, je devais aider Mlle Vernon à gagner les toilettes avec une certaine précipitation.

« De quoi on parlait ? m'a-t-elle demandé quand nous avons eu fini notre citronnade et que j'ai eu déplacé sa chaise vers les radis.

— Des fils de Jackson Pye.

— Ah oui. J'en étais où ?

— Vous commenciez à parler de Pete.

— Pete, a-t-elle répété, hochant la tête. C'est ça. » Elle m'a lancé un regard pénétrant. Elle avait les yeux pâles et laiteux, mais me donnait toujours le sentiment de voir plus de choses que la plupart des gens.

« J'aimais bien Pete. Je l'aimais beaucoup. Lui aussi m'aimait beaucoup. » Son regard s'est fait malicieux. « Tu ne vas sûrement pas me croire, vu ta jeunesse. Tu crois que j'ai toujours été comme je suis maintenant. » Elle a fait bouger sa longue mâchoire, ruminant. Elle m'évoquait un cheval – un très vieux cheval, avec la peau qui pendouille, les moustaches et presque plus de sourcils.

« C'était un gentil garçon. Doux, comme sa mère. Une gentille femme, la pauvre. C'est drôle, mais les hommes Pye ont toujours eu bon goût en matière de femmes. On n'aurait pas cru. Pete lui ressemblait. Il était doux et calme. Et malin, avec ça. Il aurait bien réussi à l'école, s'il avait eu le droit d'y aller. Il avait compris avant tous les autres que la chose intelligente à faire était de s'en aller. Il m'avait dit qu'il allait partir. À Toronto. Il voulait que j'aille avec lui. Je ne savais pas quoi décider. »

Elle s'est de nouveau perdue dans ses souvenirs. En la regardant, je l'ai presque vue jeune, fraîche et jolie, scrutant le visage de ce garçon, partagée entre son désir de partir avec lui et son envie de rester chez elle. Déchirée. Essayant d'imaginer quelle serait sa vie selon le choix qu'elle ferait.

« Je ne suis pas partie. J'ai eu peur. Je n'avais que quinze ans. Et puis il y avait ma sœur Nellie – elle avait un an de moins que moi –, on était très proches, et je ne pouvais pas m'imaginer la quitter, même pour Pete. »

Elle est demeurée immobile un moment, puis elle a remué sur sa chaise et m'a regardée.

« Quel âge as-tu ?

— Quinze ans.

— Alors, tu comprends peut-être. Partirais-tu avec un garçon s'il te plaisait ? Maintenant, je veux dire. Tu te lèves et tu pars. »

J'ai secoué la tête. J'étais intimement convaincue que jamais je ne partirais avec un garçon. J'irais seule, quand je serais prête, de cela, j'étais sûre. J'y travaillais. C'est à cela que servait l'argent gagné chez

Mlle Vernon – à alimenter un compte spécial, mon compte « université ». Luke s'en était occupé, et je lui en étais reconnaissante parce que ce petit supplément d'argent lui aurait été bien utile. Je travaillais beaucoup à l'école, bien plus que tous mes camarades. Le côté « social » ne m'attirait pas – je ne faisais pas partie des « filles dans le coup » – mais j'aimais bien étudier. Je n'avais pas de facilités dans les matières littéraires et artistiques (en langues, en histoire, en dessin et en musique), mais je les bûchais quand même. J'adorais les sciences, en particulier la biologie, mais comment aurait-il pu en être autrement ? J'avais de bonnes notes en tout. Luke, qui lisait mes bulletins avec attention, semblait stupéfait. « Tu es comme Matt », m'avait-il dit un jour. Mais il se trompait : j'étais loin, je le savais, d'être aussi intelligente que Matt.

« Donne-moi don' un de ces radis, m'a dit Mlle Vernon. J'ai bien envie d'un radis. »

J'en ai cueilli un gros et le lui ai apporté.

« Il a l'air bon. Prends-en un si tu veux. »

J'ai refusé. Après la citronnade, je n'étais pas très tentée.

« Nous avons tous le choix. Il arrive qu'on ne sache jamais si on a fait le bon. Enfin, ça ne sert à rien de s'en préoccuper maintenant. Bref, voilà pour Pete. Trois partis, deux qui restent. Songe un peu à cette pauvre femme, qui voyait sa famille disparaître petit à petit. Sur les sept enfants qu'elle avait mis au monde, elle n'en avait plus que deux. D'après moi, ceux qui sont partis ne lui ont jamais écrit. Ce n'était pas leur genre. Ils ont juste disparu de la surface de la terre.

« Bon, les deux derniers, maintenant, Arthur et Henry. Ils ont passé un accord : tenir bon, coûte que coûte, pour hériter de la ferme. Elle est bien assez grande pour deux. Et puis, ils y ont tant travaillé, ils comptent bien finir par mettre la main dessus.

« Pendant ce temps, bien sûr, les années passent. Nellie, moi et les fils Pye approchons des vingt ans – Arthur les a même peut-être déjà. Et leur avenir a pris une certaine importance pour Nellie et moi, parce qu'on a décidé de les épouser. »

Elle a laissé échapper une espèce de gloussement perçant. « Tu dois trouver ça bizarre, hein, d'autant que je viens de dire que j'aimais beaucoup Pete. Mais je l'ai attendu longtemps, j'espérais qu'il allait revenir, même si, au fond, je savais que je ne le reverrais pas. À dix-neuf ans, j'ai commencé à trouver que le temps pressait. Pour ce qui était des jeunes gens, on ne peut pas dire qu'il y ait eu beaucoup de choix à Crow Lake. Tu penses sans doute qu'il n'y a pas grand choix aujourd'hui, mais c'était bien pire en ce temps-là. Il n'y avait que nos trois familles. Struan était à une bonne journée de route, et on n'avait pas beaucoup d'occasions d'y aller. Frank Janie avait toute une ribambelle de garçons, mais les Janie étaient affreux. Ce n'est pas très gentil de dire ça, mais c'est la vérité. Ils étaient tout décharnés, avec un teint de papier mâché. Ils étaient assez gentils, mais quand on est jeune on veut davantage. En tout cas, on voulait davantage, Nellie et moi. À vrai dire, on ne se posait pas trop de questions sur les fils Pye. On avait cette image de nous deux, installées dans cette grande et belle ferme que Jackson Pye avait construite. On se voyait déjà, papotant et pouffant dans la cuisine, en leur préparant leur dîner. On ferait des tartes aux pommes à cinq heures du matin, pour ne pas être aux fourneaux en pleine chaleur dans la journée, on s'occuperait du jardin, des poules et des cochons, on ferait le ménage – tout ce que faisait notre mère, sauf

127

que là ce serait amusant parce qu'on serait toutes les deux. On aurait des enfants du même âge, ils grandiraient tous ensemble, sans bien savoir laquelle des deux était leur mère ou leur tante. Oh, on avait tout programmé. On s'imaginait sous cette grande et belle véranda le soir, à discuter tout en faisant notre raccommodage, pendant que nos hommes parleraient de ci ou ça… »

Elle s'est tue, le temps de contempler le tableau en pensée, puis elle a reniflé. « Deux petites idiotes, voilà ce qu'on était. Jouant à être adultes. On n'avait pas deux sous de bon sens. » Maussade, elle a posé une main aux doigts griffus sur les grosses articulations enflées de l'autre. Soixante-dix ans plus tard, sa bêtise de jeunesse l'agaçait toujours. Elle m'a regardée par-dessus le carré de légumes et m'a dit, avec humeur : « Pas comme toi, jeune demoiselle Morrison. M'est avis qu'il n'y a que des idées raisonnables dans cette tête-là. Trop d'idées raisonnables. Essaie donc d'être un peu jeune, pour changer, tant qu'il en est encore temps. Il n'y a pas que les bonnes notes, dans la vie. Pas que l'intelligence. »

Je n'ai pas répondu. Je détestais l'entendre me parler de moi-même. La semaine précédente, elle m'avait dit que j'avais toujours l'air en colère ; qu'il était grand temps de pardonner à celui ou celle qui m'avait mise dans cet état-là, et de vivre ma vie. Je lui en avais tellement voulu de sa remarque que j'étais partie sans attendre qu'elle me paie et sans lui dire au revoir.

Elle parlait maintenant dans sa barbe, en me regardant arracher les mauvaises herbes autour des plants de radis. Il faisait une chaleur accablante. J'étais pieds nus et, pour empêcher la terre noire de me brûler la plante des pieds, je devais creuser des petits trous dans lesquels les poser. Dans les buissons derrière nous, les cigales chantaient leurs cantiques au soleil.

« Va don' nous rechercher de la citronnade, a-t-elle dit d'un ton toujours sec. Et rapporte aussi des biscuits. Ensuite, tu viendras t'asseoir pour les manger. Il fait chaud, aujourd'hui. »

Je suis rentrée dans la maison. Je ne l'aimais pas beaucoup, aussi bien conçue qu'elle l'ait été par Jackson Pye. Elle était trop sombre et trop silencieuse, elle sentait la vieillesse et la souris. J'ai rincé nos verres et les ai à nouveau remplis de citronnade, puis j'ai sorti la boîte à gâteaux pour en inspecter le contenu. Des biscuits à la cannelle. Les biscuits à la cannelle, c'était Mme Stanovich. Les biscuits à la crème aigre, Mme Mitchell. Les carrés aux dattes et aux raisins secs, Mme Tadworth. Nous, les petits Morrison, n'étions donc pas seuls sur la conscience des Bonnes Âmes de Crow Lake. J'ai posé les verres en équilibre sur la boîte à biscuits et rapporté le tout au potager. Je me suis assise sur l'herbe brûlée, à côté de la chaise de Mlle Vernon, et pendant un moment nous avons mâché à grand bruit les biscuits à la cannelle en écoutant les cigales, jusqu'à ce qu'on ait fini de ruminer contre le passé et l'une contre l'autre.

« Où en étais-je arrivée ? a enfin dit Mlle Vernon.

— Votre sœur et vous aviez décidé d'épouser Henry et Arthur Pye.

— Ah ! C'est ça. Exactement. »

Elle s'est redressée, les yeux plissés, le regard braqué, par-delà le carré de légumes, sur les bois au loin puis, plus loin encore, sur son passé. Elle le regardait à présent en face, sans faux-fuyant, ayant depuis longtemps abandonné les idées romantiques de sa jeunesse.

« On s'était mis ça dans la tête, Nellie et moi. Sans

aucune raison – ils ne nous avaient pas fait la cour ni rien. Un peu de flirt par-ci par-là, sans plus. En vérité, on ne les connaissait pas très bien, ces garçons. Ça peut paraître drôle, vu qu'on a grandi si près les uns des autres, et qu'on était si peu nombreux. Mais ils travaillaient dans cette ferme du matin au soir depuis qu'ils étaient en âge de marcher, ils n'avaient jamais eu beaucoup de temps libre. En plus, ils n'étaient pas du genre bavard. Pete était le seul qui parlait volontiers et qui réfléchissait aux choses. Tout ce qu'on savait d'eux, Nellie et moi, c'est qu'ils étaient beaux et célibataires. Chez les Pye, les hommes ont toujours été beaux, sans exception. Mais tu le sais aussi bien que moi. Tous sans exception, une fois passé l'âge ingrat, deviennent grands et minces, avec ces beaux cheveux noirs épais et ces yeux. Nellie disait toujours que leurs yeux étaient aussi noirs que ceux de Dieu. Surtout Arthur et Henry – de magnifiques yeux noirs. C'étaient aussi des garçons costauds, plus grands que leur père, plus grands que nos frères. »

Elle a soupiré. « Bref, on avait ce projet-là, Nellie et moi. On allait épouser les frères Pye. On était donc bien contentes qu'ils soient décidés à hériter de la ferme. Mais, évidemment, c'était compter sans le vieux Jackson. On aurait pu croire qu'il aurait retenu la leçon, pas vrai ? Il avait chassé trois de ses fils, plus de la moitié de sa main-d'œuvre : n'importe quel homme aurait compris qu'il devait changer et traiter ceux qui lui restaient avec un peu de respect. Mais il semblait incapable d'apprendre.

« Cet hiver-là, il les avait chargés de défricher de nouvelles terres – abattre des arbres, dégager les sous-bois, déterrer les racines. Un travail horriblement pénible. Mes frères les aidaient – toutes les familles s'entraidaient – et ils nous racontaient que lorsqu'ils arrivaient le matin les fils Pye étaient déjà à l'œuvre, et qu'ils y étaient encore lorsque eux repartaient le soir. Et pendant toute la sainte journée, le vieux Jackson passait son temps à les injurier. Jusqu'au jour où, vers le crépuscule, alors que Jackson criait après Henry, Henry a arrêté ce qu'il était en train de faire ; pendant un instant, il n'a pas bougé, tête baissée. Puis il a posé sa hache, s'est avancé vers son père – tu te souviens, je t'ai dit que c'étaient des gars costauds ? Eh bien, il a attrapé Jackson par le cou. »

Mlle Vernon a porté une de ses vieilles mains arthritiques à son cou, juste sous le menton.

« Comme ça. Il l'a soulevé du sol, l'a plaqué contre un arbre et l'y a maintenu pendant une minute ou deux. Les jambes dans le vide, Jackson battait des pieds et poussait des gémissements aigus. Mes frères ont dit que ça aurait pu être drôle si ça n'avait pas été aussi terrifiant. Puis Henry a tourné la tête vers Arthur, qui se tenait avec mes frères, sans rien faire pour aider son père, et lui a dit : "La ferme est à toi, Art." Il a laissé retomber son père et il est parti. Il a rassemblé toutes ses affaires et il a pris la route le soir même. »

Elle a soupiré une fois encore et laissé retomber sa main.

J'ai pris un biscuit dans la boîte et le lui ai tendu, mais elle a secoué la tête et je l'ai mangé. J'ai mâché en silence, espérant que, si je ne la troublais pas, elle poursuivrait son récit, ce qu'elle a fini par faire. Elle avait l'air fatiguée, pourtant, comme si les souvenirs eux-mêmes l'épuisaient.

« Henry aurait dû être à moi. Je ne me souviens pas comment on avait déterminé qui serait pour qui, mais je sais que Henry devait être à moi. Mais lui ne s'en doutait peut-être pas, parce qu'il n'est pas venu me

131

dire adieu. Je l'ai imaginé, descendant cette route, posant les pieds dans les empreintes de Pete, qui était parti avant lui. Edward et Norman aussi, bien sûr – quatre paires d'empreintes Pye, qui se dirigeaient vers le sud et ne revenaient jamais –, mais c'est à Pete que je pensais. Et je me souviens de m'être dit : Voilà ma dernière chance envolée. »

Elle s'est interrompue un instant. Elle a encore reniflé, mais en signe de résignation, cette fois, et non plus de mépris.

« Arthur a donc eu la ferme », a-t-elle dit.

Elle s'est de nouveau arrêtée et s'est mise à grincer des dents. Je commençais à craindre qu'elle ne poursuive pas, alors j'ai insisté : « Et Nellie ? Arthur l'a-t-il épousée ?

— J'y viens. » Elle m'a lancé un regard acéré. « Un peu de patience. C'est une longue histoire, et elle me fatigue. »

Voilà ce que je redoutais – qu'elle soit épuisée avant de parvenir à la fin de son récit. Je ressentais le besoin de savoir tout ce qui s'était passé dans cette ferme de malheur. Je ne voulais pas attendre le lendemain. Et si elle mourait pendant la nuit, ou avait une attaque qui la privait de l'usage de la parole ? Jamais je ne connaîtrais la suite de l'histoire, et, pour une raison quelconque, il me semblait que ce serait une calamité. J'avais presque le sentiment que si je savais tout du passé, si je savais exactement ce qui était arrivé aux précédentes générations de Pye, je pourrais remonter le temps et arranger leur histoire, en dévier le cours afin de l'empêcher d'entrer en collision avec la nôtre.

J'avais donc beaucoup de mal à contenir mon impatience. Je devais résister au désir de l'aiguillonner, de la harceler pour qu'elle poursuive. Nous avions toutes deux oublié que j'étais censée biner son jardin. Nous sommes restées assises, elle sur sa chaise, moi dans l'herbe à côté, tandis que la chaleur désertait lentement le jour.

« Bon, ce qui s'est passé ensuite... » Elle a entrechoqué ses dents, prise dans un va-et-vient à travers le temps. « Ensuite, donc, Mme Pye est morte. C'est ça. Une pneumonie. Pas très longtemps après le départ de Henry. Un ou deux mois plus tard, Arthur a demandé Nellie en mariage. Je me rappelle les avoir observés par la fenêtre de la cuisine. Ils étaient dehors, près de la grange. Je savais ce qu'il lui demandait à la façon dont elle se tortillait dans ses vêtements. Même de dos, on voyait à quel point elle était contente. Elle avait un postérieur expressif, cette fille-là. Elle a dit oui, bien sûr. Mais notre père a dit non. Il a dit qu'il n'avait rien contre Arthur en particulier, mais qu'un jour quelqu'un finirait par être tué dans cette ferme et qu'il ne voulait pas qu'une de ses filles soit là quand ça se produirait. L'affaire était close. Un an plus tard, Nellie s'enfuyait avec un prédicateur itinérant. Je te raconterai une autre fois, c'est une histoire en soi, et ça lui a servi de leçon.

« Jackson et Arthur ont continué tous les deux seuls. Certains ont prétendu qu'Arthur n'avait pas adressé la parole à son père pendant les trois dernières années de sa vie, mais je ne vois pas comment ils peuvent l'affirmer – et pendant le souper ? Qu'est-ce qui prouve qu'Arthur n'a pas dit "Passe-moi le sel" ou bien "Où as-tu mis le couteau à pain ?". Une chose est sûre, en tout cas, le jour où Jackson a été porté en terre, Arthur était un homme heureux. Ça, je le sais, parce que j'y étais aux funérailles. Il ne pouvait pas s'empêcher de sourire. Pendant toute la cérémonie, il a eu ce petit air satisfait. Je n'aurais pas été surprise d'apprendre qu'il était retourné au cimetière après le

133

départ de tout le monde pour danser pieds nus sur la tombe.

« Le lendemain, il selle un cheval et prend la route, et six semaines plus tard le voilà qui revient avec une épouse. »

Je l'ai regardée, mal à l'aise. Je commençais à ressentir une sorte de pressentiment – presque une prémonition, comme si, à mon insu, j'avais toujours su le cours qu'allait prendre cette histoire. Comme si ce savoir était déjà en moi, mais demeuré enfoui jusqu'ici.

Mlle Vernon hochait la tête, semblant comprendre ce que j'éprouvais et partager mon sentiment. « C'était donc la nouvelle Mme Pye. Une gentille petite chose. De grands yeux bleus. Elle ressemblait pas mal à la mère d'Arthur, en fait.

« Arthur et elle se sont installés dans cette grande ferme grise. Ils l'avaient pour eux tout seuls. Un nouveau départ, pour ainsi dire. Un an après, elle a eu un bébé. Un autre l'année d'après. Six enfants en tout, trois filles et trois garçons, une famille juste à la bonne taille. Tout aurait dû aller pour le mieux. Mais devine un peu ? Arthur s'est querellé avec tous. Tous sans exception. Les filles se sont mariées alors qu'elles étaient à peine adolescentes – n'importe quoi pour s'échapper. Je ne sais pas où elles sont allées, mais aucune n'est jamais revenue. Deux des fils aussi sont partis. Ils ont suivi cette route comme leurs oncles... »

Elle a secoué la tête et claqué la langue contre ses dents. Tss, tss, tss.

« Mon Dieu, les femmes Pye devaient détester cette route. C'est comme s'il y avait une pancarte marquée "sens unique" dessus. Pareil que dans ces contes de fées qu'on nous raconte quand on est petit. Cette grande montagne qui avalait tous les enfants – tu sais bien, l'histoire avec les rats. »

J'ai hoché la tête.

« Dis voir, comment elle s'appelle ? J'oublie toujours les noms. Ça me rend folle.

— *Le Joueur de flûte de Hamelin.*

— C'est ça. Tous les enfants qui se font avaler par cette montagne. Voilà l'impression que devait avoir Mme Pye. Toutes les Mme Pye. Cette route, c'est par là qu'ils s'en vont tous... »

J'ai pensé à la route. Blanche, poussiéreuse, banale. La sortie. Je voulais l'emprunter moi aussi, mais même à cette époque-là – mon amertume et mon ressentiment étaient à leur comble, la pauvre Mlle Vernon m'avait vue au pire moment – je ne le désirais pas avec la même intensité que les enfants Pye.

« Bref, il restait encore un fils. Tu sais lequel ? »

J'ai passé en revue les générations, essayant de relier ce qu'elle m'avait dit à ce que je savais déjà : il ne pouvait s'agir que d'un seul.

« Calvin ?

— Exactement. Calvin Pye. C'est lui qui est resté. À mon avis, il détestait son papa encore plus que les autres. Et il en avait beaucoup plus peur. Mais c'est pourtant lui qui a tenu le coup. Têtu. Ça n'a pas dû être facile pour lui. Un gamin maigrichon, petit pour son âge. Il ne s'est pas vraiment développé avant ses dix-huit ans. Ce travail devait lui paraître très pénible. Et, pendant tout ce temps, Arthur lui criait dessus... »

Au cours de son récit, et à chaque épisode, j'avais eu en tête une image de celui dont elle parlait, mais je m'apercevais maintenant que je ne parvenais pas à me représenter Calvin enfant. Je ne pouvais pas m'empêcher de voir Laurie à la place. Laurie, un gamin maigrichon, petit pour son âge, qui chaque jour travaillait aux champs, poursuivi en permanence – en permanence – par les injures de son père.

« Il ne s'est jamais rebellé », disait Mlle Vernon, et je me suis trouvée un peu perdue, avant de me souvenir qu'elle parlait de Calvin. « Même à l'âge adulte. Il n'a jamais osé. Il avait trop peur. Il restait là, il encaissait, ravalait ses sentiments. Ça a dû presque lui brûler les intestins. »

Il y avait donc une différence, finalement. Enfant, Laurie aussi s'était consumé de rage contenue, mais un peu plus tard il s'était rebellé, ça oui !

« Puis sa mère est morte. Voyons voir... quel âge devait avoir Calvin... environ vingt et un ou vingt-deux ans. Elle est morte debout derrière son fourneau en préparant une sauce. Jamais été du genre à faire des histoires. Elle avait cuisiné tout le dîner, sauf la sauce. Je le sais, parce que j'ai aidé à faire sa toilette mortuaire. La sauce avait collé au fond de la casserole – les hommes n'avaient pas eu l'idée de la retirer du feu. J'ai eu un mal fou à la ravoir.

« Personne n'a compris pourquoi Calvin était resté après ça. On se disait qu'il allait sûrement s'en aller. On ne pouvait pas imaginer qu'il ait voulu la ferme à ce point-là. Mais il est resté. Il croyait peut-être que son père allait bientôt y passer, mais il se trompait. Arthur se portait comme un charme, il a vécu encore dix-huit ans. Tu te rends compte ? Vivre et travailler côte à côte chaque jour pendant dix-huit ans, en se détestant. Rien que d'y penser, c'est à vous glacer le sang. »

Elle a secoué la tête et s'est remise à claquer la langue contre ses dents. « Les familles », a-t-elle dit. Elle a remué doucement sur sa chaise. J'espérais qu'elle n'allait pas avoir envie d'aller aux toilettes. Je craignais qu'elle ne perde le fil, là, à la dernière minute, si près du point de contact avec mes propres connaissances. Mais non, elle a continué.

« Où en étais-je ?

— Arthur et Calvin se sont retrouvés seuls.

— C'est ça. C'est ça. Tous les deux seuls dans cette grande et vieille maison, occupés à se détester. À ce petit jeu, ils ont dû finir par être imbattables, à force de le pratiquer. Finalement, Arthur a eu une attaque. Il vociférait contre Calvin, d'un bout à l'autre d'un champ de betteraves, et il est tombé raide mort. Mort de rage, on pourrait dire, et ç'a été un sacré soulagement pour tout le monde. »

Elle a marqué une nouvelle pause. « Bon, quel âge ça lui faisait à Calvin ? À toi de calculer. Je n'ai jamais su compter.

— Trente-neuf ou quarante ans.

— C'est ça. Un homme mûr. Mais enfin, il est libre et il possède une belle ferme. Que crois-tu qu'il soit arrivé ensuite ? À toi de me le dire. »

J'ai dégluti. L'appréhension que j'avais ressentie un peu plus tôt s'était figée au creux de mon estomac. « Il est allé à New Liskeard se chercher une femme ? »

Elle a hoché la tête. « Exact. Tu as deviné. Compris le schéma. »

Nous sommes restées assises un moment, à écouter le silence. Les cigales s'étaient tues. Pendant des années, j'avais essayé de saisir le moment précis où elles s'arrêtaient – d'entendre la toute dernière cigale émettre la toute dernière note de la journée –, mais je n'avais jamais réussi. À présent, les bois étaient d'un calme inquiétant, avant que les créatures de la nuit prennent la relève.

« Maintenant, je mangerais bien un autre biscuit », a dit Mlle Vernon.

Je lui en ai tendu un qu'elle a mâché lentement,

faisant tomber des miettes sur le devant de sa robe. Elle a repris, la bouche pleine : « Une femme gentille, elle aussi, sauf que j'oublie son nom. Les Pye ont toujours eu bon goût en matière de femmes. Comment don' qu'elle s'appelait ? Tu devrais t'en souvenir.

— Alice.

— C'est ça, Alice. Une gentille femme. Très active, au début, comme les autres. Elle faisait de la pâtisserie pour les fêtes paroissiales, participait aux réunions de couture. Je crois bien qu'elle a même joué de l'orgue à l'office. C'est ça. Puis Calvin a dit que l'exercice lui prenait trop de temps, et elle a dû abandonner. Joyce Tadworth l'a remplacée, elle était incapable de distinguer les notes. C'était une vraie torture de l'écouter... »

Son regard s'est perdu dans l'obscurité des bois, pendant qu'elle se rappelait les fausses notes. Puis elle a poursuivi, distraite : « Alice a fait de nombreuses fausses couches. Au moins deux pour chaque naissance, je dirais, la pauvre femme. Si bien qu'à la fin il ne lui est resté que trois enfants. Je n'ai jamais pu me rappeler leur nom. Mais tu les connais. Je n'ai pas besoin de t'en parler. »

J'ai pensé à Rosie. On aurait dit un pauvre plant, semé par hasard à l'arrière d'une maison – frêle, pâle et souffreteuse, piétinée chaque fois qu'elle redressait la tête. Il m'est soudain revenu un souvenir très net d'elle, debout à côté de son pupitre – nos pupitres étaient placés côte à côte, elle était donc près du mien. On devait avoir cinq ou six ans à l'époque et être en cours élémentaire. Mlle Carrington lui avait sûrement posé une question : il fallait se lever pour répondre. Rosie, qui en était incapable, était restée debout, en silence, et au bout d'une minute je m'étais rendu compte qu'elle tremblait de tous ses membres. Mlle Carrington lui avait dit, assez gentiment : « Je suis sûre que tu le sais, Rosie. Essaie. » Il y avait eu un léger bruit de liquide, une odeur d'urine, et j'avais vu une petite mare se former sur le sol autour des chaussures de Rosie. Après ça, Mlle Carrington ne l'avait plus jamais interrogée.

Voilà Rosie. Il y avait aussi Marie, et sa façon de se tenir quand elle ne transportait rien, les bras serrés autour d'elle, s'agrippant les coudes comme si elle avait froid, même lorsqu'il faisait beau. Sa voix toujours si douce et si timide – trop douce et trop timide. Énervante. Je me souvenais qu'il me suffisait de l'entendre, quand elle parlait avec Matt, pour être agacée.

Et Laurie, qui subissait plus qu'aucun autre l'ire de son père. Je n'avais aucune idée, à ce moment-là, de ce qu'était sa vie. Cela dépassait complètement mon imagination. J'étais seulement consciente qu'il ne vous regardait presque jamais en face, et quand il le faisait, il y avait quelque chose dans son regard qui vous obligeait à détourner les yeux.

Mlle Vernon a remué et soupiré.

« À toi de me répondre, maintenant. Tu passes pour une fille intelligente, à ce qu'on raconte. Comment se fait-il que chez les Pye les hommes en arrivent à tant détester leurs enfants ? Comment cela a-t-il pu se répéter pendant trois générations ? Est-ce qu'il y a quelque chose dans leur sang ? Ou est-ce qu'ils ne connaissent pas d'autre façon de se comporter ? Parce que moi, je ne trouve pas ça naturel. C'est insensé.

— Je ne sais pas, ai-je répondu.

— Non, je m'en doute. Tu n'es pas si intelligente que ça. Personne ne sait. »

Nous sommes restées assises en silence. L'ombre se

139

propageait depuis les bois, avançant à la dérobée, nous prenant par surprise. J'ai écrasé un moustique, et la peau de mes bras m'a paru froide.

« Enfin, tu connais la suite. Tu la connais même sans doute mieux que moi. »

J'ai hoché la tête.

Elle a balayé les miettes tombées sur ses genoux avec sa vieille main tordue.

« Voulez-vous que je vous cueille des légumes pour le dîner ?

— Des haricots. Mais d'abord, emmène-moi aux toilettes. J'ai attendu un peu trop longtemps. »

Nous avons donc gagné les toilettes à petits pas traînants, Mlle Vernon et moi, laissant l'histoire des Pye se fondre encore une fois dans l'air frais du soir, lentement, telle la brume du lac.

Onze

J'avais quinze ans lorsque Mlle Vernon m'avait
raconté l'histoire des Pye. À cet âge, j'étais capable,
mais tout juste, de pleinement comprendre ce qu'elle
disait, d'y réfléchir et de voir le rapport avec ce qui
s'était passé à ma propre génération. Je n'irais pas
jusqu'à prétendre que cela m'avait rendue plus bienveillante ou compréhensive, mais au moins cela
m'avait-il permis de replacer les événements dans leur
contexte. Si j'avais entendu cette histoire à l'âge de
sept ans, je suis persuadée qu'elle n'aurait eu aucune
signification pour moi. En premier lieu, les très jeunes
sont forcément égoïstes. Qu'ont-ils à faire des
désordres ou des drames de la vie de leurs voisins ?
Leur premier souci est de survivre, et ils ne se préoc-
cupent que de ceux qui peuvent les y aider. Évidemment, ils doivent aussi découvrir le monde qui les
entoure – d'où l'insatiable curiosité des jeunes
animaux –, mais la survie prime. Et moi, cette
année-là, j'avais déjà eu bien du mal à survivre, affectivement parlant du moins.

Cette affreuse année, comme toutes les autres,

j'allais tous les jours à l'école à pied en longeant la voie ferrée. C'était le plus court chemin : la route serpentait, tandis que la voie ferrée allait tout droit. En fait, cette trajectoire m'étonne aujourd'hui, même si je n'y ai jamais pensé étant enfant. Lorsque les ouvriers qui l'avaient construite rencontraient un obstacle, ils le faisaient sauter à la dynamite, l'abattaient à coups de hache, le comblaient, bâtissaient un pont pour l'enjamber ou usaient de tout autre moyen nécessaire pour en venir à bout.

J'ai vu de vieilles photos de ces hommes ; ils n'ont rien de héros. Appuyés sur leur pioche, le chapeau en arrière, ils sourient à l'objectif de toutes leurs mauvaises dents. La plupart ont l'air assez petits, minces voire maigres, les muscles fins et saillants plutôt que gonflés sous leur chemise. Plusieurs paraissent avoir été mal nourris dans leur enfance. Ils devaient néanmoins posséder une vigueur et une résistance hors du commun, aucun doute là-dessus.

Ils ont dégagé un passage trois ou quatre fois plus large que les voies elles-mêmes, envahi au fil des années par les herbes et les fleurs sauvages – épilobes, laiterons, solidagos, carottes sauvages, campanules, barbes-de-bouc –, si bien qu'en longeant les rails chaque matin j'avais l'impression de traverser une prairie. En septembre, toutes étaient en germination. Les capitules répandaient leur contenu sur votre passage, les bardanes s'accrochaient aux vêtements. Certains jours, sous l'effet de la chaleur, des milliers de téguments de laiterons éclataient en même temps ; des milliers de petites explosions silencieuses, qui s'enchaînaient par salves le long de kilomètres de voies. Ces jours-là, je marchais à travers des nuages de duvet soyeux poussés par la brise matinale comme de la fumée.

Moi, j'avançais, telle une somnambule. J'étais consciente de cet environnement, mais sans le voir vraiment. En classe, c'était la même chose. Pendant que Mlle Carrington nous donnait une leçon d'arithmétique, de grammaire, d'histoire ou de géographie, je restais assise, affichant une attention polie, mais sans enregistrer un seul mot. J'observais les grains de poussière en suspension dans les larges bandes de soleil qui tombaient en biais par les fenêtres de la salle. Ou alors, j'écoutais le fracas des betteraves à sucre que l'on chargeait dans les wagons-trémies, prêts à partir vers le sud. Les rails passaient au fond de la cour de récréation, et la voie où les wagons de marchandises attendaient d'être remplis se trouvait juste en face de l'école. Il y avait là les balances, la trémie elle-même (une structure de bois délabrée en forme de pyramide inversée), et le long bras de métal et de caoutchouc du tapis roulant qui se dressait à l'oblique et qu'on pouvait faire pivoter au-dessus des wagons. Pendant tout le mois de septembre, des camions venus des fermes cahotaient sur le chemin défoncé et déversaient leur chargement de betteraves dans la trémie avec un grondement qui faisait se figer Mlle Carrington. Ensuite, on actionnait le tapis roulant, les betteraves commençaient à tomber dans le tambour d'un wagon, d'abord une à une puis dans un roulement continu. Les autres années, après une ou deux semaines d'école, je n'entendais plus ce grondement ; nous avions tous grandi avec lui et, pareil au bruit des vagues, il faisait partie du paysage sonore de nos vies. Cette année-là, cependant, il semblait doué d'un caractère hypnotique. J'écoutais, fascinée, et on aurait dit que le roulement lourd, sourd pénétrait mon âme.

Mlle Carrington est rentrée avec moi à la maison. Elle m'a dit : « Puis-je marcher avec toi, Kate ? Il y a bien longtemps que je n'ai vu tes charmants grands frères. Crois-tu qu'ils verraient un inconvénient à ce que je passe ? »

Ce devait être au début du mois d'octobre. Les journées étaient encore chaudes, mais les soirées fraîches, et la nuit tombait vite.

Comme j'étais avec Mlle Carrington et qu'elle portait une longue jupe, je n'ai pas pris la voie ferrée, je me suis dit qu'elle ne réussirait jamais à se débarrasser des bardanes. Nous sommes donc passées par la route, comme il convenait, même si le trajet était plus long et poussiéreux. Elle m'a parlé de l'endroit d'où elle venait, une autre collectivité rurale, quoique plus grande et moins isolée que la nôtre. Elle avait vécu dans une grande ferme, et ils avaient un cheval.

« Moi aussi, j'ai des frères, m'a-t-elle raconté. J'en ai trois. Mais pas de sœur. Tu as une longueur d'avance sur moi. »

Elle a baissé la tête pour me sourire. Ses cheveux, ramenés en arrière, étaient retenus de façon lâche par un simple ruban bleu. Grande et mince, elle avait un visage trop allongé pour être joli, mais de beaux yeux, grands et sombres, et des cheveux également bruns qui prenaient des reflets dorés et auburn au soleil.

Quand nous avons descendu l'allée, Luke et Bo étaient dehors, sur le côté de la maison, occupés à étendre le linge, bien qu'il fût déjà tard et que le soleil fût moins chaud. Matt n'était pas encore rentré – le car le déposait au bout de la route vers quatre heures. Luke s'est arrêté en voyant Mlle Carrington. Il a laissé une couche pendue à une seule pince à linge, a pris Bo dans ses bras et s'est avancé à notre rencontre. La couche n'avait pas l'air très propre. Il restait des taches dessus, et elle était d'un blanc douteux.

« Bonjour, Luke, a dit Mlle Carrington. J'espère que je ne te dérange pas. Je suis juste passée prendre de vos nouvelles. »

Luke semblait mal à l'aise. Ça ne lui plaisait pas que Mlle Carrington le voie s'occuper des couches.

« Hum... ça va, merci. J'ai un peu de retard... » Il a montré la lessive. « Je voulais l'étendre ce matin, mais Bo ne tenait pas en place. »

Il traînait toujours quand il s'agissait d'étendre les couches. C'était la tâche qu'il aimait le moins et il ne cessait de la remettre à plus tard.

Il a reposé Bo par terre, mais elle s'est mise à couiner et à escalader sa jambe de pantalon, et il l'a reprise dans ses bras. Il a passé sa main libre dans ses cheveux. « Voulez-vous boire quelque chose ? » Il a lancé un regard vague vers la maison.

« Non, non, a répondu Mlle Carrington. Je ne reste pas... Je me demandais seulement comment vous vous débrouilliez.

— Bien, merci. Ça va bien. » Il a hésité. « Allez, venez donc vous asseoir un moment. Il fait chaud dehors. Vous avez sûrement envie de boire quelque chose. Il y a... euh... du thé.

— Un verre d'eau. Un verre d'eau serait parfait. Mais je n'entre pas. Je voulais juste savoir comment vous alliez, et vous dire un mot...

— Oh, je vois. Hum, Kate, pourrais-tu aller chercher un verre d'eau pour Mlle Carrington ? Il... hum... faudra peut-être que tu laves un verre. »

Je suis rentrée dans la maison. Un vrai capharnaüm. La cuisine, surtout ; il y avait des assiettes et des tasses sales partout, et des restes de nourriture ici et là. À un moment, Bo avait dû sortir toutes les casseroles et les poêles des placards, et on devait les enjamber pour circuler. J'ai trouvé un verre, je l'ai passé sous le robinet, rempli d'eau froide et l'ai rapporté dehors. Du lait avait séché à l'intérieur ; il restait un cercle blanc au fond, mais j'ai espéré que Mlle Carrington ne s'en apercevrait pas.

Luke et elle parlaient. Il tenait toujours Bo dans ses bras. Bo suçait son pouce. Dans la même main, elle serrait une pince à linge qui lui rentrait dans la joue, mais elle n'avait pas l'air de s'en rendre compte. Elle scrutait Mlle Carrington de son regard perçant, mais celle-ci était concentrée sur ce que disait Luke. Il lui posait une question, à propos du Dr Christopherson.

« Je ne crois pas, disait-elle. Je doute qu'il puisse faire grand-chose, honnêtement. À mon avis, c'est sans doute seulement une question de temps. On devra en reparler. Tu comprends, pour contrôler l'évolution... »

Elle m'a vue arriver avec son verre d'eau et m'a souri. « Merci, Kate. C'est parfait.

— Jus fruits, a dit Bo, tendant la main vers le verre.

— Tu veux bien la prendre, Kate ? m'a demandé Luke. Lui donner à boire et un bout de pain ou autre chose ? Elle n'a pas eu grand-chose à déjeuner. »

Il m'a tendu Bo, et j'ai chancelé sous le poids. Elle a sorti son pouce de sa bouche et m'a fait un grand sourire. « Katie, Katie, Katie », m'a-t-elle dit, et elle m'a montré sa pince à linge.

Je l'ai emmenée dans la maison et lui ai donné du jus de fruits. Puis j'ai sorti le pain de sa boîte et lui en ai coupé une tranche.

« Tiens, Bo. »

Elle a pris le pain et l'a examiné d'un air soupçonneux. Je suis allée à la fenêtre. Luke et Mlle Carrington parlaient toujours. Il était quatre heures passées, mais Matt n'était toujours pas rentré. Chaque fois que le car de ramassage scolaire avait du retard, j'imaginais des accidents – un autre camion de bois, le car renversé, des corps, Matt étendu, mort. Puis soudain il est apparu dans l'allée, ses livres sous le bras. Il avait vu Luke et Mlle Carrington et il est allé les rejoindre. Mlle Carrington s'est tournée vers lui, a souri et a attendu qu'il arrive. Ça faisait bizarre de la voir à côté d'eux. Il était difficile de croire qu'elle avait été leur institutrice : ils étaient tous deux beaucoup plus costauds qu'elle, surtout Luke, et elle ne semblait guère plus âgée qu'eux.

Matt a acquiescé à quelque chose qu'elle disait. Il regardait son visage pendant qu'elle parlait, puis il a baissé les yeux. Il a fait passer ses livres sur l'autre bras, hochant doucement la tête, fixant toujours le sol. Mlle Carrington a fait un petit geste avec les mains, il l'a dévisagée et a eu un sourire vague. Le visage de Matt était l'élément le plus familier de mon univers ; la trace d'anxiété dans son sourire m'a fait soupçonner qu'ils parlaient de moi. Que disaient-ils ? M'étais-je mal comportée en classe ? J'avais le ventre noué par l'appréhension. Mlle Carrington m'avait plusieurs fois réprimandée, gentiment, pour mon manque d'attention. Était-ce cela ? Luke s'en moquerait – lui-même n'avait jamais été très attentif. Mais Matt... je n'avais pas peur qu'il soit fâché contre moi, mais je craignais de le décevoir, de ne pas être aussi intelligente qu'il voulait que je le sois.

Mlle Carrington a ajouté autre chose, tous deux l'ont regardée puis chacun a répondu. Elle a souri, a fait demi-tour et s'est éloignée. Matt et Luke se sont avancés vers la maison en discutant, la tête baissée.

« Bon, il faut que j'aille au magasin. Je suis déjà en retard, disait Luke quand ils sont entrés. Tu veux bien finir d'étendre les couches ? Elle m'a surpris en plein milieu.

— Ouais, d'accord. » Matt a laissé tomber ses livres sur la table et nous a souri, à Bo et moi. « Bonjour, mesdames. Comment s'est passée la journée ? »

Bo découpait de gros morceaux de pain qu'elle enfournait dans sa bouche. Son menton montait et descendait, mâchant avec application, mais elle a fait un grand sourire à Luke et lui en a tendu un morceau. Des miettes de pain ont dégringolé sur le sol.

« J'y vais », a dit Luke. Il a pris les clés de voiture sur le rebord de la fenêtre puis il est sorti, laissant la porte claquer derrière lui.

Matt s'est appuyé au montant de la porte, examinant le désordre. « Je vais vous dire quel est le problème, mesdames. Le problème, c'est que Bo, ici présente, est plus douée pour la pagaïe que ne l'est Luke pour le rangement. Voilà le problème, en deux mots. »

Il le prenait sur le ton de la plaisanterie, mais le chaos le préoccupait. Je pense qu'il y voyait un symbole : le désordre de la maison, reflet du désordre de nos vies. Cela renforçait ses craintes quant au succès du grand projet de Luke. Luke ne voyait pas les choses ainsi. Pour lui, le désordre n'était rien de plus que du désordre, et alors ?

Mais, à ce moment-là, je me moquais bien de tout cela.

« Qu'est-ce qu'elle voulait, Mlle Carrington ? ai-je demandé.

— Oh, elle venait seulement prendre de nos nouvelles. Tu sais bien, comme tout le monde. C'était gentil de sa part de faire tout ce chemin, tu ne trouves pas ? »

Il a commencé à ramasser les casseroles, essuyant de

la main la poussière sur leur base avant de les emboîter les unes dans les autres.

« Est ce qu'elle a parlé de moi ?

— Bien sûr. Elle a parlé de nous tous.

— Oui, mais de moi spécialement ? Qu'est-ce qu'elle a dit sur moi ? »

Ma bouche tremblait. J'ai tenté de serrer les lèvres, mais ça n'a pas arrêté le tremblement. Matt m'a observée. Il a posé les casseroles sur le comptoir, s'est approché de moi – en contournant Bo qui écrasait de la mie de pain par terre avec ses orteils – et il a tiré sur une de mes nattes d'un air de reproche.

« Eh, pourquoi te mets-tu dans tous tes états ? Elle n'a rien dit de mal sur toi.

— Mais quoi ? »

Il a étouffé un soupir, et j'ai craint, en plus du reste, d'ajouter encore à sa fatigue et à son malheur.

« Elle a dit que tu étais très discrète, parfois. C'est tout, d'accord ? Et il n'y a rien de mal à ça. Il n'y a pas de mal à être discret. En fait, c'est plutôt une qualité. J'aime bien les femmes discrètes. » Il a froncé les sourcils en regardant Bo. « Tu m'écoutes, Bo ? J'aime bien les femmes discrètes. Ce sont les femmes bruyantes qui me tapent sur les nerfs. »

Dans mon lit, ce soir-là, j'ai écouté les cris des oies des neiges qui volaient au-dessus de la maison. Il en passait jour et nuit, des dizaines de milliers, qui traversaient le ciel en un long V désordonné, s'encourageant de leurs cris tristes et discordants. Nous abandonnant pour l'hiver.

À peu près à cette époque, me semble-t-il, il y a eu une bagarre dans la cour de l'école. Cela arrivait fréquemment, les petits garçons étant ce qu'ils sont, mais cette bagarre-là était plus violente que de coutume.

Cela s'était passé dans la ceinture d'arbres marquant la limite du périmètre de l'école, au-delà du carré de poussière envahi de mauvaises herbes que les garçons utilisaient comme terrain de base-ball. Si la bagarre avait eu lieu à découvert, Mlle Carrington l'aurait repérée plus tôt et y aurait mis un terme. Mais là, on ne s'en était pas rendu compte tout de suite. Les garçons jouaient au base-ball ; plusieurs d'entre eux ont remarqué quelque chose et ont déserté le terrain pour aller voir. Les filles plus âgées, qui les regardaient de loin, groupées au coin du bâtiment, s'en sont aperçues ; elles ont cessé de parler et se sont tournées vers les arbres. Elles ont à leur tour attiré l'attention des quelques petites qui sautaient à la corde dans la zone pavée au pied de l'escalier de l'école. Enfin, alertée par le silence soudain, Mlle Carrington, qui corrigeait des dictées, assise sur les marches, s'est interrompue.

Elle s'est levée, a scruté les arbres un instant puis s'est hâtée dans cette direction. Un garçon en est sorti en courant. On l'a vu faire des gestes, et Mlle Carrington s'est mise à courir, sa longue jupe lui battant les mollets. Elle a disparu dans les arbres et on est tous restés là à attendre, sans savoir ce qui se passait.

Puis Mlle Carrington est réapparue, marchant à grands pas vers l'école, accompagnée par deux garçons qui en portaient ou plutôt en traînaient un troisième, couvert de sang ; ça lui dégoulinait du nez, de la bouche, des oreilles, le sang coulait le long de son cou et imprégnait sa chemise. Mlle Carrington est passée devant nous, livide. « Emmenez-le à l'intérieur », a-t-elle dit aux garçons, et elle est rentrée dans l'école. Le blessé, Alex Kirby, était un fils de fermier ; une vraie petite brute.

Les autres garçons sont revenus, jetant des coups d'œil par-dessus leur épaule à un dernier, qui marchait lentement, avec raideur. Lui aussi était plein de sang. Ils avaient tous l'air vaguement épouvantés, vaguement inquiets. Le traînard était Laurie Pye.

Les autres garçons se sont regroupés au pied de l'escalier avec les filles. Laurie s'est arrêté à quelque distance. Je n'avais pas bougé de ma place, près du mur, d'où j'avais regardé les filles sauter à la corde. (Cette année-là, je n'avais rien fait d'autre qu'observer. Rosie Pye aussi se tenait près du mur – observer, elle n'avait jamais fait que cela toute sa vie, mais notre isolement ne nous avait pas rapprochées pour autant.)

Laurie avait le nez en sang ; il s'était ouvert les articulations de la main droite. Il est demeuré là une minute ou deux, à regarder le groupe, le visage inexpressif. Rosie le regardait, elle aussi sans expression, mais il ne l'a pas remarquée.

Il a dû prendre conscience de sa main, car il a baissé les yeux, et c'est alors qu'il a vu sa chemise, en loques. Elle était déchirée tout le long de la couture de côté et jusqu'au milieu du dos. Il l'a soulevée en l'écartant, s'est légèrement tourné pour évaluer les dégâts, et j'ai aperçu son dos, ses côtes comme une planche à laver. Il y avait des marques sur son dos. De petites marques arrondies, en forme de fers à cheval. Les unes, rouges et bleuâtres, étaient en relief, les autres plates, blanches et décolorées. Son dos en était couvert, toutes de la même forme, comme un U couché. Puis Laurie a rassemblé les pans de la chemise et les a fourrés dans son jean, n'importe comment, sans utiliser sa main droite, et on n'a plus vu les marques.

Tout de suite après Mlle Carrington est ressortie.

151

Elle est restée à la porte, à l'examiner, puis elle a semblé s'apercevoir de notre présence. « C'est fini pour aujourd'hui, nous a-t-elle dit. Vous pouvez rentrer chez vous. Alex va bien – le docteur va venir. Vous pouvez tous retourner chez vous. »

Puis elle a de nouveau regardé Laurie. Elle avait l'air inquiète. Jamais Laurie n'avait été impliqué dans une bagarre. Il n'était pas très apprécié des autres garçons, mais ils l'évitaient plus qu'ils ne s'en prenaient à lui. Je l'ai dit, il y avait ce quelque chose dans ses yeux.

« Entre, Laurie, a-t-elle dit. Je veux te parler. »

Laurie a fait demi-tour et il est parti.

J'ignore la raison de la bagarre, mais je suis persuadée que c'est Alex Kirby qui a commencé. Il a eu le nez cassé et l'oreille gauche en partie déchirée. Le lendemain, il était de retour en classe, l'oreille maintenue en place par d'horribles points de suture noirs.

Laurie n'est jamais revenu.

Quant à ce que j'avais vu – eh bien, j'ignorais ce qu'étaient ces petits fers à cheval. Ils n'avaient pas de signification pour moi. Même si j'avais su ce qui se passait à la ferme des Pye cet automne-là, je ne suis pas sûre que j'aurais fait le rapprochement. Je ne comprenais pas grand-chose, cette année-là.

Je n'ai donc parlé des marques à personne. L'aurais-je fait, il est bien sûr impossible de savoir si cela aurait changé quoi que ce soit.

Douze

Chère tante Annie,
Comment allez-vous ? J'espère que vous allez bien.
Nous allons tous bien. Bo va bien. Mlle Carrington
est venue. Mme Mitchell a apporter un ragout.
Mme Stanovich a apporter une tarte.
Bons baisers, Kate.

Chère tante Annie,
Comment allez-vous ? J'espère que vous allez bien.
Mme Stanovich a apporter un poulet. Mme Tadworth
a apporter un jambon.
Bons baisers, Kate.

Ces lettres sont aujourd'hui en ma possession.
Tante Annie est morte d'un cancer l'année dernière,
et l'oncle William me les a envoyées. J'ai été touchée
qu'elle les ait conservées, surtout compte tenu de la
remarquable pauvreté du contenu et du style. Il y en
avait une boîte entière, couvrant une période de

153

plusieurs années, et lorsque j'ai parcouru les plus anciennes j'ai pensé : Mon Dieu, elles ne disent absolument rien. Quand je m'y suis replongée, quand j'ai essayé d'imaginer tante Annie en train de les lire, dépliant les misérables petits bouts de papier, ajustant ses lunettes pour déchiffrer mes griffonnages, j'ai pourtant réalisé que, si elle avait su lire entre les lignes (ce dont je ne doutais pas), elles avaient probablement dû la rassurer.

Pour commencer, elles lui avaient appris que nous ne mourions pas de faim et n'avions pas été abandonnés par la collectivité ; que j'allais suffisamment bien pour m'asseoir et rédiger une lettre, et que Matt et Luke étaient suffisamment organisés pour s'assurer que je le faisais. Le fait que j'écrivais invariablement le dimanche prouvait que nous avions des habitudes, et tante Annie était de ces gens qui attachent du prix aux habitudes. Et puis, de temps en temps se glissait une information inédite.

Dimanche 15 novembre

Chère tante Annie,
Comment allez-vous ? J'espère que vous allez bien. Nous allons tous bien. Bo va bien. M. Turtle s'est casser la jambe. Il est tomber du toit de l'école, il y avait un corbeau mort dans la cheminée et il est monter pour l'enlever. Mme Stanovich a apporter un gateau de riz. Elle a dit que Mlle Carrington a dit que Laurie devait revenir en classe et que M. Pye était grossié. Mme Lucas a apporter des pickles et des haricots. Il a neiger cette nuit.
Bons baisers, Kate.

Pour ce qui est de toute cette nourriture, j'ignore si les dames de la paroisse avaient instauré un roulement ou si c'était laissé à la conscience de chacune, mais tous les deux ou trois jours un repas conséquent nous était apporté. On le trouvait sur le seuil le matin, ou alors un camion de ferme descendait l'allée en cahotant et l'une ou l'autre des douze femmes de fermiers en sortait avec une cocotte sous le bras. « Voilà, chéri, juste en passant. Réchauffez-le sur le fourneau pendant vingt minutes, cela devrait vous faire deux repas. Comment va tout le monde ? Mon Dieu, mais regardez-moi Bo ! Comme elle grandit ! »

Elles ne s'attardaient pas. Je crois qu'elles n'étaient pas très à l'aise avec Luke. S'il avait été une fille, s'il avait été plus jeune ou moins ouvertement décidé à s'occuper de tout lui-même, elles se seraient peut-être assises pour discuter, et en auraient profité pour glisser quelques conseils utiles. Mais Luke étant ce qu'il était, elles se contentaient de nous tendre leurs offrandes, en évitant avec tact de regarder le désordre alentour, puis s'en allaient.

En matière de tact, une seule faisait exception. Mme Stanovich passait au moins deux fois par semaine, elle extrayait son corps volumineux de derrière le volant du vieux camion de son mari et montait en haletant les marches du perron, avec deux miches de pain en équilibre sur un panier de maïs, ou un jambon sous un bras et un sac de pommes de terre sous l'autre. Plantée, jambes écartées, au milieu du chaos de la cuisine, ses seins se soulevant sous son gilet en une grosse masse ronde et agitée, les cheveux ratissés en arrière et ramenés en un chignon comme si elle savait que Jésus se moquait bien de son apparence, elle regardait autour d'elle, son double menton tremblotant d'affliction.

Elle n'a jamais pu se résoudre à dire quoi que ce soit à Luke, elle avait assez d'intuition pour cela, mais

155

son visage parlait pour elle. Et quand elle nous apercevait, Bo ou moi, cette affliction montait et débordait.

« Ma petite chérie, mon trésor… » Et elle m'attirait contre sa poitrine – moi seule avais droit à ce traitement ; après une unique tentative, elle ne s'était plus risquée à étouffer Bo. « Nous devons essayer d'accepter la volonté de notre bienheureux Seigneur, mais c'est quelquefois difficile, c'est difficile d'y voir un sens, difficile d'y voir une utilité. »

Parfois, il me semblait distinguer une pointe de colère dans sa voix, comme si ce n'était pas à moi qu'elle parlait mais à un être invisible, quoique à portée de voix. Les mots m'étaient adressés, mais le message était destiné à Dieu. Elle Lui en voulait. Elle pensait qu'en nous privant de nos parents, en particulier de notre mère, pour qui elle éprouvait, je crois, une affection sincère, Il s'était rendu coupable d'une honteuse erreur de jugement.

« Ça va durer combien de temps ? a demandé Matt. Pour toujours ? Chaque semaine, pendant les trente prochaines années ? »

Luke a regardé le jambon à moitié entamé venu de la ferme des Tadworth, posé sur le plan de travail. « C'est du sacré bon jambon, a-t-il répondu très sérieusement. Tu ne peux pas dire le contraire. »

Nous avions fini de dîner et il avait couché Bo. Assise à la table de la cuisine, j'étais censée apprendre ma leçon d'orthographe.

« La question n'est pas là, si ? Le fait est qu'on ne peut pas continuer à accepter tout ça.

— Pourquoi pas ?

— Enfin, Luke ! On ne peut pas vivre de la charité pendant toute notre vie. Tu ne peux pas continuer à

156

compter sur les autres pour s'occuper de nous. Eux aussi ont des familles. Les gens d'ici ne sont pas précisément riches, tu sais.

— Ils ne sont pas précisément pauvres non plus.

— Qui nous a donné le brochet la semaine dernière ? Tu es en train de me dire que les Sumack ne sont pas pauvres ?

— Ils ne peuvent pas manger tout ce poisson, surtout les brochets.

— Ils vendent le reste, Luke. Ils vendent le reste parce qu'ils ont besoin d'argent.

— OK, mais je suis censé dire quoi ? Eh, Jim, merci bien, mon vieux, mais je ne peux pas accepter parce que vous êtes pauvres ? Il est passé discuter, bon sang. Comme il rentrait de la pêche, il m'a donné un poisson ! À t'entendre, c'est parti pour durer toujours ! Non, c'est juste le temps qu'on se retourne. Qu'on trouve un vrai boulot. Ensuite, ils s'arrêteront parce qu'ils verront bien qu'on n'en a plus besoin.

— Ouais, et c'est pour quand ? Ce vrai boulot, il est pour quand ?

— Quelque chose va bien finir par se présenter, a répondu Luke tranquillement.

— Eh bien, je suis ravi que tu en sois si sûr. Ça doit être utile, d'avoir ce genre de certitudes.

— Tu aimes bien t'inquiéter, hein ? Tu as toujours adoré ça. »

Matt a soupiré et commencé à vider le contenu de son cartable sur la table.

« Ça leur plaît, de nous apporter des trucs, a ajouté Luke, forçant son avantage. Ils ont l'impression d'être des saints. De toute façon, ce n'est pas à toi de les remercier. Toi, tu es à l'école. C'est à moi de me creuser la cervelle mille fois pour trouver quelque chose à dire, dès qu'une de ces dames se présente à la porte. Et parfois, ça défile toute la journée. »

Matt l'a regardé. On voyait bien qu'il avait quelque chose en tête. Il s'est assis à table, à côté de moi, et a choisi un livre dans la pile qu'il avait rapportée. Selon notre arrangement, j'avais le droit de m'installer en face de lui pour réviser mes leçons d'orthographe, et il s'interrompait de temps à autre dans ses propres devoirs afin de me faire réciter. Quand il estimait que je savais suffisamment bien ma leçon (ou, plutôt, quand il avait abandonné tout espoir), j'étais autorisée à m'asseoir à côté de lui et à dessiner pendant qu'il travaillait.

Ce jour-là, cependant, il ne s'est pas mis tout de suite à la tâche. Il a ouvert sa trousse, en a éparpillé le contenu sur la table puis, me jetant un regard en coin, il a dit dans un murmure sonore : « À ton avis, Kate, est-ce que Luke est beau ? Réponds-moi franchement. J'ai besoin d'un point de vue féminin. »

Il plaisantait, et j'étais ravie parce que cela signifiait qu'il avait abandonné la discussion. Je détestais les entendre se disputer.

Luke était en train de gratter les assiettes au-dessus de la poubelle. Il ne les sortait pas assez souvent et ça sentait mauvais. Sa conception des tâches ménagères était plutôt basique. Tous les légumes étaient cuits dans une même marmite puis versés en tas dans nos assiettes pour s'épargner de la vaisselle. Les vêtements n'étaient pas lavés tant qu'ils ne répondaient pas aux critères de saleté de Luke. Mon panier-repas pour l'école se limitait à une pomme et un gros morceau de fromage entre deux tranches de pain. Mais je n'ai pas le souvenir qu'il ait jamais oublié de m'en préparer un, et, en cherchant bien, on finissait toujours par trouver quelque chose à se mettre. On ne manquait de rien d'important.

« C'est vrai, ça, a repris Matt, toujours sur le ton de la confidence. Il doit bien y avoir une raison qui attire toutes ces femmes chez nous. Tu crois que c'est Luke lui-même ? Son corps splendide ? »

Luke lui a donné un coup de poing. Autrefois, quand tout était normal, il lui en donnait souvent – en fait chaque fois qu'il ne trouvait rien à répondre à un trait d'esprit de Matt. Il le faisait sans violence, rien à voir avec leurs rares mais effrayantes bagarres. C'était juste sa façon de dire, Prends garde, petit frère, ou je t'aplatis. Matt ne ripostait jamais, sa façon de dire qu'il eût été indigne de lui de s'abaisser à cela. Il se contentait de masser l'endroit qui avait reçu le coup, avant de repartir à la charge.

« Pendant toute la journée, il y a ce défilé de femmes supersexy ; Mme Lucas, Mme Tadworth, Mme Stanovich. Les unes derrière les autres, haletantes, la langue pendante, remuant la queue.

— Lâche-moi », a dit Luke. Il avait commencé à faire la vaisselle, un peu au hasard. La chaise de Matt était juste derrière lui, si bien qu'ils se tournaient le dos.

« Ne parle pas comme lui, d'accord ? m'a dit Matt, chuchotant toujours. Seuls les gens qui ne savent pas s'exprimer utilisent un langage pareil. Tout comme ils recourent à la violence physique quand ils s'aperçoivent qu'ils sont à bout d'arguments.

— Ouais, même qu'ils s'apprêtent à y recourir une fois encore, a dit Luke. C'est une question de secondes. »

Je pouffai de rire, ce qui ne m'était pas arrivé depuis longtemps. Matt gardait son air parfaitement sérieux.

« D'après la rumeur, a-t-il repris, fronçant les

sourcils à mon intention, plusieurs femmes, dont une en particulier – je pourrais citer des noms mais ne le ferai pas, je dirai simplement qu'il s'agit d'une rousse –, trouvent Luke absolument irrésistible. Tellement irrésistible qu'elles ne lui laissent pas une minute de répit. Ça me paraît dingue, mais moi, je suis un homme. Toi, tu es une femme. Qu'en penses-tu ? Luke est-il irrésistible ?

— Matt ? a dit Luke. La ferme. »

Il avait toujours les mains dans l'évier, mais il avait cessé de laver la vaisselle et s'était immobilisé.

« J'ai vraiment envie de savoir, a poursuivi Matt. Qu'est-ce que tu en penses ? Tu le trouves irrésistible ?

— Non, ai-je répondu, pouffant toujours.

— Matt, a dit Luke doucement.

— C'est bien ce que je pensais. Alors, comment se fait-il qu'une certaine rousse… Oh ! Eh ! Qu'est-ce qui te prend ? »

Il s'est retourné sur sa chaise, s'agrippant l'épaule. Le poing de Luke l'avait presque jeté à terre. Luke ne souriait pas. Il se tenait les bras le long du corps, les mains dégoulinantes d'eau de vaisselle.

Matt l'a observé et, au bout d'une minute, Luke a lâché : « Je t'ai dit de la fermer. »

Aujourd'hui, je sais pourquoi. J'ai reconstitué le puzzle des années plus tard. Un événement s'était produit, à l'insu de Matt, qui faisait de Sally McLean un sujet sensible aux yeux de Luke et sûrement pas une matière à plaisanterie.

Cela s'était passé le samedi d'avant, dans l'après-midi, alors que Matt travaillait à la ferme des Pye. Le labourage d'automne était fini depuis longtemps, mais il y avait des clôtures à réparer et Calvin Pye voulait bétonner le sol d'un hangar. Matt parti, Bo, Luke et moi étions seuls à la maison, dehors, à nous occuper du tas de bois.

Il n'avait pas cessé de neiger pendant les semaines précédentes, et même si la neige n'avait pas tenu, l'hiver était bel et bien là. Il y avait dans l'air une immobilité inconnue durant les autres périodes de l'année. Le lac aussi était figé. Une fine couche de glace bordait le rivage, comme de la dentelle incrustée de sable ; elle fondait parfois l'après-midi mais se reformait toujours le lendemain matin, plus épaisse que la veille.

Le tas de bois était donc devenu une priorité, et nous y travaillions tous les trois cet après-midi-là. Je rassemblais du petit bois, Luke fendait des bûches, et Bo les retirait consciencieusement de la pile au fur et à mesure, afin de les mettre ailleurs. Il était assez tard, quatre heures environ, et le jour commençait à baisser. Je me suis éloignée dans le bois, pour aller chercher des branches sur un vieil arbre abattu. Quand je suis revenue, traînant les branchages derrière moi, Sally McLean était appuyée contre le tas de bois et parlait à Luke.

Elle portait un gros pull de laine vert sombre qui faisait paraître sa peau encore plus pâle et ses cheveux encore plus roux que d'habitude, et elle s'était dessiné une ligne noire autour des yeux, qui les rendait immenses. Tout en parlant à Luke, elle n'arrêtait pas de jouer avec ses cheveux en les enroulant autour de ses doigts. Par moments, elle portait une mèche à sa bouche et la faisait doucement glisser entre ses lèvres.

Luke tripotait sa hache. Il l'a d'abord posée tête en bas, en la tenant par le bout du manche, puis il l'a fait pivoter et a passé son pouce sur la lame, comme pour en éprouver le tranchant, avant de la retourner encore et d'en marteler le sol d'un air pensif.

Sally s'est tue à mon approche. Un instant, elle a semblé irritée puis elle s'est reprise et m'a souri. Elle s'est tournée vers Luke et a dit : « Tes petites sœurs sont trop mignonnes. Tu es vraiment gentil avec elles, tu sais. Tout le monde le dit.

— Ah ? » Il a automatiquement lancé un regard à Bo. Elle avait entrepris de bâtir son propre tas de bois, à quelques mètres du vrai. Elle n'arrêtait pas de poser des bouts de bois les uns sur les autres, qui retombaient au fur et à mesure. On voyait bien que ça l'énervait ; elle disait : « Ç'ui-là, et ç'ui-là et çui'là », et le « ç'ui » devenait de plus en plus sonore.

« Oui, a repris Sally. Tout le monde trouve ça incroyable. Tu fais tout pour elles, n'est-ce pas ?

— La plupart des choses, j'imagine », a répondu Luke, sans quitter Bo des yeux.

Sally aussi l'a regardée, la tête penchée d'un côté, la bouche incurvée en un sourire. Un sourire étrange, comme si elle l'essayait devant un miroir, ainsi qu'elle l'aurait fait d'une robe.

Souriant toujours, elle a ajouté : « Elle est adorable, hein ?

— Bo ? » Il devait croire qu'elle parlait de quelqu'un d'autre.

« Ç'ui-là », a dit Bo, sévère, en laissant tomber une bûche aussi grosse qu'elle sur son tas. Tout l'édifice s'est effondré.

« Méchant bûche ! a-t-elle crié. Méchant, méchant !

— Attends », a dit Luke. Il a posé sa hache contre le tas et s'est avancé vers elle. « Range-les comme ça, tu vois ? Tu mets une grosse bûche de chaque côté puis tu poses les petites au milieu, comme ça. »

Bo a mis son pouce dans sa bouche et s'est collée contre la jambe de Luke.

« Tu leur donnes même leur bain et tout ? » a demandé Sally. Elle coulait un regard timide à Luke de sous ses cils.

« Moi ou Matt, a répondu Luke. Tu es fatiguée, Bo ? Tu veux aller faire la sieste ? »

Bo a hoché la tête.

Luke a regardé autour de lui et m'a vue avec ma branche. « Emmène-la dans la maison, Kate, tu veux bien ? Bo, tu vas avec Kate. Il faut que je finisse ici. »

Bo est venue vers moi d'un pas lourd et on est rentrées ensemble. Je m'attendais à entendre de nouveau les coups de hache, mais rien. Arrivée à la porte, je me suis retournée : Luke n'avait pas bougé et parlait à Sally.

Bo et moi sommes entrées et je lui ai retiré son manteau. Il fallait d'abord extraire son pouce de sa bouche ; il sortait avec un « pop » qui la faisait sourire, puis elle le renfournait aussitôt.

« Tu veux quelque chose à boire ? » ai-je dit.

Un « non » de la tête.

« Tu veux que je te lise une histoire ? »

Un « oui » de la tête.

Elle m'a précédée jusqu'à notre chambre. J'ai dégagé un espace dans les tas de vêtements que personne ne se donnait jamais la peine de ranger, me suis assise par terre à côté de son lit à barreaux et j'ai commencé à lire *Les Trois Boucs Barbichus*, mais avant même que j'en arrive au premier petit bouc trottinant – trit trot trit trot – sur le pont elle s'était endormie. J'ai cessé de lire et me suis contentée de tourner les pages en regardant les images, mais je les connaissais par cœur. J'ai refermé le livre, enfilé mon manteau et suis ressortie.

Luke et Sally avaient disparu. Je suis retournée près

du tas de bois pour les chercher. La hache était encore là. Le sol à cet endroit était très doux et spongieux, après avoir absorbé des années de sciure, et étouffait le bruit de mes pas. Le jour tombait, et le froid s'insinuait en même temps que la nuit. Matt m'avait expliqué que le froid n'était qu'une absence de chaleur, mais je ne voyais pas les choses ainsi. Pour moi, c'était un peu une présence. Une présence furtive, comme celle d'un voleur. On devait s'envelopper bien serré dans ses vêtements, sinon il nous volait notre chaleur, et, une fois toute la chaleur partie, on n'aurait plus été qu'une coquille, vide et fragile comme un scarabée mort.

J'ai contourné le tas de bois, songeant que Sally était peut-être rentrée chez elle et que Luke était allé chercher quelque chose dans la remise. C'est alors que je les ai vus. Sally était adossée à un arbre et Luke se tenait en face d'elle, tout près. Il faisait sombre sous les arbres ; j'avais du mal à distinguer leurs visages. Mais je savais que Sally souriait – je voyais ses dents.

Luke avait passé les bras de part et d'autre d'elle, les mains en appui sur le tronc. Sally lui a attrapé le poignet et pris la main. Elle s'est exclamée (il devait avoir la main froide), et elle l'a réchauffée un moment entre les siennes. Ensuite elle a souri et fait glisser la main de Luke sous son pull. J'ai vu l'éclat blanc de sa peau nue. Elle a poussé une sorte de soupir puis elle a ri et guidé la main plus haut.

Luke s'est figé. J'avais même l'impression qu'il avait cessé de respirer. Il a laissé sa tête retomber ; je crois bien qu'il avait les yeux fermés. Il est resté comme ça environ une minute ; Sally l'observait, les yeux écarquillés. Puis, tout doucement, il a retiré sa main. Aucune autre partie de lui ne bougeait ; il est resté ainsi, tête baissée, un bras arc-bouté contre l'arbre.

Puis – et même dans cette faible lumière, je distinguais l'effort en jeu, comme si une énorme force magnétique l'attirait vers Sally et qu'il ait eu besoin de chaque parcelle de son énergie pour y résister – il s'est écarté.

J'ai été témoin de cet effort. À l'époque, je ne comprenais pas ce que cela signifiait, bien sûr, mais plus tard, quand j'ai eu des raisons d'y repenser, je m'en suis souvenue clairement. La main qui avait touché les seins de Sally pendait, comme inutile, et l'autre bras faisait tout le travail. Il s'arc-boutait contre l'écorce sombre et rugueuse de l'arbre et poussait.

Et soudain Luke s'est redressé, libéré, les deux bras le long du corps. Il a regardé Sally mais n'a pas dit un mot. Il a seulement fait demi-tour et il est parti.

Voilà ce que j'avais vu et que Matt ignorait. Voilà pourquoi Luke goûtait si peu la plaisanterie. Parce que Sally McLean n'était pas n'importe quelle fille, mais la fille de ses employeurs, et que Luke avait peur. Car, s'il prenait à Sally l'envie de se vexer ou de jouer à la femme outragée, elle s'arrangerait pour qu'il perde son emploi.

TROISIÈME PARTIE

Treize

Je ne comprends pas les gens. N'y voyez pas de l'arrogance – je ne dis pas que les gens sont incompréhensibles parce qu'ils n'agissent pas comme moi. Je me contente d'énoncer un fait. Je sais bien que nul ne peut véritablement prétendre comprendre les autres, mais c'est affaire de degrés. Beaucoup de gens m'apparaissent comme des mystères. Je n'arrive pas du tout à saisir leur tournure d'esprit. C'est un défaut, j'imagine.

Un jour, Daniel m'a dit, de son ton égal : « As-tu déjà entendu le mot empathie, Kate ? »

Nous parlions d'un collègue qui avait conduit un travail de recherche de manière très peu professionnelle. Il n'avait pas exactement falsifié les données, mais en avait rendu compte de façon, disons, « sélective ». Ce genre de pratique nuit à la réputation du département, et son contrat n'avait pas été renouvelé l'année suivante. Je trouvais cette décision tout à fait sensée. Daniel aussi, j'en étais sûre, mais il avait du mal à l'admettre, ce qui m'agaçait.

« Je ne cherche pas à le justifier, arguait-il. Je dis juste qu'on peut comprendre la tentation. »

169

J'ai répondu que je ne comprenais pas comment on pouvait désirer une gloire obtenue par des moyens frauduleux.

« Écoute, a dit Daniel, il trimait là-dessus depuis des années, il savait que d'autres bûchaient sur le même sujet et risquaient de réussir avant lui, et il était persuadé qu'à la fin les faits lui donneraient raison... »

J'ai rétorqué qu'à mon avis c'était une bien piètre excuse. Après une pause, Daniel a dit : « As-tu déjà entendu le mot empathie, Kate ? »

C'était notre première dispute. Sauf que nous ne nous étions pas vraiment disputés, nous avions fait machine arrière et, pendant les quelques jours suivants, avions observé l'un envers l'autre une distance polie.

Daniel a des côtés naïfs. Il n'a pas eu à se battre pour quoi que ce soit dans la vie, et cela l'a rendu complaisant. Peu exigeant. Pas tant vis-à-vis de lui-même que des autres. Il est généreux, juste et tolérant, autant de qualités que j'admire, mais qu'il a tendance à pousser trop loin. Parfois, il trouve des excuses aux gens au point de leur dénier la responsabilité de leurs actes. Moi, je crois au libre arbitre. Je ne nie pas l'influence de la génétique ou de l'environnement (quel biologiste le pourrait ?) et je suis consciente que nous sommes biologiquement programmés pour tout un tas de choses. Mais, dans la limite de ces contraintes, je crois que nous avons le choix. L'idée que nous sommes emportés par le destin, incapables de résister ou de changer de direction, me fait l'effet d'une excuse assez suspecte.

Mais je m'écarte du sujet. Ce que je voulais dire, c'est que même si la remarque de Daniel sur l'empathie m'avait paru très injuste à ce moment-là, elle ne cessait de me revenir, avec une constance irritante, chaque fois que quelqu'un agissait de manière incongrue. Et quand j'ai commencé à repenser à Sally et Luke, en février, au moment où ces affaires familiales ont resurgi, j'ai essayé d'imaginer ce qui avait bien pu se passer dans la tête de Sally, toutes ces années plus tôt. À quoi pensait-elle donc ? Comment une fille aurait-elle pu vouloir sortir avec un garçon encombré d'un tel passif ?

Seule explication envisageable : elle ne se rendait pas compte que la situation de Luke était réelle. D'après moi, elle avait une puissante libido, elle n'était pas très intelligente et donc plus à la merci de ses hormones que la plupart des gens et, d'une certaine façon, elle était attirée par la situation de Luke. Un grand frère s'occupant de ses deux petites sœurs – l'idée lui procurait-elle quelque excitation sexuelle illicite ? Ou était-ce plus innocent ? Peut-être qu'en nous regardant Sally voyait un beau tableau auquel elle désirait s'intégrer. Un garçon séduisant, une jolie fille, deux enfants tout prêts – intérieurement, Sally devait jouer au papa et à la maman. Hélas, Luke avait retiré sa main et gâché le jeu.

Je n'ai pas de mal à imaginer ce qu'elle avait raconté à ses parents – je suis sûre qu'elle était bonne comédienne. Elle avait dû mettre son histoire au point en rentrant ce soir-là, et réussir à s'en persuader avant d'être arrivée. Je la vois, faisant irruption dans le petit salon des McLean, à l'arrière du magasin, les cheveux en désordre et les joues enflammées par l'orgueil blessé maquillé en détresse. Ses parents lèvent la tête, inquiets, et l'observent. Elle soutient leurs regards une minute ou deux puis fond en larmes.

« Papa... Papa... », bredouille-t-elle, la voix brisée. Et le pauvre vieux M. McLean, d'ordinaire si peu loquace, réussit à trouver ses mots : « Qu'est-ce qu'il y a, ma petite fille ? » (Ou « mon trésor ». Il a dû l'appeler par un de ces mots-là.) « Que se passe-t-il ? »

Et Sally sanglote : « Papa, tu sais, Luke…

— Luke ? Oui. Oui ?

— Eh bien… il… il a essayé… »

Vous voyez la scène ?

Peut-être ne l'ont-ils pas crue – ils avaient beau adorer leur fille, ils devaient tout de même la connaître. Mais cela n'a dû faire aucune différence. Si Sally avait pris Luke en grippe, ils ne pourraient pas le garder, ils le savaient bien.

Ils ne le lui ont pas annoncé tout de suite. Ils ont dû se ronger les sangs pendant une bonne semaine, tandis que Sally enrageait en coulisse et que Luke s'autorisait à espérer. J'ignore comment ils s'y sont finalement pris, étant tous deux peu doués pour la parole, même quand tout allait bien. À la fin, Luke leur a sûrement facilité la tâche. Un soir, au moment de fermer le magasin, M. McLean a dû s'éclaircir la gorge une dizaine de fois avant de dire : « Euh, Luke… »

Luke a attendu une minute, espérant contre toute attente que ce n'était pas ce qu'il croyait. Puis le silence s'est prolongé jusqu'à ce qu'il n'ait plus aucun doute, et alors il a dit : « D'accord. Oui. Je sais. »

M. McLean devait avoir l'air honteux. Il a dû chuchoter : « Désolé, Luke. »

Cependant, il se peut aussi que je sous-estime le degré d'aveuglement de l'amour parental. Ils ont peut-être cru Sally et, dégoûtés, ont eu le sentiment que Luke avait trahi leur gentillesse de la manière la plus abjecte.

Mais j'en doute. Nous avons continué à fréquenter leur magasin, puisqu'il n'y en avait pas d'autre ; j'avais droit à leur sourire rayonnant chaque fois que j'entrais et, de retour chez moi, je découvrais toujours des petits extra au fond du panier : deux gros bonbons, un rouleau de réglisse, ces petites friandises que nous n'avions pas les moyens de nous offrir.

Comme je l'ai dit, c'est en février dernier, au moment où l'invitation du fils de Matt est arrivée, que je me suis mise à repenser à tout cela. En temps normal, peu avant chaque visite à la maison, les souvenirs affluent, mais cette fois ils m'ont littéralement submergée. Le fait que Simon ait dix-huit ans revêtait sans doute une signification particulière. Mais cela venait aussi sûrement du « problème » Daniel.

Il se trouve que Daniel avait bel et bien vu l'invitation. Il l'avait lue. Il savait donc qu'il ne tenait qu'à moi de l'inclure ou non.

Si je l'ai compris petit à petit, j'en ai eu un premier indice notable à l'exposition que nous avons visitée l'après-midi du jour de l'arrivée de la carte. Elle portait le titre très accrocheur de : « Le microscope à travers les âges » et, sans surprise, nous étions les seuls visiteurs. En réalité, elle n'était pas si mauvaise : on y trouvait tout depuis une collection de petits microscopes rudimentaires datant des années 1600 jusqu'à un instrument superbe, quoique parfaitement inutile, fabriqué pour le roi George III, trop grand pour pouvoir être utilisé, posé sur une table, trop petit pour qu'on puisse s'en servir à même le sol, et dont les lentilles étaient mal positionnées. À part ça, comme l'a dit Daniel, il était en tout point parfait. Digne d'un roi.

Cependant, j'ai compris que Daniel était préoccupé parce qu'un certain nombre d'instruments, parmi les plus robustes, avaient été installés de manière qu'on puisse jouer avec, et qu'il ne l'a pas fait. Daniel, le grand tripoteur devant l'Éternel, Daniel le microbiologiste. Il s'est arrêté devant chacun, les a regardés les uns après les autres d'un air pensif, mais les a à peine touchés. Pendant un temps ridiculement long, il est resté planté devant la microscopie d'une trompe de mouche commune de l'époque victorienne, puis il a jeté un coup d'œil sur sa montre et dit qu'il était temps d'aller retrouver ses parents pour dîner.

En règle générale, j'étais assez contente de voir de temps en temps les professeurs Crane. Je devais me sentir vraiment forte pour supporter une soirée entière en leur compagnie, mais ils m'avaient acceptée sans réserve depuis le premier jour, ce qui m'avait impressionnée, compte tenu de nos origines différentes, et bien disposée à leur égard. Au début, leurs joutes me crispaient, à la table du dîner, sans doute parce que j'attendais une victoire de l'un ou de l'autre. Quand j'ai compris qu'ils étaient de force égale, j'ai été en mesure de me détendre un peu. Il m'arrivait encore parfois d'être enrôlée ou utilisée comme munition, par l'un ou l'autre ou bien les deux à la fois, mais j'apprenais à faire face.

Ce soir-là, pourtant, ils étaient tous les deux très en verve. J'avais du mal à me concentrer sur leur conversation tant j'étais consciente de la distraction de Daniel, et plus le dîner avançait, plus je sentais la tension monter en moi tel le mercure dans un baromètre. Nous étions dans un de leurs restaurants préférés, petit, cher et confiné, du moins m'a-t-il semblé ce soir-là. La mère de Daniel a passé la plus grande partie de la soirée à évoquer l'enfance de son fils, ce qu'elle n'avait jusqu'ici jamais fait, et, pour la première fois de ma vie, j'ai mesuré les avantages d'avoir ses deux parents morts et enterrés.

« C'était un enfant tellement calme, Katherine. Tant

qu'il a porté des couches – il en a mis pendant un temps démesurément long, je dois dire, mais tout de même –, on pouvait l'emmener partout, le poser par terre au beau milieu d'un cocktail, d'une galerie d'art ou d'une salle de conférences...

— Et c'est vraiment arrivé ? a demandé le père de Daniel d'un ton intrigué. Je n'ai pas le souvenir d'avoir vu Daniel avec une couche dans une salle de conférences. Ni d'ailleurs à un cocktail, maintenant que j'y songe.

— Tu ne peux pas t'en souvenir, Hugo. Par définition, on ne se souvient que de ce qu'on a appréhendé au départ. Ton esprit planait dans de plus hautes sphères, mon cher. Tu étais rarement « avec nous » au sens intellectuel du terme. Physiquement très présent, mais pas intellectuellement. Nous recevions beaucoup, Katherine, des réunions de la faculté ou des dîners pour les professeurs étrangers, vous savez ce que c'est, donc, bien entendu, Daniel avait l'habitude des inconnus. Il entrait dans le salon, en pyjama, pour dire bonsoir aux invités, et une heure plus tard on s'apercevait soudain qu'il était toujours là, les yeux écarquillés. Rien ne lui échappait, il assimilait tout, quel que soit le sujet de conversation, qu'il s'agisse de politique, d'art, d'anthropologie...

— D'astrophysique, a enchaîné le père de Daniel d'un ton monotone, comme s'il lisait une liste. D'économie – particulièrement les théories keynésiennes, il les assimilait au quart de tour –, de philosophie –, à l'âge de deux ans il assimilait trois philosophes par semaine. Tu étais particulièrement dingue de Descartes, n'est-ce pas, Daniel ? »

Daniel était plongé dans la carte, mais au bout d'un moment le silence a pénétré jusqu'à lui et il a levé les yeux.

« Pardon ?

— Je disais qu'à l'âge de deux ans tu étais dingue de Descartes. C'est exact, n'est-ce pas ?

— Oh. » Il a hoché la tête. « Exact. Dingue est le mot. » Il s'est replongé dans la carte.

« C'était un enfant très, très gratifiant, a continué sa mère sans sourciller. Mais il est vrai qu'il a eu la chance de profiter très jeune de ce foisonnement d'idées et d'opinions. C'est un immense avantage, cela ne fait aucun doute. La plupart des enfants souffrent d'un fâcheux manque de stimulation. Le cerveau est pareil à n'importe quel autre muscle : plus on l'utilise, plus il se développe. Quand on l'ignore, il s'atrophie. »

Daniel l'a entendue. « Juste un petit détail, a-t-il dit d'un ton léger en reposant la carte. Le cerveau n'est pas un muscle. C'est un organe obscur et beaucoup plus complexe que cela. Je crois que je prendrai le bœuf. » Il a cherché autour de lui un serveur et en a repéré un. « La sauce au poivre est-elle très forte ? C'est-à-dire très poivrée, ou plutôt crémeuse ?

— Je crois qu'elle est plutôt crémeuse, a répondu le serveur, dubitatif. Je n'en suis pas très sûr.

— Je prends le risque. Avec une pomme de terre au four. Et des carottes.

— Et surtout lorsque nous étions à l'étranger, Katherine. Surtout lorsque nous étions en Angleterre. Et lorsque nous étions à Rome ! Daniel avait six ans. Six ans ? Peut-être sept, mais peu importe. Un mois après notre arrivée à Rome, son italien était meilleur que le mien.

— J'ignorais que tu parlais italien, Daniel, ai-je dit.

— Je ne le parle pas, a répondu Daniel. Le serveur attend pour prendre la commande. Qu'avez-vous choisi ?

— Mais sa mère non plus, est intervenu son père.

— Le poulet », a dit sa mère. Elle a souri au serveur, qui a eu l'air épouvanté. « Sans pomme de terre. Avec salade – assurez-vous s'il vous plaît qu'elle est très fraîche. Sans assaisonnement avec la salade. Et une bouteille d'eau minérale, sans citron et sans glace. »

Le serveur hochait la tête et griffonnait comme un fou. Je me suis surprise à essayer d'imaginer la mère de Daniel à Crow Lake. Impossible. J'ai essayé de l'imaginer dans le magasin des McLean, en train d'acheter des pommes de terre, du papier toilettes, mais je n'ai absolument pas réussi. J'ai essayé de m'imaginer la présentant à Mme Stanovich, et me suis rendu compte que je ne parvenais pas à les faire tenir toutes deux dans une même image mentale. Même la silhouette de Mlle Carrington glissait nerveusement hors du cadre quand je tentais d'y introduire la mère de Daniel.

L'espace d'un instant, je me suis demandé – avec un sentiment de soulagement, parce que l'explication aurait été claire et simple – si ma répugnance à emmener Daniel chez moi n'était pas liée à l'abîme qui séparait mes deux mondes. Le problème venait peut-être de là : ils étaient trop différents, tout bêtement. Mais, au moment même où je formulais cette pensée, j'ai compris que la véritable explication était ailleurs. Si je ne parvenais pas à imaginer la mère de Daniel à Crow Lake, je n'avais aucune difficulté à le voir là-bas. Il y paraîtrait déplacé – Daniel était l'arché-type du rat des villes – mais personne ne lui en tien-drait rigueur. C'est l'homme le plus ouvert et le moins prompt à porter des jugements qui soit.

Tous les regards étaient braqués sur moi. « Oh, pardon ! Je prendrai le poulet, avec une pomme de terre au four et une salade.

177

— Un steak, a commandé le père de Daniel. Bien saignant. Avec des frites. Surtout pas de légumes. Tout le monde est d'accord pour du vin rouge ? » Il a fait pivoter sa tête de droite à gauche, en quête d'avis contraires. « Bien. Une bouteille de bordeaux.

— Tu ne peux nier, Daniel, a poursuivi sa mère, que les expériences de la petite enfance sont extraordinairement importantes pour le développement intellectuel d'un enfant. Voilà pourquoi le rôle parental est si déterminant. Ce que l'on deviendra adulte se joue dans l'enfance. "L'enfant est le père de l'homme", comme on dit. »

Daniel a lentement hoché la tête. Je voulais intercepter son regard, le voir m'indiquer, par quelque menu geste, qu'il se rendait compte que la soirée était un échec et que nous prendrions congé au plus tôt, mais il n'a pas regardé dans ma direction.

Penché vers moi, son père me parlait sur le ton de la confidence, du coin de la bouche, pour ne pas être entendu de sa femme. « Je n'ai jamais compris le sens de cette fichue expression : "L'enfant est le père de l'homme." Vous avez une idée ?

— À mon avis, cela veut seulement dire que les traits de caractère d'un enfant se retrouveront chez lui à l'âge adulte. Ou quelque chose comme ça.

— Oh. Donc, Einstein était déjà Einstein au berceau ? » Il a fait une pause, les yeux plissés, pour essayer de se faire une idée claire. « Daniel était Daniel, et il le serait devenu, que sa mère l'ait ou non emmené à des dîners avec une couche ?

— Je crois qu'une bonne part est prédéterminée. Même si les circonstances peuvent avoir une certaine influence. »

Il a hoché la tête. « En d'autres termes, cela signifie exactement l'inverse de ce que l'honorable professeur

178

pense que cela signifie. On s'en serait douté, mais c'est agréable d'en avoir confirmation de la bouche de quelqu'un qui sait de quoi il parle.

— Je ne suis pas sûre... », ai-je dit.

La mère de Daniel s'est penchée vers moi. « Ne faites pas attention à lui, Katherine. Je ne nie pas qu'il existe d'autres influences que parentales. Les professeurs, par exemple, peuvent jouer un rôle crucial. Prenons votre cas. C'est tout à votre honneur d'avoir si bien réussi après avoir perdu vos parents si jeunes, mais je suppose que vous avez eu au moins un excellent professeur, à un moment de votre parcours ? »

Le visage de Matt m'est apparu. J'ai pensé aux milliers d'heures que nous avions passées ensemble. « Oui, ai-je répondu. Oui, c'est vrai. »

La mère de Daniel a lissé ses cheveux en arrière d'une main aux longs doigts fins. Un geste de triomphe étudié. « Aurais-je également raison de supposer que vous avez eu cette femme à un assez jeune âge ? En primaire, plutôt qu'au lycée ? »

Daniel s'était replongé dans l'étude de la carte. J'aurais été moins inquiète s'il avait paru s'ennuyer, s'il avait semblé las ou agacé, mais non. Il avait l'air... absent. Comme s'il s'était détaché de nous et s'était éloigné. J'ai eu du mal à rassembler mes pensées. « En fait, c'était un garçon. Mais oui, jusqu'à l'âge de huit ans. Quoique j'aie reçu un très bon enseignement pendant toute ma scolarité.

— Il est rare qu'un homme joue ce rôle de stimulateur. En général, les hommes sont nuls avec les enfants, le père de Daniel en est l'exemple type. Hugo a été complètement inconscient de l'existence de son fils jusqu'au jour où Daniel est devenu professeur en titre. Un matin, une lettre est arrivée de l'université, adressée au Pr D.A. Crane – Daniel était en plein déménagement et avait fait suivre son courrier chez nous –, et Hugo a dit, le plus sérieusement du monde : "Qui diable est le Pr D.A. Crane ? Cela fait vingt ans que nous enseignons dans cette université et ils ne sont pas fichus de savoir comment on s'appelle." Je l'ai informé qu'il avait un fils répondant à ce nom, et il a été aux anges. Il a dit qu'on devrait l'inviter à dîner. Merci. Cela m'a l'air parfait, à part la pomme de terre. J'avais dit pas de pommes de terre. Non, inutile, mon mari la mangera. Mais, bien sûr, il existe des exceptions à la règle. Daniel nous disait par exemple que votre sœur et vous aviez été élevées par un frère plus âgé ? Je trouve cela merveilleux ! Je tire mon chapeau à votre mère. Cela confirme tout à fait mon propos. Elle devait être une femme remarquable pour avoir fait un tel fils. »

Le père de Daniel a cligné des yeux. « Voilà qui remporte le prix du raisonnement le plus tortueux que j'ai entendu de l'année. Ou même de ma vie. L'as-tu bien assimilé, Daniel ? »

Daniel lui a lancé un regard sans expression. « Pardon ? Oh, désolé, non. Je pensais à autre chose.

— Très sage, a dit son père, approbateur. Prends donc un peu de vin. »

Sur le chemin du retour, j'ai essayé de me persuader que je me faisais des idées. Daniel avait paru se reprendre lorsque nous nous étions levés, à la fin du repas, comme s'il s'était agi d'un simple problème de circulation et qu'il ait eu besoin de se dégourdir les jambes. Nous avons pris congé de ses parents et nous sommes hâtés vers la voiture, sous une bruine glacée. Pendant le trajet, nous avons parlé du dîner, du serveur, et de ses parents qui terrorisaient tous ceux qu'ils rencontraient, même si, si incroyable que cela paraisse, Daniel ne s'en était pas aperçu. J'ai dit quelque chose sur son enfance remarquable ; il a répondu, avec son sourire désabusé, que c'était une façon de voir les choses. Du Daniel tout craché. J'ai dit que peu d'enfants avaient l'occasion de voyager autant à un si jeune âge, et il l'a admis, ajoutant qu'il aurait aussi bien aimé rester assez longtemps au même endroit pour s'y faire des amis ou trouver ses marques dans une école, mais qu'on ne pouvait pas tout avoir. J'ai dit qu'au moins il avait rencontré des gens très intéressants, et il a hoché la tête d'un air grave.

« Mais quoi ?

— Rien. Simplement, quand on est enfant, on ne s'intéresse pas aux gens intéressants. Je me serais contenté d'un minimum d'attention de la part de mes parents. Cette histoire sur le fait que je restais debout des heures à écouter les invités ? C'est parce que je voulais parler à ma mère et qu'elle n'arrêtait pas de répéter "Attends une seconde". Mais j'ai l'air de dire que j'ai eu une enfance malheureuse. Ce n'est pas le cas. Une enfance solitaire, oui, mais pas malheureuse. »

Je l'ai regardé, il m'a lancé un coup d'œil et m'a souri. « Enfin, j'imagine que tu en as assez entendu sur ma famille pour la soirée. Moi, en tout cas, j'en ai eu largement assez. »

J'ai répondu que j'avais trouvé la discussion passionnante. Il a incliné la tête, comme s'il acquiesçait à une remarque polie. Il y avait quelque chose dans ce geste… et dans la sécheresse de sa dernière phrase. Je ne saurais vraiment le décrire ; une platitude, un vide. Comme si cela n'avait pas d'importance ; comme si rien n'avait d'importance.

Cela lui ressemblait si peu qu'à ce moment-là j'ai su avec certitude qu'il avait vu l'invitation. Et cette prise de conscience s'est accompagnée de deux révélations : j'ai compris, d'une part, qu'il était très affecté de ne pas avoir été convié, plus encore que je ne l'avais craint. Pour lui, c'était révélateur de mon peu d'investissement dans notre relation ; même s'il se trompait, il en était persuadé, et cela seul comptait. D'autre part, que nous étions parvenus à un de ces tournants dans une histoire d'amour où, si vous preniez la mauvaise direction, vous vous éloigniez l'un de l'autre comme des bateaux dans le brouillard. Je n'avais pas réellement cru que nous en arriverions là. J'avais dû espérer, en dépit de ce qu'il avait dit plus tôt, que nous pourrions continuer comme avant.

Il a tourné dans l'entrée défoncée du parking derrière mon immeuble, s'est garé à un emplacement près de la porte et a coupé le moteur. Nous sommes restés silencieux une minute, le temps pour moi d'admettre que, l'heure du choix venue, je n'avais en fait pas le choix. À un moment ou à un autre de l'année écoulée, et à mon insu, Daniel était devenu un élément fondamental de ma vie.

« Tu sais, ai-je dit, cette conférence à Montréal, en avril ?

— Sur la pollution ?

— Je ne pourrai pas y aller. J'ai un empêchement. Mon neveu fête ses dix-huit ans ce week-end-là et il y a une grande réunion de famille à laquelle je suis obligée d'aller. Je ne l'ai su qu'hier.

— Oh. Bon, tu pourras te procurer les copies des communications, s'il y en a d'intéressantes. »

Le froid s'insinuait dans l'habitacle, des petits courants d'air insidieux et glacials. Daniel a rallumé le moteur, augmenté le chauffage qui a ronflé un instant, puis l'a de nouveau baissé.

« Ils m'ont proposé d'amener quelqu'un si je

voulais. J'ai songé à te le demander puis je me suis dit : On va passer le week-end à évoquer les vieux souvenirs. Tu vas t'ennuyer à mourir. »

Daniel regardait par la fenêtre, qui se couvrait rapidement de buée. « Je trouverais ça passionnant.

— Vraiment ? » Je savais pertinemment qu'il était sincère.

Il s'est tourné vers moi, les mains toujours posées sur le volant. Il voulait paraître décontracté, mais le soulagement était peint sur son visage. « Oui, vraiment. J'adorerais venir.

— Bien. »

J'ignorais ce que je ressentais – soulagement, désespoir, confusion –, tout ça à la fois. J'aurais aimé pouvoir lui dire la vérité, m'apaiser en lui expliquant pourquoi je n'avais pas voulu qu'il m'accompagne. Mais comment expliquer ce que l'on ne comprend pas ?

Quatorze

Dans une année où chaque saison apportait son lot de malheurs, je crois que pour Matt l'hiver a été l'une des pires. Pas la pire (ce serait pour plus tard), mais l'une des plus difficiles. Souvent, il me donnait l'impression d'être beaucoup plus âgé que Luke ; il cernait mieux les problèmes et se montrait plus réaliste quant aux possibilités de les résoudre. Si, par bien des aspects, il était facile à vivre, il n'était pas du genre à mettre les ennuis de côté dans l'espoir qu'ils disparaîtraient tout seuls. Quand survenait un problème, Matt s'y attelait jusqu'à ce qu'il soit résolu. C'était l'une de ses forces à l'école, mais il n'était pas en son pouvoir de résoudre les problèmes que nous avons dû affronter cet hiver-là. Et puis, au fond de lui, il devait en permanence culpabiliser à l'idée que Luke sacrifiait sa chance tandis que lui, Matt, poursuivait ses études. Savoir que bientôt il échapperait à nos problèmes devait les lui faire paraître encore plus graves.

Le fait que Luke ait perdu son emploi, par exemple ; je sais que Matt s'en inquiétait beaucoup plus que Luke. Luke ne le prenait pas à la légère, non, mais depuis le jour où il avait décidé de rester à la maison pour s'occuper de nous, il semblait posséder l'inébranlable conviction que tout se passerait bien. Nul doute que les plus dévots du village l'auraient approuvé – souvenez-vous des lis des champs de l'Évangile –, or je crois que cette paisible certitude horripilait Matt et expliquait en grande partie la montée de la tension entre eux.

« Tout va s'arranger », ai-je entendu Luke dire, un soir, vers la fin du mois de novembre.

Il était tard. Après avoir dormi plusieurs heures, je m'étais réveillée avec l'envie d'aller aux toilettes ; pieds nus, j'avais traversé le couloir à pas feutrés et m'étais figée pour les écouter, les orteils recroquevillés sur le linoléum froid des toilettes. Des petits grains de neige durs crissaient contre la fenêtre ; quand on collait le visage à la vitre, on avait l'impression que la nuit était criblée de millions de trous.

« Quelque chose va se présenter, disait Luke.

— Comme quoi ? a demandé Matt.

— J'sais pas. Mais ça va marcher.

— Comment tu le sais ? »

Silence de Luke – sans doute accompagné d'un haussement d'épaules.

« Allez, Luke. Comment tu le sais ? Comment tu sais que ça va marcher ? Qu'est-ce qui te permet d'en être si sûr ?

— Je le sais, c'est tout.

— Bon Dieu ! a dit Matt. Bon Dieu ! »

C'était la première fois que je l'entendais prononcer ces mots de cette façon.

Noël approchait – cette période vouée à la famille, la pire de toutes pour les endeuillés, la plus propice à l'exacerbation des tensions.

185

« Qu'est-ce qu'on va faire pour les cadeaux des enfants Mitchell ? » a demandé Matt.

Nous étions dans la cuisine. Matt nettoyait des bougies, en prévision d'une nouvelle et vaine tentative pour faire démarrer la voiture. L'hiver était rude, l'un des plus froids jamais enregistrés, et la voiture avait compté parmi les premières victimes. Dans l'éventualité improbable où il trouverait un emploi en ville compatible avec ses horaires, Luke aurait besoin d'un véhicule pour s'y rendre.

Luke épluchait des carottes pour le dîner. De longs rubans d'épluchures s'empilaient sur le plan de travail. Certaines pendaient mollement du bord, et Bo jouait avec la demi-douzaine qui avait atterri par terre.

Luke a lancé un regard d'incompréhension à Matt. « Quoi ?

— Les Mitchell vont sûrement offrir quelque chose à Kate et Bo, peut-être même à nous aussi, on doit donc apporter quelque chose pour leurs enfants. Il y en a deux. »

Le révérend Mitchell et sa femme nous avaient invités à passer Noël avec eux. Aucun de nous n'avait envie d'y aller, mais il n'y avait pas moyen d'y échapper. Les Tadworth nous avaient invités pour le lendemain, perspective qui ne nous réjouissait pas davantage. J'imagine les dames de la paroisse s'inquiétant de savoir qui devait nous avoir, incapables de supporter l'idée que nous restions seuls et incapables de voir que nous l'aurions préféré.

Luke a posé sa carotte et s'est retourné pour faire face à Matt. « Tu crois qu'ils s'attendent à des cadeaux ?

— Non, ils ne s'attendent à rien, mais on ne peut pas arriver les mains vides. »

Luke s'est retourné vers ses carottes. Il avait réussi

186

à faire tomber quelques nouvelles épluchures que Bo drapait élégamment sur sa tête.

« Ils ont quel âge, leurs enfants ? a-t-il finalement demandé. Ce sont des filles ou des garçons ?

— Tu ne sais pas ça ? s'est exclamé Matt. Tu les connais depuis toujours !

— Je ne fais pas attention aux gamins de tout le monde.

— Ce sont des filles. Elles doivent avoir... dans les dix ans. » Il m'a regardée. « Tu sais quel âge elles ont, Kate ?

— Elles sont trois, ai-je dit, anxieuse.

— Vraiment ?

— Tu ne sais pas ça ? a dit Luke. Tu les connais depuis toujours.

— Tu en es sûre, Kate ? Je croyais qu'ils n'en avaient que deux.

— Le bébé est tout petit.

— Ah, un bébé, a dit Matt.

— Tant mieux, a fait Luke. Un bébé, ça ne compte pas.

— Martha a dix ans et Janie sept », ai-je dit très vite.

Un autre tas d'épluchures de carottes a dégringolé par terre. Bo a poussé un gloussement et en a ramassé une grosse poignée.

« Mais, bon Dieu, ne travaille pas aussi près du bord, a dit Matt. Elles finissent toutes par terre.

— Je les ramasserai après, a répliqué Luke.

— Si tu ne les épluchais pas aussi près du bord, tu n'aurais pas à les ramasser après. »

Luke lui a lancé un regard par-dessus son épaule. « Est-ce que c'est vraiment grave ?

— Oui, c'est grave ! Parce que, après, tu ne les ramasseras pas, tu vas oublier, tu vas marcher dessus et en coller partout, et ce sera encore plus dégueulasse qu'avant. Voilà pourquoi cette maison ressemble à une porcherie. »

Luke a posé la carotte, l'économe, et fait volte-face. « Si ça te gêne tant que ça, tu n'as qu'à nettoyer toi-même, pour une fois.

— Ça, c'est la meilleure », a dit doucement Matt. Il était penché en avant, les bras posés sur les genoux. « Ça, c'est vraiment la meilleure. Je passe ma vie à ranger derrière toi. Ma vie entière, bon sang. Et si tu crois… » Il s'est interrompu. Il nous a regardées, Bo et moi, il s'est levé et a quitté la pièce.

Dimanche 27 décembre

Chère tante Annie,

Merci beaucoup pour le pull. Je l'aime beaucoup. Bo aime beaucoup le sien et Matt et Luke aiment beaucoup le leur. Ils vont vous écrire eux-mêmes. Bo a vu que c'était un agneau sur le sien et elle l'aime bien et j'aime bien le canart sur le mien. Merci pour les livres, ils sont très jolis et les chaussettes sont très jolies aussi. Et les bonets. Pour Noël on est aller chez le révérend Mitchell et j'étais assise à côté de Janie et il y avait une grosse dinde mais j'en n'ai pas manger beaucoup. Hier on est aller chez les Tadworth et il y avait encore de la dinde. Mme Mitchell m'a donner une brosse et un pègne assortis et un livre et une poupée pour Bo et Janie m'a donner un stylo. Mme Tadworth m'a donner une poupée. Matt m'a donner un livre sur les insectes et Luke m'a donner un livre sur les grenouilles. Mme Stanovich nous a donner des robes pareilles à Bo et moi, et elles sont à la bonne taille. Mme Tadworth nous a donner un jambon entier avec des clous de girolles dedans et il est très bon et Mme Stanovich nous a donner un gateau de Noël et

Mme Pye aussi et le Dr Christopherson et Mme Chris-
topherson sont venus nous voir et ils nous ont apporter
des toutes petites oranges très jolies...

Ça continuait dans la même veine pendant une demi-page. C'étaient des braves gens, vraiment. Il n'y en avait pas de meilleurs.

À la fin du mois de janvier, la neige s'était entassée contre la maison, en congères lisses et arrondies. La nuit, la maison gémissait de froid. Il y avait eu plusieurs tempêtes avant que le lac gèle ; les vagues, poussées par les vents arctiques, avaient brisé les plaques de glace qui s'étaient formées le long du rivage et les avaient dressées à la verticale. Pendant une semaine, elles étaient restées debout, tessons de verre étincelants, pointus comme des dents de requin. Puis le vent avait repris, la température avait chuté ; des vagues allaient se fracasser contre ces tessons, proje-tant des gerbes d'eau qui gelaient avant de toucher le sol, retombaient avec fracas et s'empilaient en tas cail-louteux au milieu des tessons jusqu'à les recouvrir complètement sous des montagnes de verre brillant. Puis le lac avait gelé, et, la nuit, on n'entendait plus que le mugissement du vent.

Matt et Luke ont creusé une tranchée dans la neige, de la porte d'entrée à l'allée, puis de l'allée jusqu'à la route, et par la suite ont pelleté à tour de rôle chaque matin. Il était inutile de dégager l'allée entière puisque la voiture refusait toujours de démarrer. Par endroits, les parois de la tranchée étaient si hautes que je ne voyais pas par-dessus. Bo trouvait ça fantastique, mais elle n'en a pas beaucoup profité car Luke ne la laissait pas sortir longtemps de crainte qu'elle ne gèle.

En partant pour l'école le matin, j'étais tellement emmitouflée dans mes vêtements que j'avais du mal à bouger ; j'enfilais une culotte, un maillot de corps et un caleçon long, un pantalon sous ma jupe et une chemise de flanelle sous mon pull, puis des jambières et une parka, une écharpe remontée sur le nez et un bonnet baissé sur les yeux et deux paires de moufles, trois paires de chaussettes et des bottes fourrées qui avaient appartenu à Matt après avoir appartenu à Luke. J'avais peur de tomber et de ne plus pouvoir me relever ensuite : je resterais là, jusqu'au moment où je gèlerais tout entière.

Parfois, quand j'arrivais à la route le matin, Matt était encore là, en train d'attendre le car de ramassage scolaire, martelant le sol de ses pieds et frappant ses mains gantées pour se tenir chaud. Le car avait pu tomber en panne, être bloqué dans la neige, à moins qu'il ne se traînât sur une route secondaire derrière un chasse-neige – il n'y avait aucun moyen de savoir. Ces jours-là, Matt m'attendait et marchait avec moi, espérant croiser le car en chemin.

« C'est toi ? demandait-il en me voyant, se penchant pour scruter le trou entre mon écharpe et mon bonnet.

— Oui, répondais-je d'une voix étouffée par l'écharpe.

— Ça pourrait être n'importe qui.

— C'est moi. »

L'écharpe était déjà humide à l'intérieur à cause de mon haleine. Elle sentait la laine mouillée, le givre, et l'air qui vous brûlerait les poumons si vous lui en laissiez le loisir.

« Je vais devoir te croire sur parole. Tu veux un peu de compagnie ?

— Oui.

« — Alors, allons-y. Tu n'oublies pas de remuer les doigts ? »

J'agitais mes doigts gantés vers lui, il approuvait d'un hochement de tête, et nous nous mettions en route, la neige craquant sous nos pieds.

Il plaisantait encore avec moi, se moquait gentiment, mais je me rendais compte à sa voix qu'il se forçait. Aucun emploi à temps partiel n'était apparu par miracle au village, et il faisait trop froid pour entreprendre la moindre tâche à la ferme des Pye : Luke et lui n'avaient pas travaillé depuis deux mois.

Dimanche 11 février

Chère tante Annie,

Comment allez-vous ? J'espère que vous allez bien. Bo est malade, elle a la rougole. Le Dr Christopherson dit qu'elle va guérir mais elle a plein de boutons et elle arrête pas de raler. À l'école aussi tout le monde a la rougole mais moi je l'ai déjà eu. On a appris l'histoire de Henry Hudson et du Passage du Nord-Ouest. Ses hommes étaient vraiment méchants. On a aussi appris les fractions. Si on a 2 1/2 pommes on a une pomme entière et si on a 4 1/2 pommes on a deux pommes et si on en a 3 on en a une et 1/2. Rosie Pye a pleurer à l'école.

Bons baisers, Kate.

Nous n'étions pas les seuls à souffrir de l'hiver. La vieille Mlle Vernon avait failli mourir en février d'un rhume qui avait dégénéré en pneumonie. La maison du fils aîné de Mme Stanovich avait brûlé, et sa femme et lui avaient dû s'installer chez ses parents. Jim Sumack a eu des engelures pendant qu'il pêchait sur la glace, et il s'en est fallu de peu qu'on ne lui ampute les orteils. Cinq fois, le Dr Christopherson s'est retrouvé bloqué dans la neige. La cinquième fois, une de ses patientes a dû accoucher seule de ses jumeaux, parce que son mari, au moment de courir chercher de l'aide chez le voisin, a glissé sur la glace devant sa porte et s'est cassé la jambe.

Quant aux Pye... Matt se faisait du souci pour eux. Son inquiétude avait-elle la même source que la détresse de Rosie à l'école ? Je ne puis l'affirmer mais c'est fort probable.

« Quelqu'un devrait faire quelque chose », a dit Matt.

C'était le soir. J'étais censée me préparer à aller au lit, mais je ne trouvais pas mon pyjama et j'étais venue demander à Luke où il était. Je me suis arrêtée derrière la porte de la salle à manger pour les écouter et m'assurer qu'ils n'étaient pas en train de se disputer.

« Comme quoi ? a demandé Luke.

— En parler. Prévenir le révérend Mitchell ou quelqu'un d'autre.

— Mais pour lui dire quoi ? Que sait-on exactement ?

— On sait que ça empire.

— Vraiment ?

— J'ai vu Marie hier en rentrant de l'école. Je l'ai aperçue sur la route et je suis descendu du car.

— Ah bon ?

— Ouais.

— Et elle t'en a parlé ?

— Pas exactement. Mais il y a un problème. »

Un silence. Puis Luke a repris : « C'est en partie sa faute.

— Tu veux dire Laurie ?

— Oui. Il lui répond.

192

— Parce que toi, tu ne répondrais pas ?

— Pas si je risquais de me faire rosser. S'il était malin, il la fermerait. »

Autre silence. Matt a dit d'une voix plate : « Donc, tu penses qu'il le bat. »

Une hésitation. « Peut-être.

— Moi aussi je le pense. Et pas des petits coups. Parfois, il a une drôle de démarche. Voilà pourquoi je pense qu'on doit faire quelque chose.

— Comme quoi ? a répété Luke.

— On pourrait en parler au révérend Mitchell.

— Et ça changerait quoi ? Que pourrait-il faire ?

— En parler au père Pye, par exemple, a dit Matt. Je ne sais pas, il aurait peut-être une autre idée.

— Ça pourrait être pire.

— S'il savait que les gens savaient, il s'arrêterait peut-être.

— Et s'il croit que Mme Pye ou Marie en ont parlé ? a dit Luke. Il risque de s'en prendre à elles.

— Donc, d'après toi, on devrait rester assis à ne rien faire. En sachant très bien ce qui se passe.

— On n'est sûrs de rien. »

Une série de coups sur la table – Matt refermant un livre avec colère et en prenant un autre. « C'est ta philosophie de la vie, Luke. Dans le doute, ne fais rien. »

Ils auraient dû prévenir le révérend Mitchell. Mais c'est facile à dire avec le recul. Pour leur défense, je peux seulement ajouter qu'ils étaient préoccupés par leurs propres problèmes, qui devaient leur paraître assez délicats à ce moment-là ; la rougeole de Bo, mon état incertain, l'absence de travail pendant trois mois, et la tension qui montait entre eux, comme le tonnerre qu'on sent avant de l'entendre, qui grossit, enfle et se renforce de jour en jour.

Quinze

Mars. La neige, en amoncellements profonds, toujours blanche et lisse, ressemblait en apparence à celle de février. Quand on marchait dessus, cependant, on sentait la différence. Il y avait une fine croûte qui cédait sous votre poids et sous laquelle la neige s'affaissait. Les nouvelles chutes tenaient un jour ou deux, avant de former leur propre croûte. En dessous, la vieille neige se tassait lourdement, comme la chair d'une vieille et grosse femme.

C'est aux alentours du mois de mars, me semble-t-il, que Luke a essayé de mettre Bo sur le pot : un épisode assez dramatique de nos vies, Bo étant ce qu'elle était, et dont le souvenir ne m'a jamais quittée. Je me revois un jour, assise à la table de la cuisine avec Matt, en train de faire mes devoirs. Bo est entrée de son pas lourd, couverte de six couches de vêtements en haut, nue de la taille jusqu'en bas, tenant son pot (vide) à deux mains, l'air sinistre. Luke suivait, l'expression tout aussi lugubre, lui demandant si elle comptait porter des couches toute sa vie, comment elle supportait d'être mouillée en permanence et de puer comme une fosse septique. Et Bo l'ignorait. Elle a emporté le pot jusqu'à la poubelle dans un coin de la cuisine, l'a fourré à l'intérieur et elle est repartie de son pas lourd.

Je me rappelle Luke, se laissant glisser le long du mur, enlaçant ses genoux, la tête dans les bras, et disant : « Je n'en peux plus de sa merde. » Bo, qui s'était arrêtée dans l'embrasure de la porte, s'est retournée pour le regarder. Elle a hésité une minute puis elle est revenue vers lui, lui a tapoté la tête et lui a dit : « Pleure pas, Luke. » Elle n'est pas allée récupérer son pot pour autant. Elle compatissait, mais seulement jusqu'à un certain point.

Et je me souviens que Matt a dit : « Luke ? C'est sa première phrase complète. Pleure pas, Luke. » Et ils ont ri tous les deux.

Mais il est possible que je me trompe dans la chronologie. Ce n'était peut-être pas en mars, parce qu'ils ne riaient pas beaucoup à cette période-là. Nous avions atteint ce stade où, tels les chemins menant tous à Rome, chaque conversation, chaque incident dégénérait en dispute – presque toujours à propos de la même chose.

Un après-midi (sans doute un dimanche, quand nous avions tous un peu de temps libre), Luke a décidé que je devais apprendre quelques comptines à Bo. Une occupation paisible s'il en est. Il s'inquiétait qu'elle grandisse sans en connaître et m'a persuadée de lui en chanter quelques-unes. Elle était guérie de sa rougeole, et de nouveau elle-même, c'est-à-dire bruyante, s'amusant à balancer des casseroles à travers la cuisine.

« Apprends-lui, Kate, m'a-t-il dit. Apprends-lui les plus connues.

— C'est quoi, les plus connues ?

— Je ne sais pas, moi. Apprends-lui celles que tu préfères. »

Aucune ne me venait. « Je les ai toutes oubliées.

— Une souris verte », a dit Matt. Assis à la table de la cuisine, il écrivait à tante Annie.

J'ai dit timidement : « Dis "Une souris verte", Bo. »

Bo s'est interrompue dans ses activités et m'a jeté un regard soupçonneux.

« Elle te prend pour une dingue », a commenté Matt, sans cesser de griffonner.

J'ai réessayé : « Dis "une souris verte", Bo.

— Une ris vette », a dit Bo avec rudesse. Elle a regardé autour d'elle, à la recherche d'une certaine casserole.

« Bien ! ai-je dit. Bravo, Bo. Maintenant, dis "qui courait dans l'herbe".

— Ç'ui-là ! » Elle a saisi la plus grande casserole et s'est mise à flanquer les autres dedans par ordre de taille. Elle se débrouillait bien : elle n'a pas fait beaucoup d'erreurs.

« Elle t'ignore, a dit Matt entre deux fracas de casserole. Elle croit que tu es complètement toquée.

— Allez, Bo, ai-je dit. Qui courait dans l'herbe.

— Bête, a fait Bo, s'interrompant le temps d'agiter un doigt sévère dans ma direction.

— C'est vrai qu'elle est idiote, cette chanson, a dit Luke. Essaie une autre. Chante-la en entier. »

J'ai réfléchi une minute puis j'ai chanté :

> Un deux trois nous irons au bois
> Quatre cinq six cueillir des cerises…

Bo m'a examinée, les yeux plissés, intéressée.

« Ça y est, a dit Matt en aparté. Elle mord à l'hameçon. Remonte-la lentement.

— Un deux trois, s'est risquée Bo. Au bois.

— C'est bien, Bo, écoute :

Sept huit neuf dans un panier neuf
Dix onze douze elles seront toutes rouges

— Sept huit douze, a répété Bo, scrutant mes lèvres et pliant les genoux en rythme.

— Bien, Bo ! C'est très bien !

— Toutes rouges ! chantait Bo.

— Bravo.

— Pour la rougeole de Bo, a dit Matt. On a reçu la facture ?

— Quoi ? a demandé Luke.

— Le Dr Christopherson a-t-il envoyé sa facture ? »

Luke a haussé les épaules. « Je ne crois pas. » Il s'est de nouveau tourné vers Bo.

« Toutes rouges, criait-elle à pleins poumons.

— Elle s'élèvera à combien, d'après toi ?

— Pas la moindre idée.

— À peu près ? Il est venu quatre ou cinq fois. Ça devrait nous coûter assez cher.

— On s'inquiétera quand elle arrivera, d'accord ? Chante-la encore, Kate. Phrase par phrase. Elle apprend vachement vite. »

Mais j'observais Matt, qui s'était levé et était allé à la fenêtre. Il faisait déjà nuit, il ne devait pas voir grand-chose à part son propre reflet, mais il restait là, à regarder dehors.

Il y a eu un instant de silence puis Luke a repris : « Tu adores t'inquiéter, hein ? Tu ne peux pas exister sans cela. Tu ne laisses rien passer, tu ne peux pas vivre un seul après-midi, une seule minute sans ruminer, sans remâcher tes angoisses. Tu ne peux pas laisser les choses suivre leur cours une seule et unique seconde... Tu dois gâcher chaque foutu truc qu'on fait. »

Matt a dit tranquillement : « On doit faire quelque chose, Luke. L'argent de papa file trop vite...

— Je n'arrête pas de te le répéter ! Quelque chose va se présenter !

— C'est ça, a dit Matt. C'est ça. »

Je crois que ça a dû être le tournant pour lui – le moment où il a décidé qu'on ne pouvait pas continuer ainsi. Ce qui était absurde, en réalité, parce que s'il y avait réfléchi, il aurait su que le Dr Christopherson n'aurait même jamais envisagé de leur envoyer sa facture.

Il y a une interruption de trois semaines dans mes lettres à tante Annie en mars, et je sais pourquoi. Pendant cette période, la tension entre Matt et Luke a atteint son paroxysme, le onzième commandement a été violé dans les grandes largeurs et notre petit monde a bien failli voler en éclats.

Matt nous a annoncé la nouvelle au dîner. Cela semblait la règle chez nous – quand on avait une déclaration fracassante à faire, on la réservait pour le dîner, de préférence au moment où tout le monde avait la bouche pleine.

« J'ai quelque chose à vous dire, a-t-il commencé en se servant du ragoût de Mme Stanovich. J'ai laissé tomber l'école. »

Il se trouve que Luke avait la bouche pleine. Il a cessé de mâcher et a regardé Matt, à l'autre bout de la table. Durant les mois précédents, ils avaient modifié le plan de table. Luke occupait maintenant la place de notre mère, la plus proche de la cuisine, et Matt celle de notre père. Bo et moi étions toujours assises côte à côte.

« J'ai parlé à M. Stone aujourd'hui, a poursuivi Matt. Je lui ai dit que j'abandonnais pour des raisons financières. J'ai trouvé un emploi à plein temps au magasin Hudson's Bay. Neuf heures cinq heures, du lundi au samedi. Je vais avoir un problème de transport jusqu'à ce que la voiture soit réparée, mais je me suis arrangé. Je prendrai le car de ramassage scolaire pour y aller, et, si je ne peux pas rentrer le soir, ils m'ont dit que je pouvais dormir dans la réserve du magasin. Ils se sont montrés très accommodants. M. Williams, le patron, connaissait papa, apparemment. Ça a l'air d'être un type bien. »

Luke, la bouche pleine, ne le quittait pas des yeux. Matt lui a rendu son regard, calmement, puis s'est mis à manger. Luke a mâché une ou deux fois avant de déglutir. C'était mal mâché : on a vu un gros morceau descendre dans sa gorge, comme quand un serpent avale une grenouille. Il a dégluti de nouveau, deux fois, baissant vivement le menton pour faire passer la viande, puis il a dit : « De quoi tu parles ?

— De boulot. J'ai trouvé du boulot. Je vais gagner un peu d'argent.

— Non mais qu'est-ce que tu racontes ? »

Matt nous a regardées, Bo et moi, et a haussé les sourcils. « L'un d'entre nous n'est pas très vif, ce soir, mesdames. Dois-je répéter ? » Il ne cherchait pas à asticoter Luke, il plaisantait pour dédramatiser la situation.

Il s'est retourné vers Luke. « Un emploi, Luke. Du travail. Ce qu'on fait pour gagner de l'argent, afin de pouvoir acheter des choses.

— Qu'est-ce que tu veux dire, tu as laissé tomber l'école ?

199

— Je veux dire que j'ai laissé tomber l'école. Tu comprends ? J'ai arrêté. J'ai arrêté d'aller au lycée. Je n'y vais plus. »

Luke a repoussé sa chaise. Il n'avait pas l'air de prendre cela comme une plaisanterie. « Qu'est-ce que tu racontes ? Tu as des examens dans deux mois.

— J'irai les passer, pour obtenir mon diplôme. M. Stone a dit que je pourrais. Ça n'a pas d'importance si je manque un ou deux mois, j'ai déjà suffisamment bossé pour l'avoir.

— L'avoir ne suffit pas, il faut que tu décroches une bourse. Tu le sais bien ! Comment comptes-tu aller à l'université si tu n'as pas de bourse ?

— Je ne vais pas à l'université. »

Luke l'a fixé, les yeux lui sortant de la tête.

Matt a dit doucement : « Écoute, ce qu'on fait – essayer de s'en sortir avec des petits boulots afin que l'un de nous reste toujours avec les filles –, ça ne marchera pas. Comment veux-tu que ça marche ? Fallait qu'on soit dingues pour y croire. »

Il a scruté le visage de Luke, qui devenait de plus en plus rouge, la colère s'amoncelant sous la peau, puis nous a lancé un regard gêné, à Bo et moi. Il regrettait sûrement d'avoir annoncé ça en notre présence. S'il avait dû se douter que ce changement de programme n'enchanterait pas Luke, il ne s'attendait apparemment pas à une telle réaction.

« Écoute, a-t-il dit, on en reparlera plus tard, OK ?

— Oh non, pas question. On va régler ça maintenant, parce que demain tu retournes à l'école. »

Il y a eu un silence, le temps de compter jusqu'à deux ou trois. Puis Matt a dit doucement : « Ce n'est pas à toi de décider, Luke. Je te l'ai dit, j'ai laissé tomber.

— Eh bien, tu n'as qu'à revenir sur ta décision. Bon sang, tu n'as aucune raison de prendre un emploi à plein temps. Dans un mois, maximum, je retournerai bosser pour le père Pye et...

— Ça ne résoudra rien ! Même si on s'en sort cette année, comment feras-tu quand je serai parti ? C'est impossible ! L'un de nous doit travailler pendant que l'autre reste à la maison, c'est la seule solution.

— N'importe quoi ! N'importe quoi ! » La voix de Luke montait en volume et en registre. « On n'aura pas besoin de garder éternellement les filles ! L'année prochaine, Bo pourra aller chez des gens l'après-midi, beaucoup nous ont proposé de la prendre, et Kate pourra la rejoindre après l'école. À ce moment-là, elles seront capables de se passer de nous. Je serai en mesure de travailler cinq après-midi par semaine. On peut vivre avec ça ! Ça, plus ce que nous envoie tante Annie. »

Il a pris une inspiration. On voyait qu'il luttait pour se calmer et parler de manière logique, raisonnable, sachant que c'était la seule façon d'influencer Matt.

« Toi, tu vas à l'université, tu fais trois, quatre ans d'études... » Il a planté le doigt sur la table pour donner du poids à ses mots, appuyant si fort dans son effort pour parler calmement que son doigt tremblait. « Tu travailles l'été. Tu paies pour tes propres dépenses et, s'il reste de l'argent, tu nous l'envoies. Tu passes ton diplôme. » Il a levé les yeux vers Matt et pressé de nouveau le doigt sur la table. « Tu passes ton diplôme. Ensuite tu trouves du travail, parce que là, tu pourras obtenir un bon boulot. Là, tu pourras aider, si on a encore besoin d'aide. »

Matt secouait la tête. « Tu te fais des illusions. Si tu t'imagines qu'un boulot à temps partiel va surgir l'année prochaine juste pour que tu puisses travailler l'après-midi, tu rêves.

— Ça va marcher, a dit Luke, serrant les dents pour garder son calme. De toute façon, ce n'est pas ton problème. Ton problème à toi, c'est de décrocher une bourse. Le mien, c'est de m'occuper des filles. »

Matt est devenu blanc. C'était drôle : la colère de Luke lui montait au visage, celle de Matt refluait vers l'intérieur.

Matt a repris : « Depuis quand es-tu seul responsable des filles ? Depuis quand exactement ? Tu crois que je suis quoi, moi ? Ce sont aussi mes sœurs, que tu le veuilles ou non. Tu crois vraiment que je vais les abandonner à tes bons soins alors que tu n'es même pas capable de trouver un boulot ? »

Luke a agrippé les rebords de la table à deux mains, il a rentré la tête dans le cou comme un taureau sur le point de charger. Puis il s'est penché par-dessus la table et s'est mis à rugir : « JE VAIS TROUVER DU BOULOT ! QUELQUE CHOSE VA SE PRÉSENTER ! »

Matt s'est levé et il a quitté la pièce.

Pendant un moment, Luke est resté assis, sans lâcher la table. Ensuite, il a sauté sur ses pieds et lui a couru après.

Je me suis raidie, retenant mon souffle. Il y a eu un fracas dans le salon, puis ils se sont remis à hurler.

Bo est descendue de sa chaise et est allée se poster dans l'encadrement de la porte, le pouce dans la bouche, pour les regarder. Je l'ai rejointe. Un fauteuil était renversé, et, plantés de part et d'autre, ils se criaient dessus. Luke a dit que Matt allait tout gâcher. Matt a demandé pour qui Luke se prenait, pour Dieu ? À régenter la vie des autres à leur place ? Luke a dit que Matt ne pouvait pas le supporter, hein ? Il

202

ne pouvait pas supporter l'idée que lui, Luke, allait faire quelque chose d'important, pour une fois, quelque chose de très important. Ce devait toujours être Matt. Eh bien, dommage. Sacrément dommage. Il avait dit qu'il élèverait les filles, c'était son boulot à lui, et il avait l'intention de le faire, et de le faire sacrément bien, et il n'avait absolument pas besoin de l'aide de Matt.

Matt était blanc comme un linge. Il a dit : Alors, c'est ça le problème, hein ? Le problème, c'était Luke. Saint Luke, qui se taillait un rôle sur mesure de martyre et de sauveur de la famille. Les filles n'avaient rien à voir là-dedans, hein ? Il se foutait pas mal de ce qui était bien pour elles. Tout ce qui comptait, c'était Luke et son foutu ego.

Et il y en avait encore, et des pires, des mois et des mois d'angoisse, de frustration et de chagrin qui sortaient tout d'un coup, qui se déversaient en une énorme rage de mots, et ç'a continué jusqu'au moment où Luke a prononcé la phrase ultime et impardonnable : il avait sacrifié son putain d'avenir pour que Matt ait un diplôme et si Matt foutait tout en l'air maintenant, il le tuerait.

Je ne sais comment décrire ce qui s'est passé ensuite. Dans les bagarres à la télévision ou dans les films, on voit des gens se balancer des coups de poing, s'envoyer au tapis ou se fracasser la mâchoire, mais ce n'est pas pour de vrai. Leur rage n'est pas réelle. Votre peur, à vous, spectateur, n'est pas réelle. Vous n'aimez pas véritablement les protagonistes, vous ne craignez pas vraiment pour leur vie. Autrefois, quand ils se battaient, j'avais peur que Matt ne se fasse tuer. Cette fois, j'étais sûre que cela allait arriver, et sûre que Luke aussi allait mourir. Je croyais que les murs de la maison allaient voler en éclats et s'effondrer autour de nous, je croyais que la fin du monde était arrivée. Et puis, j'ai su que ça y était, quand, au milieu du tumulte, un mouvement de côté a attiré mon attention. J'ai baissé les yeux et vu Bo trembler si fort que même ses cheveux paraissaient vibrer. Elle était tétanisée : les bras rigides, le long du corps, les doigts écartés, la bouche grande ouverte, elle avait le visage ruisselant de larmes mais ne faisait pas un bruit. C'était la chose la plus effrayante que j'avais vue de ma vie. Elle était tellement courageuse, Bo. Je croyais qu'elle n'avait peur de rien.

La bagarre a fini par s'arrêter, mais de quelle façon ! Matt a voulu balancer un coup de poing à Luke, qui lui a attrapé le bras et, d'une poussée extraordinaire, l'a soulevé du sol. On a entendu un drôle de bruit, une espèce de craquement sourd, suivi d'un horrible cri. Matt est allé se fracasser contre le mur et s'est laissé glisser par terre.

Pendant une minute, le silence complet.

Puis Luke a dit : « Lève-toi. » Il haletait, toujours furieux.

Matt était adossé au mur, dans une position bizarre. Il n'a pas répondu. Je voyais son visage, crispé et blême, les yeux écarquillés.

« Lève-toi », a répété Luke. Comme Matt ne répondait toujours pas, il s'est avancé vers lui, et Matt a parlé.

Il a dit : « N'approche pas ! » Il semblait forcer les mots entre ses dents.

Luke s'est arrêté. « Lève-toi », a-t-il encore répété, mais d'une voix incertaine.

Matt n'a pas répondu. C'est là que je me suis rendu compte qu'il était blessé. Son bras était tordu derrière lui, sous lui ; son épaule formait une grosse bosse et elle n'était pas à sa place. Je me suis mise à hurler. Je croyais que son bras s'était détaché. Sous la chemise, son bras s'était détaché au niveau de l'épaule. J'en étais sûre. Le fils aîné de M. Tadworth avait eu le bras coupé quand il était tombé sous un wagon de marchandises et il s'était vidé de son sang avant que quiconque ait pu le secourir.

Luke criait sur quelqu'un, il me criait dessus. « La ferme ! La ferme, Kate ! » Il m'a attrapée et m'a secouée jusqu'à ce que je me taise.

Il a regardé Matt et s'est passé les deux mains dans les cheveux. « Qu'est-ce qu'il y a ?

— Appelle le médecin », a répondu Matt. Il n'avait plus qu'un filet de voix.

« Pourquoi ? Qu'est-ce que tu as ? » Mais lui aussi avait vu le bras, et sa voix tremblait.

« Appelle le médecin. »

Je me rappelle l'attente, Matt allongé, tellement immobile qu'il semblait ne plus respirer, le visage gris et brillant de sueur. Je me rappelle l'arrivée du Dr Christopherson ; il a regardé Matt, puis Bo et moi, et enfin Luke, qui était assis, la tête dans les mains. « Que s'est-il passé ? » a-t-il demandé, mais personne n'a répondu.

Je me souviens qu'il s'est agenouillé auprès de Matt, qu'il lui a déboutonné sa chemise et a glissé la main à l'intérieur pour ausculter l'épaule, et Matt a retroussé les lèvres, exactement comme le renard que j'avais vu un jour, pris dans un des pièges de M. Sumack. Le Dr Christopherson a dit doucement : « Ça va, Matt. Ça va. Tu as l'épaule démise, c'est tout. On va la remettre en place tout de suite. »

Il s'est relevé, a adressé un regard franc et dur à Luke. « On va avoir besoin de ton aide. » Et je me souviens que Luke l'a regardé, a regardé Matt puis s'est essuyé la bouche d'un revers de main.

Pensif, le Dr Christopherson s'est tourné vers Bo et moi. Bo ne tremblait presque plus, mais ses larmes coulaient toujours. De temps à autre, elle était parcourue d'un violent frisson et respirait alors par saccades. Le Dr Christopherson s'est avancé, il lui a posé une main sur la tête et lui a caressé les cheveux, puis il a fait la même chose avec moi.

« Je vais aussi avoir besoin de ton aide, Kate. Tu veux bien m'aider ? Molly est toute seule dans la voiture, et elle se sent abandonnée quand je la laisse trop longtemps. Je me demandais si tu m'aiderais à enfiler sa combinaison à Bo. Ensuite, vous pourriez aller vous asseoir toutes les deux dans la voiture pour lui tenir compagnie. La voiture est sur la route, je n'ai pas pu descendre votre allée, mais j'ai laissé le moteur allumé. Il doit faire bien chaud à l'intérieur. »

Je me souviens d'avoir marché derrière lui, tandis qu'il portait Bo le long du tunnel de neige jusqu'à la route, et je me souviens de la joie de Molly lorsqu'il a ouvert la portière et nous a installées, Bo et moi, à côté d'elle sur la banquette arrière. Molly était le plus gentil chien qui soit. C'était aussi une infirmière extraordinaire. À coups de langue délicats, elle a lavé le visage baigné de larmes de Bo, la cajolant, et au bout de quelques minutes Bo la cajolait à son tour, enfonçait son visage dans le cou chaud de Molly, s'enroulait dans les oreilles soyeuses.

Moi, j'étais assise à côté d'elles et j'attendais qu'on vienne m'annoncer la mort de Matt. J'avais à présent compris que quand des choses terribles étaient sur le point de se produire, on trouvait un prétexte pour nous éloigner, Bo et moi. J'avais eu de nombreuses occasions de m'en rendre compte. Si bien que lorsque le Dr Christopherson est revenu nous chercher, j'étais en état de choc, et il avait une nouvelle patiente sur les bras.

L'ironie de l'histoire, bien sûr, c'est que, quelques semaines plus tard, Luke a eu gain de cause. Quelque chose s'est présenté.

QUATRIÈME PARTIE

Seize

Il y a eu une période, une période assez longue, durant laquelle aucun d'eux ne me semblait vraiment réel.

« Réel » n'est peut-être pas le mot juste. Disons plutôt qu'ils n'étaient « plus d'actualité ». Ma famille ne semblait plus d'actualité. J'étais étudiante. Pas en première année, quand la maison me manquait tant que j'ai cru en mourir, mais plus tard, en deuxième ou troisième année, lorsque mon horizon s'est élargi et que Crow Lake m'a paru se réduire au minuscule point insignifiant qu'il était sur la carte.

J'avais alors découvert que l'arrière-grand-mère Morrison avait encore plus raison qu'elle ne le soupçonnait à propos du pouvoir des études. Elle y voyait à la fois un bien souverain et le moyen d'échapper à la pauvreté paysanne, mais n'imaginait pas toutes les autres portes qu'elles pouvaient ouvrir. J'étudiais la zoologie ; j'étais arrivée en tête aux examens de fin de première année, et on m'avait dit que si je continuais comme ça, j'obtiendrais une allocation pour financer ma thèse de doctorat. Si celle-ci était jugée satisfaisante, je n'aurais aucun mal à trouver un emploi, à l'université même ou ailleurs. Je savais aussi que si, à un moment, il me prenait l'envie d'aller travailler à l'étranger, cela pouvait s'arranger. Le monde se déployait devant moi ; j'avais le sentiment de pouvoir aller où je voulais, faire ce que je voulais. Être qui je voulais.

Matt, Luke et Bo se sont repliés dans un petit coin obscur de mon esprit. En deuxième année, je n'avais pas vingt ans : Bo, qui n'avait donc que quatorze ans, était encore en mesure de choisir, mais Matt et Luke se trouvaient là où ils avaient toujours été et où, je le savais, ils seraient toujours. La distance entre nous me semblait tellement immense et cette partie de ma vie si éloignée dans le passé que je ne pouvais imaginer que nous ayons encore quoi que ce soit en commun.

Mes finances ne me permettaient pas de retourner à la maison pendant les petites vacances, et les jobs d'été étant plus faciles à trouver et mieux payés à Toronto que chez nous, je ne rentrais pas non plus pour les grandes. Pendant deux ans, je ne les avais pas vus du tout, période qui aurait pu se prolonger s'ils n'étaient pas venus à ma remise de diplôme. Ils y ont assisté tous les trois, dans leurs plus beaux vêtements. J'étais touchée, mais aussi gênée par leur présence. Je ne les ai pas présentés à mes amis.

Durant ces années, je suis sortie plusieurs fois avec des garçons avec qui j'allais en cours, mais sans suite. Mes échecs dans ce domaine ne me préoccupaient pas. Pour commencer, je travaillais trop pour avoir le temps d'y penser ; ensuite, comme je l'ai déjà dit, je ne pensais pas tomber amoureuse un jour. Je me voyais bien dans le rôle de l'universitaire excentrique. Solitaire et indépendante, amoureuse de son travail.

Ce n'était pas un simple fantasme ; j'adorais

sincèrement mon travail. La vie universitaire était une vraie révélation pour moi : les livres et toute la documentation, les laboratoires avec leurs microscopes de dissection et leurs merveilleux microscopes composés, les tuteurs et les professeurs, chacun possédant son domaine d'expertise – et tout ça à disposition. En milieu de troisième année, j'avais pris la décision de poursuivre le cursus universitaire. À la fin de cette année, j'avais choisi la branche de la zoologie dans laquelle je comptais me spécialiser.

J'ai pris cette décision à la suite d'un voyage d'études près d'un petit lac au nord de Toronto. C'était un endroit apprécié des vacanciers, surtout des amateurs de bateau et autres sports nautiques. Nous y sommes allés en septembre, après le départ des estivants. L'objectif du voyage était d'essayer d'évaluer l'impact de ces gens sur l'environnement pendant les mois d'été ; dans le cadre de nos investigations, nous avons prélevé des échantillons d'eau, ramassé des spécimens de la faune et de la flore sur le rivage afin de les examiner au laboratoire. Les créatures aquatiques, nous les avons transportées dans des bocaux ou des sacs en plastique pleins d'eau, eux-mêmes rangés dans des glacières remplies de glace ; le reste a voyagé dans des boîtes et des bocaux. De retour au labo, notre tâche consistait à identifier et classer ce que nous avions récolté, à décrire leur apparent état de santé et, si le spécimen était mort, à en déterminer la cause.

J'avais ramassé la plupart de mes créatures dans une petite anse à une extrémité du lac et, ce faisant, j'avais aussi remonté du fond de l'eau un peu de matière organique en décomposition. Au labo, après avoir mis mes prises à l'abri dans des aquariums, j'ai versé la vase et les débris dans une cuvette et les ai examinés en vitesse pour voir si j'y trouvais des choses intéressantes. Au milieu de quantité de feuilles mortes et de brindilles, il y avait une espèce de petite goutte noire non identifiée. Je l'ai soulevée à l'aide de pinces, déposée avec précaution sur un Sopalin humide pour l'empêcher de se dessécher et je l'ai placée sous le microscope de dissection.

À l'origine, la goutte avait été un notonecte, un farouche petit prédateur qui passe beaucoup de temps pendu à la surface de l'eau, la tête en bas, à surveiller les vibrations pour repérer une proie. Je connaissais bien le notonecte depuis mes années avec Matt – c'est cet insecte qui, le premier, nous avait appris que la tension superficielle fonctionne aussi bien à l'envers qu'à l'endroit – et, en d'autres circonstances, je l'aurais reconnu instantanément. Là, il m'a fallu plusieurs minutes pour l'identifier, parce qu'il était couvert, ou plutôt enrobé d'une couche noire et poisseuse d'huile de graissage laissée par un des nombreux bateaux à moteur du lac. Il était carrément englué dedans, la délicate toison sensorielle sur son abdomen était encrassée, ses orifices respiratoires complètement obstrués.

Aujourd'hui, j'ai du mal à expliquer pourquoi ce spectacle m'a autant affectée. Toutes les créatures meurent, d'une mort souvent assez horrible si l'on en juge selon nos critères humains. Et puis, la pollution n'était pas une découverte – c'est un sujet majeur dans toutes les sciences du vivant. Peut-être était-ce parce que je connaissais si bien la victime ? Quand j'étais enfant, les notonectes m'intriguaient : ils me donnaient l'impression de pendre du plafond, j'attendais qu'ils se fatiguent et finissent par tomber.

Quelle qu'en soit la raison, en regardant ce petit corps noirci, j'ai ressenti un mélange d'épouvante et d'une véritable… peine. Je n'avais pas consciemment repensé aux étangs depuis plusieurs années, mais là leur souvenir me revenait avec une grande clarté. Ils étaient beaucoup trop petits pour la navigation, bien sûr, mais il y avait tant d'autres polluants qui pouvaient leur pleuvoir dessus ou les pénétrer par le sol environnant. Je m'imaginais qu'un jour je retournerais près d'eux, en observerais le fond et ne verrais rien.

J'ai sur-le-champ décidé que je me spécialiserais dans l'écologie des invertébrés et que mes recherches porteraient sur les effets de la pollution sur la population des étangs d'eau douce. Sans doute pourriez-vous dire que mon choix était inévitable et déterminé bien avant ma rencontre avec cet insecte mort. C'est possible. Tout ce que je sais, c'est que ce petit notonecte a réveillé quelque chose en moi et m'a donné cet objectif dont je n'avais pas jusqu'alors ressenti le manque.

Après ça, pendant une longue période, mes études m'ont tellement absorbée que j'avais très peu de temps pour le reste. Les quelques garçons avec lesquels je suis sortie me paraissaient beaucoup moins intéressants que mon travail. Et les gens de mon passé, eh bien, ils appartenaient au passé. Ils ne semblaient plus d'actualité.

C'est seulement quand j'ai rencontré Daniel que je me suis rendu compte que je n'avais pas laissé ma famille derrière moi. Nous avons été présentés lorsque j'ai rejoint le département. Après ça, nous n'avons pas cessé de nous croiser dans les couloirs, vous savez comment ça se passe. Et puis un jour que je travaillais dans mon labo (j'ai ce qu'on appelle un labo humide, plein d'aquariums, où je peux contrôler l'environnement de mes invertébrés et observer leurs réactions), je me suis retournée et je l'ai vu, dans l'embrasure de la porte. Je ne l'avais pas entendu arriver et j'ai légèrement sursauté. « Désolé, a-t-il dit, je ne voulais pas vous déranger. Vous avez l'air très concentrée.

— Non, ça va. J'observais un patineur, c'est tout.

— Vous l'observiez faire quoi ?

— Patiner, ai-je répondu, et il a souri.

— Et il patine bien ? »

Je lui ai adressé un sourire incertain. Je ne suis pas bonne pour la conversation courante. Non pas que ça m'ennuie, mais c'est un talent que je ne parviens pas à maîtriser.

J'ai répondu assez gauchement : « En fait, oui. C'est vrai, les patineurs sont en général d'incroyables... patineurs.

— Je peux jeter un coup d'œil ?

— Oui, bien sûr. »

Il s'est approché et a scruté l'aquarium, mais son mouvement trop brusque a surpris l'insecte qui a fait un bond de dix centimètres en l'air. L'aquarium est recouvert d'un filet pour empêcher les créatures de s'échapper, je n'ai donc pas été perturbée, mais Daniel s'est reculé.

« Désolé. Apparemment, je fais peur à tout le monde aujourd'hui.

— Il n'y a pas de mal. » J'étais très désireuse de ne pas le décourager. Quelque chose en lui me plaisait : le sérieux que je croyais deviner derrière ses manières décontractées. J'aimais bien son visage aussi, long et fin, comme le reste de sa personne, avec ce nez fort, légèrement busqué, et ses cheveux blond roux, qui se raréfiaient. « Il est juste un peu nerveux. J'ai progressivement diminué la tension superficielle. Je l'ai baissée de huit pour cent jusque-là et maintenant il panique un peu.

— Sur quoi travaillez-vous ?

— Les surfactants, et leurs effets sur les insectes de surface.

— Vous voulez dire les détergents ? Ce genre de choses ?

— Exact. Et d'autres polluants. Différents produits peuvent réduire la tension superficielle. Ou alors ils collent aux surfaces hydrophobes des insectes si bien qu'ils ne sont plus imperméables. Donc ils coulent.

— Mais pas le patineur.

— Pas encore. Mais lui aussi a ses limites.

— Ça m'a l'air très cruel.

— Oh, je le sauverai, ai-je dit très vite. Il ne risque rien. »

Il a souri, j'ai compris qu'il plaisantait et me suis sentie rougir. Il y a eu un court silence, puis il a suggéré : « Quand vous l'aurez sauvé, ça vous dirait de prendre un café ? »

Nous sommes donc allés boire un café et nous avons parlé des patineurs, du fait qu'ils peuvent se propulser de quinze centimètres d'un seul coup de pattes et atteindre l'incroyable vitesse de cent vingt-cinq centimètres par seconde. Puis nous avons évoqué la pollution en général, les déversements de pétrole en particulier et le cas de ces escargots qui, paraît-il, mangent le pétrole et ont l'air de l'apprécier. Après cela, nous avons discuté bactéries (la spécialité de Daniel), évoqué leur aptitude à se transformer et s'adapter, qui ferait peut-être d'elles les héritières de la terre.

Et puis nous avons commencé à sortir ensemble.

Il me stupéfiait. Le fait est – cela paraît d'un cynisme ridicule, j'en suis consciente – que je ne m'étais jamais attendu à pouvoir de nouveau admirer quelqu'un et pourtant j'admirais Daniel. J'ai déjà dit que je le trouvais naïf, par certains côtés, et presque trop complaisant, mais je pense que c'est en partie la conséquence de sa générosité d'esprit. Pendant un temps, je me suis persuadée de n'avoir pour lui que de l'admiration et de l'affection. Je dressais des listes de ses qualités – son sens de l'humour, sa curiosité, son intelligence, son charme, son refus de l'hypocrisie et de la mesquinerie qui semblent faire partie du monde académique – comme pour leur ôter tout pouvoir amoureux. Je dressais des listes de ses défauts – le fait que, telle une petite vieille, il détestait se mouiller les pieds, sa paresse physique, sa tendance (même s'il le nierait) à croire qu'il a toujours raison – comme s'ils annulaient les qualités et signifiaient que je ne ressentais rien du tout. Et puis un jour – j'étais sous la douche, à me savonner les pieds ou une autre partie émotionnellement neutre de mon anatomie – j'ai pris conscience que les sentiments que j'avais pour lui ne pouvaient être décrits que par le mot « amour ». C'est à ce moment-là, je crois, que j'ai inconsciemment décidé de ne pas trop réfléchir à notre histoire, de ne pas l'analyser ou me demander s'il partageait mes sentiments ou si cela allait durer. Comme je l'ai dit, cette attitude n'a pas été sans créer des problèmes entre nous. Ma seule excuse, c'est que dans le passé les gens que j'avais aimés avaient eu tendance à disparaître, et j'avais peur que cela ne se reproduise.

Quoi qu'il en soit, bien que mon amour pour Daniel fût assez différent de tout ce que j'avais éprouvé jusqu'ici, je n'en avais pas moins l'impression de le « reconnaître ». L'amour, plus que tout autre sentiment, j'imagine, vous atteint au plus profond de vous-même. Et quand Daniel avait pénétré cette partie la plus intime de mon être, je m'étais rendu compte que Luke, Matt et Bo y étaient aussi. Ils faisaient partie de moi. Malgré les années de séparation, leurs visages m'étaient toujours plus familiers que le mien. Ce que je savais de l'amour, je l'avais appris d'eux.

J'ai recommencé à rentrer à la maison de temps en temps, pour les vacances. À présent, j'en avais les moyens. C'était bizarre – pour les gens du village, je représentais une curiosité, « celle qui était partie ». Ils étaient certes tous fiers de moi et se moquaient gentiment en m'appelant « professeur » ou docteur Morrison. Certains se montraient déférents, ce qui aurait dû être amusant mais se révélait plutôt pénible. Luke jouait les papas gonflés d'orgueil, ce qui aurait dû être pénible mais se révélait plutôt drôle. C'est avec Bo que je me sentais le plus à l'aise. Bo vous prend tel que vous êtes.

Matt ? Oh, Matt était fier de moi. Matt était si fier de moi que j'avais presque du mal à le supporter.

L'anniversaire de Simon tombait à la fin d'avril. J'ai passé tout le mois de mars à essayer de trouver une bonne idée de cadeau. Qu'offre-t-on à un garçon quand il devient un homme ? Et, plus particulièrement, qu'offre une tante à son unique neveu ? Encore plus particulièrement, quel était le cadeau le plus approprié pour le fils de Matt ? Pour être honnête, obtenir l'approbation de Matt m'importait tout autant que de faire plaisir à son fils.

Je savais que Simon espérait venir étudier la physique à l'université l'année suivante. (Le « espérait » est superflu : il a hérité de l'intelligence de son père et réussira ses examens haut la main.) J'ai donc rôdé autour du département de physique plusieurs après-midi en quête d'inspiration. Sans résultat.

J'ai laissé le problème de côté pendant une semaine

ou deux, pensant qu'il me viendrait bien une idée, mais non. Les cadeaux habituels (vêtements, livres, disques) étaient insuffisants pour une date aussi marquante, et, de toute façon, je n'aurais pas pris le risque de deviner les goûts de Simon. Un très gros cadeau (une voiture, un voyage en Europe) n'était pas dans mes moyens. L'entre-deux (chaîne stéréo ou autre), il l'avait déjà ou se le ferait offrir par ses parents.

Les jours passaient. Avril est arrivé. Je suis une personne organisée ; je déteste faire les choses à la dernière minute. Surtout les choses importantes.

En désespoir de cause, je suis allée faire les magasins deux samedis de suite, cherchant des idées, errant à travers la foule, scrutant, pleine d'espérance, toute cette camelote pour trouver un cadeau à la hauteur de l'événement. La deuxième fois, Daniel m'a accompagnée, proclamant qu'il adorait faire des courses et avait toujours de bonnes idées. En réalité, il a des idées ridicules. Il adorait tout ce qu'il voyait et faisait des suggestions de plus en plus idiotes jusqu'à ce que je m'énerve et lui dise de rentrer.

« Mon Dieu ! mais c'est que tu prends ça au sérieux, s'est-il plaint. Existe-t-il une chose au monde que tu ne prennes pas au sérieux ? C'est un anniversaire, ma parole ! C'est censé être rigolo ! »

J'ai fait remarquer a/ qu'il était fils unique, n'avait ni neveu ni nièce et parlait donc de ce qu'il ne connaissait pas, et b/ que quiconque trouvait rigolo de dégoter des cadeaux importants dans un temps limité devait se faire examiner.

« Écoute, a-t-il dit, l'agacement commençant à poindre. Tu vois, là-bas, il y a un téléphone. Pourquoi n'appelles-tu pas ton frère pour lui demander s'il n'aurait pas une idée de ce qui plairait à ce gamin ?

— Daniel, je veux faire ça moi-même. S'il te plaît, rentre chez toi. »

Il est parti, l'air fâché. Mais il était dans de si bonnes dispositions depuis que je l'avais invité à la fête que même mon comportement névrotique ne l'atteindrait pas longtemps.

À la fin, j'ai décidé d'ouvrir un compte au nom de Simon à la librairie de l'université et de l'approvisionner suffisamment pour lui permettre d'acheter tous ses manuels de première année. En plus, afin qu'il ait un paquet à défaire le jour J, j'ai trouvé un petit gyroscope – un jouet, vraiment, mais bien fait, et un joli symbole de la beauté et de la complexité du sujet qu'il avait choisi d'étudier.

Quand je le lui ai annoncé, Daniel s'est racheté en disant que c'étaient de très beaux cadeaux. Puis il a tout gâché, comme lui seul en est capable, en ajoutant que c'était aussi « tout à fait moi ».

« Ça veut dire quoi, ça ? ai-je demandé d'un ton soupçonneux.

— Franchement... des manuels ! A-t-il une autre tante qui lui offrirait des manuels pour son dix-huitième anniversaire ?

— Quand je pense aux heures que j'ai passées en bibliothèque à essayer de mettre la main sur des livres déjà empruntés, parce que je n'avais pas les moyens d'en acheter... »

Il m'a fait un grand sourire en disant qu'il plaisantait.

Était-ce parce que j'avais Matt en tête ? Je ne sais pas, mais le mardi précédant la fête de Simon j'ai vécu une petite crise à la fac. Rien de semblable ne m'était jamais arrivé, et je ne vois pas d'autre cause possible

– je n'avais pas eu de compte rendu critique d'article, ni rencontré d'obstacle insurmontable dans mes recherches. Cela devait donc être lié à mes pensées concernant la maison.

Mon travail (maître de conférences, écologie des invertébrés) comprend plusieurs tâches : mener des recherches, analyser et mettre en forme mes découvertes, écrire des articles pour la publication, faire des communications à des colloques, diriger les recherches des étudiants, donner des cours aux élèves de premier cycle... plus une quantité ridicule de paperasserie.

J'adore la recherche. Cela nécessite de la patience, de la précision et une approche méthodique, autant de qualités que je possède. Ainsi décrit, cela semble ennuyeux, mais c'est loin de l'être. D'un point de vue supérieur, cela vous donne l'impression d'avoir ajouté votre propre petite pièce au puzzle de la connaissance scientifique. D'un point de vue plus terre à terre, il est essentiel de comprendre l'environnement si l'on veut éviter de le détruire. La recherche est la partie la plus importante de mon travail, et je n'ai jamais assez de temps à lui consacrer.

La rédaction d'articles ne me dérange pas. Il est vital d'échanger des idées, et je suis prête à apporter ma contribution.

Je n'aime pas beaucoup faire des communications à des colloques parce que je ne suis pas très bonne oratrice. Je suis claire et capable de présenter un topo bien structuré, mais je manque d'enthousiasme dans l'expression.

Je n'aime pas du tout enseigner. Cette université est surtout tournée vers la recherche, et je ne passe que quatre heures par semaine devant une classe, mais chaque cours me demande presque une semaine de préparation, tout ce temps au détriment de mes recherches. De plus, j'ai du mal à nouer le contact avec les étudiants. Daniel se plaît beaucoup avec eux. Il prétend que non, tout comme il prétend ne pas travailler – en réalité, il ne fait que cela, mais l'appelle d'un autre nom. Secrètement, il trouve les étudiants intéressants et stimulants. Secrètement, moi pas. Je ne les comprends pas. Ils ont l'air de ne rien prendre au sérieux.

Cette « crise », si le mot n'est pas excessif, s'est passée au milieu d'un cours. Cela a commencé par un petit raté. J'étais en train d'expliquer le caractère hydrophobe de la toison de certains arthropodes à un amphi de troisième année quand j'ai eu un flash-back d'une précision telle que j'ai complètement perdu le fil de mes pensées. Je nous ai revus Matt et moi, dans notre pose habituelle, couchés à plat ventre au bord de l'étang, la tête au-dessus de l'eau. Nous observions des demoiselles effectuer leurs délicates danses iridescentes quand notre attention avait été attirée par un petit scarabée qui descendait le long d'une tige de jonc. Il devait être à quinze centimètres de la surface quand nous l'avions repéré, progressant à une allure très décidée. Où croyait-il aller, nous étions-nous demandé, et que ferait-il quand il aurait atteint l'eau ? Avait-il conscience qu'elle était là ? Matt m'a dit que les insectes n'avaient pas de nez, comme nous, mais qu'ils étaient capables de sentir et de détecter l'humidité avec leurs antennes. Mais alors, qu'allait-il y chercher ? À boire ? D'après Matt, les insectes tiraient tout le liquide dont ils avaient besoin des plantes qu'ils mangeaient ou du sang qu'ils suçaient, mais il a ajouté qu'il pouvait se tromper. J'ai dit que le scarabée était peut-être une femelle, qui allait pondre ses œufs dans l'eau comme le faisait la demoiselle. Matt m'a répondu qu'à son avis les scarabées ne faisaient pas ça mais que, là-dessus aussi, il pouvait se tromper. J'ai suggéré que le scarabée avait peut-être tout bêtement autre chose en tête, comme de savoir ce qu'il allait manger pour le dîner, et qu'il ne faisait pas attention à l'endroit où il allait. Dans ce cas, a dit Matt, il allait être surpris.

Mais c'est nous qui avons été surpris. Au moment d'atteindre l'eau, le scarabée ne s'est même pas arrêté. Il a continué à marcher. La surface de l'eau s'est plissée un instant quand sa tête a plongé, puis s'est refermée autour de l'insecte et l'a avalé.

J'étais inquiète, j'ai cru qu'il s'était noyé, mais Matt s'est exclamé : « Non, regarde ! Regarde-le ! »

J'ai scruté l'eau et j'ai vu notre scarabée continuer à marcher d'un bon pas vers le fond, entouré d'une bulle argentée et brillante.

« C'est de l'air, a dit Matt, tendant le cou et ombrageant la surface de l'étang avec ses mains pour empêcher la réflexion. Il a son sous-marin personnel, Katie. Pas mal, hein ? Je me demande combien de temps il peut rester sous l'eau ? »

Je sais aujourd'hui comment faisait le scarabée ; cela n'a rien de mystérieux. Beaucoup d'êtres vivant à la frontière entre l'air et l'eau emportent une bulle d'air quand ils s'immergent. L'air est prisonnier d'une toison de poils veloutée si dense que cela les rend complètement imperméables. À mesure que l'oxygène est consommé, il est remplacé par celui contenu dans l'eau. Quant au temps que notre scarabée pouvait passer sous la surface, cela dépendait de la quantité d'oxygène dissous dans l'eau et de la vitesse à laquelle il utilisait ses réserves. En règle générale, plus l'insecte est actif et plus l'eau est chaude, moins il peut rester longtemps immergé.

J'étais en train d'expliquer la composition de cette toison de poils à mes étudiants quand le souvenir de cette journée m'a soudain traversé l'esprit, brouillant un instant mes idées ; j'ai hésité puis me suis arrêtée. J'ai fait semblant de consulter mes notes le temps de me reprendre, puis j'ai repris le cours. Les troisième année, qui s'étaient levés dans l'espoir qu'il allait se passer un truc intéressant, se sont rassis. Au premier rang, une fille a bâillé à se décrocher la mâchoire.

C'est ce bâillement qui m'a achevée. Ce n'était pas la première fois qu'on bâillait pendant mon cours – tous les étudiants souffrent d'un manque de sommeil chronique, et la plupart des profs ont un jour eu devant eux le spectacle d'une marée de corps somnolents – mais, allez savoir pourquoi, je me suis soudain aperçue que je ne pouvais pas continuer.

Incapable de prononcer un mot, j'ai contemplé mon public. Dans ma tête, mon oreille interne m'a repassé le son de ma voix. Son ronronnement. Son rythme plat, monotone. Et par-dessus ce ronronnement, comme un film accompagné de la mauvaise bande-son, je revoyais mon premier contact avec le sujet : Matt et moi, côte à côte, le soleil nous brûlant le dos. Le scarabée qui avançait, nonchalant, sous l'eau, bien à l'abri dans son petit sous-marin. La surprise et le plaisir de Matt.

Matt trouvait le phénomène miraculeux... non, c'était encore plus que cela. *Matt voyait que c'était miraculeux.* Sans lui, je ne l'aurais pas vu. Je ne me serais jamais rendu compte que les vies qui se déployaient chaque jour devant nos yeux étaient merveilleuses, au sens premier du terme. J'aurais observé, mais ne me serais pas émerveillée.

Et voilà que maintenant j'endormais une classe entière. Combien, parmi les étudiants avachis devant

225

moi, auraient eu l'occasion de voir ce que j'avais vu, *a fortiori* en compagnie de quelqu'un comme Matt ? La plupart étaient des gamins des villes ; certains n'avaient jamais vu un vrai étang de leur vie avant de participer à l'un de nos voyages d'études. Ce cours était leur première introduction à ce sujet en particulier. Et ils étaient encore plus malchanceux qu'ils ne le croyaient, car, si les choses avaient tourné différemment, c'est Matt qui aurait été devant eux à ma place. Dans ce cas, aucun n'aurait bâillé. Je n'exagère pas. Je ne le mets pas sur un piédestal. C'est un fait. Si Matt leur avait parlé, ils auraient été captivés.

Ils s'étaient de nouveau levés, curieux à présent, conscients que quelque chose allait de travers. J'ai baissé les yeux sur mes notes, retourné les pages puis les ai de nouveau regardés.

« Désolé, ai-je dit. Je vous ennuie. »

J'ai rassemblé mes notes et je suis partie.

« Je ne devrais pas faire ce métier, ai-je dit à Daniel, plus tard ce soir-là.

— Kate, cela arrive à tout le monde. Personne n'est au mieux de sa forme chaque fois.

— Ce n'est pas une question de forme. C'est une question de simple compétence. Je ne suis pas capable d'enseigner. Je n'arrive pas à faire passer le message. Je gâche le sujet. »

Je n'avais pas l'intention de m'exprimer d'une manière aussi mélodramatique, mais j'étais vraiment mal. Je me sentais larmoyante, désespérée et ridicule. Ce n'est pourtant pas mon genre : d'habitude, je suis plutôt rationnelle.

Daniel s'est passé les deux mains dans les cheveux, ou ce qu'il en restait, d'une manière qui m'a rappelé Luke. « Tu es trop dure avec toi-même. Tu donnes un cours médiocre... La plupart des profs dans la plupart des universités dans la plupart des villes du monde sont complètement nuls. Et la plupart s'en foutent.

— Le problème, c'est que ce n'est pas un cours médiocre. Tous mes cours sont comme ça. Ce qui veut dire que je ne fais pas correctement mon boulot. Et je ne me sens pas capable de continuer à mal le faire, chaque semaine, pendant des années.

— Tu tombes dans l'excès, Kate. »

Un silence.

Daniel m'a demandé, plus doucement : « Qu'a dit le Pr Kylie ? »

J'ai haussé les épaules. « Il est toujours gentil, tu le connais.

— Kylie, gentil ? Voilà : tu as ta réponse. Tu es la seule personne du département avec laquelle Kylie prend la peine d'être aimable. Et comment l'expliques-tu ? Pose-toi la question. »

Mais je pensais à Matt. Je me disais que j'avais un peu l'impression de le trahir. C'était incompréhensible, vraiment, parce qu'à la vérité Matt s'était trahi lui-même.

Dix-sept

Cet hiver-là, alors que nous étions préoccupés par nos propres problèmes, la situation avait dû se dégrader chez les Pye. Je suppose que des indices nous seraient apparus si nous avions été attentifs, mais leur ferme était assez isolée et, l'hiver étant particulièrement rigoureux, les gens ne sortaient guère de chez eux. Les Pye avaient cessé d'aller à l'église, mais pendant plusieurs semaines personne n'y avait vu quoi que ce soit d'anormal : les routes étaient enneigées la plupart du temps, et l'assemblée était souvent assez clairsemée.

Le reste de l'année, Matt et Luke auraient été les mieux placés pour savoir qu'il se passait quelque chose, mais il n'y avait pas de travail à la ferme les mois d'hiver, ils n'avaient donc pas non plus de contact avec la famille.

Laurie n'était pas retourné à l'école après la bagarre avec Alex Kirby en octobre. D'après Mme Stanovich, qui habitait sur la Northern Side Road et voyait toutes les allées et venues autour de la ferme des Pye, Mlle Carrington y était passée plusieurs fois avant

Noël. Sans doute voulait-elle rappeler à Calvin son obligation légale d'envoyer ses enfants à l'école jusqu'à l'âge de seize ans, mais apparemment sa démarche s'était révélée vaine. Laurie devait avoir presque quinze ans, et le conseil d'établissement avait tendance à fermer les yeux sur l'absentéisme des enfants de fermiers, sachant qu'on avait besoin d'eux à la maison.

À la fin de mars, au moment du dégel, Matt et Luke ont repris leur travail pour M. Pye. Environ à la même époque, Rosie a commencé à manquer fréquemment l'école. Elle avait toujours été souffreteuse, à la merci du premier microbe venu, mais Mlle Carrington devait soupçonner autre chose, car elle est venue trouver Luke et Matt une semaine après qu'ils eurent recommencé à travailler. (Si elle avait eu vent de notre petite crise, elle n'en a rien laissé paraître. Mais je doute qu'elle l'ait su. Le Dr Christopherson était plutôt du genre discret.)

Consciente que sa question était embarrassante, elle leur a demandé, avec beaucoup de tact, s'ils croyaient que tout allait bien chez les Pye. Je le sais parce que je les espionnais, mais à ce moment-là Matt a fermé la porte, et j'ignore ce qu'ils ont répondu. Quelle qu'ait été leur réponse, cela n'a cependant pas suffi.

Les choses auraient sans doute été différentes si Laurie n'avait pas seulement ressemblé à son père physiquement, mais également dans sa façon de réagir. Il y aurait certes eu des conflits – d'après ce que Mlle Vernon m'avait raconté de leur histoire familiale, c'était inévitable – mais pas de cette ampleur. À en croire Mlle Vernon, Calvin n'avait jamais tenu tête à son père. Laurie, si. Laurie ne se laissait pas intimider. Et je suppose que c'est cela qui faisait enrager Calvin. Ne pas avoir eu le courage de résister à son propre père, avoir enduré tant de mauvais traitements et pendant si longtemps, pour se faire ensuite « remballer » (c'est ainsi qu'il devait le voir) par son propre fils : c'en était trop.

Cela expliquerait pourquoi la situation avait empiré cette année-là. Laurie était alors en pleine adolescence. Enfant, il n'aurait pas osé, mais avec toute cette testostérone qui coulait à flots dans son sang il osait.

J'ai peine à imaginer la vie de Mme Pye et de Marie, qui observaient, tentaient en vain de calmer les tensions, de s'interposer. Mme Pye s'était cassé le bras cet hiver-là. Elle avait porté un plâtre pendant des mois. Elle avait prétendu avoir glissé sur son perron verglacé, ce qui n'est pas impossible.

Elle est venue nous voir un jour, ce devait être au début de l'hiver, quand il lui arrivait encore de sortir. Elle nous avait apporté quelque chose, probablement de la nourriture. Je la revois devant notre porte, demandant de nos nouvelles à Luke, et même si elle le regardait, on voyait bien qu'elle ne prêtait aucune attention à sa réponse. Elle semblait à l'écoute d'autre chose : de ce qui se passait derrière elle, pour ainsi dire. J'imagine qu'elle était en permanence à l'affût de la prochaine crise.

Quant à Rosie… je ne me souviens pas qu'elle ait jamais été à cent pour cent normale, mais la plus grande partie de cette année-là, et même quand elle allait encore à l'école à peu près régulièrement, elle était muette comme une tombe. La peur avait dû la rendre stupide. L'émotion avait dû l'engourdir.

Mais c'est Marie que j'ai le plus de mal à évoquer. L'empathie, comme dit Daniel, n'est pas mon point fort, et il est d'autant plus difficile de sympathiser avec quelqu'un qu'on n'aime pas. Je n'ai jamais aimé Marie. Je me rappelle être partie à la recherche de Matt un après-midi ; il était en retard, et la peur que je ressentais toujours dans ces moments-là devenant insupportable, j'avais enfilé mon manteau et mes bottes et j'étais allée jusqu'à la route, imaginant, comme d'habitude, le car dans le fossé et Matt, mort, à côté. Mais je l'avais trouvé au milieu du remblai laissé par le chasse-neige, en train de parler à Marie. Elle serrait les bras autour d'elle, dans cette attitude défensive qu'elle avait toujours, les yeux rouges, le nez rouge, fidèle à elle-même, pitoyable. Je crois que je la méprisais. Et je la rendais responsable du retard de Matt.

Mais elle aussi devait souffrir. Je m'en rends bien compte.

En ce qui nous concernait, Matt, Luke, Bo et moi, après avoir touché le fond, et avec quelle violence, nous avions commencé à remonter la pente.

Dimanche 30 mars
Chère tante Annie,
Comment allez-vous ? J'espère que vous allez bien. M. Turtle est encore tomber du toit. Il pèletait la neige pour pas que le toit s'efondre et il est tomber et s'est casser la jambe. Mme Turtle dit qu'il est trop vieux et trop empoté et Mlle Carrington a demander si Luke ne voulait pas être intendant.
Bons baisers, Kate.

Dimanche 6 avril
Chère tante Annie,
Comment allez-vous ? J'espère que vous allez bien. Luke est notre intendant maintenant. Il doit aller à l'école très tôt le matin pour allumer le poèle et pèleter

la neige et tout ça, et il doit netoyer les toilettes. Mais il dit que ça l'embête pas. Et l'été, il doit essayer de se débarasser du sumac parce que Mlle Carrington dit que c'est une plaie.

Bons baisers, Kate.

Et voilà. Exactement comme Luke l'avait dit : quelque chose s'était présenté. En fait, en l'espace de quelques semaines, Plusieurs Choses s'Étaient Présentées.

Mais revenons un peu en arrière : dans les jours qui avaient suivi « l'incident » entre Matt et Luke, le Dr Christopherson était passé plusieurs fois, officiellement pour examiner l'épaule de Matt, mais sans doute aussi pour s'assurer que nous allions bien, Bo et moi. Lors de sa dernière visite, il a emmené les garçons dans le salon et les a tancés vertement. Je le sais parce que j'écoutais à la porte. Il avait amené Molly pour nous distraire, Bo et moi, mais on ne me la faisait plus : je n'avais plus l'intention d'être laissée dans l'ignorance. Je crois que c'était mon premier acte de défi conscient.

Le sermon a commencé sans en avoir l'air. Le Dr Christopherson a déclaré que tout le monde admirait ce que les garçons tentaient de faire pour Bo et moi, et que tous étaient conscients de leurs efforts pour que ça marche.

Il y a eu un silence. Je suppose qu'ils savaient l'un et l'autre que ce n'était pas tout.

Il a poursuivi. Il a dit qu'il était difficile d'accepter que parfois, malgré tous nos efforts, cela ne marche pas. Il n'y avait aucune honte à l'admettre. En réalité, c'était même important de l'admettre, de reconnaître qu'on ne s'en sortait pas, sinon on s'infligeait un stress insupportable. Et c'est là, bien sûr, que la situation avait tendance à s'aggraver dangereusement.

Il y a eu un autre silence. Puis Luke a dit, si doucement que j'ai dû coller l'oreille contre la porte pour entendre, qu'ils avaient réglé leurs problèmes et que tout allait bien.

Le Dr Christopherson a demandé si c'était bien sûr.

Sa voix était douce, mais teintée d'une gravité que même moi je pouvais percevoir. Il a attendu un instant, sa question en suspens dans l'air. J'imaginais Luke se passant la main dans les cheveux. Puis le Dr Christopherson a dit qu'il se faisait du souci pour Bo et moi. Ce qui s'était passé sous nos yeux ne devait jamais plus se reproduire. Nous avions déjà subi assez d'épreuves. Nous étions trop vulnérables.

Il y a eu un silence plus long. Luke a toussé.

Le Dr Christopherson a dit qu'il détesterait en arriver là, mais s'il avait la moindre raison de soupçonner que cela s'était reproduit, il serait dans l'obligation de prendre contact avec tante Annie. Heureusement, je n'avais pas conscience des implications. Je croyais qu'il les menaçait d'un bon savon de la part de tante Annie, une perspective qui me réjouissait beaucoup. Il ne m'est pas venu à l'idée que Bo et moi pourrions être envoyées dans l'Est.

Cette fois, le silence s'est prolongé jusqu'au moment où le Dr Christopherson lui-même l'a rompu. Il a décrété qu'ils devaient lui promettre deux choses. D'abord, qu'en cas de conflit à l'avenir ils le résoudraient de manière pacifique. Ensuite, que s'ils rencontraient des problèmes, ils demanderaient de l'aide. Leur désir d'indépendance était admirable, mais ils ne devaient pas oublier que trop d'orgueil était une faiblesse, certains diraient un péché. Nombreux étaient ceux, au village, qui souhaitaient nous aider, par respect pour nos parents. Bon, il attendait leur promesse. Plus d'accès de violence, et, à partir de maintenant, leur fierté passerait après notre bien-être, à Bo et moi.

Ils lui ont répondu, d'abord Luke puis Matt, et ont donné leur parole. Le Dr Christopherson les a aussitôt mis à l'épreuve, disant qu'il se doutait que l'argent commençait à manquer et qu'il voudrait bien aider. Ils ont aussitôt raté l'épreuve, répondant d'une voix étranglée qu'ils s'en sortaient, vraiment, qu'il leur restait pas mal d'argent de notre père, mais merci beaucoup. Il savait sans doute qu'ils mentaient, mais devait juger qu'ils avaient eu leur compte d'humiliations pour la journée, aussi n'a-t-il pas insisté. Il y a eu des grincements de chaises, et je me suis précipitée dans la cuisine, où Bo et Molly prenaient le thé par terre.

Deux semaines environ après cette scène, M. Turtle tombait du toit.

Matt était retourné à l'école. Comment Luke l'avait fait revenir sur sa décision, je l'ignore, mais sans doute pas en lui démettant l'épaule. En fait, je me suis demandé récemment si ce n'était pas sous l'influence de Marie plutôt que de Luke. Quoi qu'il en soit, Matt était donc retourné en classe et révisait d'arrache-pied ses examens. Ses conditions de travail n'étaient pas à proprement parler idéales. Luke ayant pris le poste d'intendant, Matt devait s'occuper de nous dès qu'il rentrait de l'école, et Bo n'était certes pas une enfant facile. Mes étudiants viennent parfois me trouver avec des excuses pour ne pas avoir rendu un devoir. Ils ont été malades (la gueule de bois), n'ont pas pu trouver tel livre à la bibliothèque (s'y étant pris trop tard) ou ont eu trois autres devoirs à rendre en même temps (tous repoussés jusqu'à la dernière minute), et moi je repense à Matt, accroupi par terre, avec d'un côté un manuel de chimie, de l'autre Bo, qui était assise sur son pot, mais refusait de tenir en place s'il ne s'asseyait pas près d'elle, à griffonner des notes sur le bloc posé sur ses genoux.

Les soucis financiers n'avaient bien sûr pas disparu. Le travail d'intendant ne prenait que quelques heures par jour : un emploi du temps parfait, en réalité, parce que Luke pouvait accomplir les tâches du matin avant le départ de Matt pour l'école, puis celles du soir après son retour. Les précédents intendants étaient des fermiers, auxquels ce boulot procurait un petit revenu supplémentaire. Je suis sûre que le conseil d'établissement se montrait aussi généreux que possible, mais ils ne pouvaient payer à Luke un vrai salaire pour dix ou quinze heures de travail par semaine. Cet argent était bienvenu, mais pas suffisant.

Le printemps était alors bien entamé, et l'embauche nombreuse dans les fermes, mais Luke n'en a pas profité, parce qu'il ne pouvait toujours pas se résoudre à laisser Bo chez des voisins. M. Tadworth a proposé un boulot tout à fait dans ses cordes. Il possédait un hectare de terrain densément boisé qu'il voulait défricher : il fallait abattre les arbres, déterrer les racines, remorquer les bûches jusqu'à la maison avec le tracteur et les débiter pour les vendre comme bois de chauffage en ville. Un travail parfait pour Luke, mais qui devait être effectué de jour, et M. Tadworth était pressé. Il ne pouvait pas attendre le week-end, que Luke soit libre.

Il y a eu à ce propos ce que le Dr Christopherson a appelé un « conflit ». Matt soutenait qu'à présent Bo pouvait très bien passer deux jours par semaine avec quelqu'un d'autre. Mais Luke ne voulait pas en entendre parler. Il avait dit qu'il resterait avec elle un an, il allait donc rester avec elle un an.

Je me souviens de cette dispute. Je me rappelle Matt disant : « Un an *pile* ? Est-ce que ça doit vraiment faire un an pile ? Pourquoi pas un an moins un mois ? Ce serait possible ? Ou un an moins une semaine ? »

Silence du côté de Luke.

« Si le job idéal se présentait un jour avant la fin de cette année, tu le refuserais, Luke ? Et tu prétendrais le refuser dans l'intérêt de Bo ?

— Tu la fermes, Matt, OK ? »

J'ai vu Matt serrer les dents, mais l'ombre du Dr Christopherson planait au-dessus de lui et il n'a pas répliqué.

Puis Autre Chose S'est Présenté.

Un jour, j'ai assisté à un débat sur le thème « le caractère forge le destin ». C'était un truc d'étudiants de première année, qui avait fini dans la confusion générale parce que les participants avaient omis de définir les termes au préalable. Ils se sont cassé les dents sur « le destin ». Il est clair que, si vous êtes voué à recevoir une météorite sur la tête, votre personnalité n'a guère d'influence sur votre destin.

L'idée n'en est pas moins intéressante. Prenez Luke par exemple. On peut arguer que sa détermination, son refus d'envisager la possibilité de l'échec ont influé sur le cours des choses. Matt était beaucoup plus rationnel, mais l'irrationalité de Luke a fini par payer, comme si le destin se pliait à sa volonté.

Ou prenez Calvin Pye. Avec le recul, il semble que son destin était prévisible presque depuis le jour de sa naissance. Pareil pour Laurie. Mais il y a là, à mon sens, l'une des faiblesses du raisonnement : à savoir que la destinée de chacun est liée, à un degré ou à un autre, aux destinées de tous les autres.

Et, bien sûr, on peut tout aussi bien renverser la proposition. Dans le cas de Luke, on pourrait soutenir que sans la mort de nos parents il n'aurait peut-être jamais développé cette remarquable détermination. Elle devait être en lui, mais sans l'intervention du destin peut-être ne se serait-elle jamais exprimée. Il a réagi face à l'événement, pourrait-on dire, mais l'événement s'était produit d'abord.

Et Matt ? Comment expliqueriez-vous Matt ? Moi, je n'en ai jamais été capable. De toute façon, je n'ai aucun désir de l'analyser. Cela me rend trop triste.

Dimanche 27 avril
Chère tante Annie,
Comment allez-vous ? J'espère que vous allez bien. Mme Stanovich dit que Jésus dit qu'elle peut bien nous consacrer deux après-midi par semaine. Elle dit que ses enfants sont grands et qu'on a plus besoin d'elle qu'eux. Luke dit qu'on a pas du tout besoin d'elle mais Matt dit si on a besoin d'elle et que ce serait bien parce que Bo et moi on serait dans notre maison.
Bons baisers, Kate.

« Le matin, j'ai à faire, a dit Mme Stanovich. Il y a le petit déjeuner et le déjeuner des hommes à préparer et le dîner à mettre en route. Le lundi et le vendredi, je suis bloquée toute la journée. Le lundi, c'est le marché et le vendredi, les poulets. Les mardi, mercredi et jeudi, je peux me débrouiller, à vous de choisir les deux que vous voulez. »

Elle regardait Matt et Luke d'un air de défi. Lily Stanovich n'était pas une beauté, avec ses petits yeux de myope et sa grosse face charnue, mais elle n'en possédait pas moins de la présence. Et je pense aujourd'hui qu'il y avait une certaine noblesse dans son attitude. Du courage à l'état brut. Je suis sûre qu'elle devait savoir ce que nous pensions d'elle ; ce que tout le monde pensait. Je me rappelle mon père (même lui !) disant qu'à son avis le Seigneur rougissait de honte chaque fois que Lily Stanovich ouvrait la bouche, et ma mère, toujours loyale, répondant qu'elle avait un cœur d'or et que cela seul importait. Et je me rappelle mon père répliquant (mais dans sa barbe) que c'était une chose importante mais pas la seule.

Dans certains villages, elle aurait pu passer presque inaperçue, mais dans le nôtre... comme je l'ai dit, nous étions pour la plupart presbytériens. Invoquer les noms du Père, du Fils et du Saint-Esprit à tout propos n'était pas dans nos habitudes. Pas plus que d'exprimer nos sentiments, alors que Mme Stanovich était émotive comme personne. Son mari avait honte d'elle. Et même ses fils.

Malgré tout, elle était fermement plantée devant Luke et Matt, les joues empourprées, le cou marbré, les défiant de refuser son offre. Deux après-midi par semaine. Elle pourrait garder les filles, faire un peu de cuisine, peut-être un peu de ménage (elle a glissé le ménage en passant, comme si ce n'était pas sa priorité), comme ça Luke pourrait aller travailler dans les fermes où le travail ne manquait pas. Le Seigneur lui avait parlé et elle allait accomplir Sa volonté. Même Luke devait savoir qu'ils n'avaient pas le choix.

« Elle va contaminer les filles, a-t-il dit plus tard à Matt, à voix basse, comme s'il craignait que nos parents, là-haut dans les nuages, ne l'entendent et ne l'obligent à rester debout dans la cuisine.

— Contaminer ? a répété Matt, mal à l'aise,

imaginant apparemment la même chose. Ce n'est pas une façon très gentille de présenter les choses.

— Tu vois ce que je veux dire. Ils doivent témoigner, ou un truc comme ça. Comment ils appellent ça ? Évangéliser. Ils doivent évangéliser.

— Non, pas ici, a répondu Matt.

— Comment va-t-on l'en empêcher ? On ne peut pas lui dire : "Écoutez, vous avez le droit de nettoyer la maison mais pas d'évangéliser."

— On peut le lui dire gentiment.

— Comment dit-on cela gentiment ?

— En lui expliquant que nos parents voudraient voir Kate et Bo élevées dans notre religion. On pourrait dire ça. Elle l'accepterait. Elle adorait maman.

— C'est toi qui lui dis », a conclu Luke.

Mme Stanovich est donc venue les mardis et jeudis après-midi, pendant que Luke abattait les arbres de M. Tadworth et défrichait son champ. Mme Stanovich et Bo n'étaient pas d'accord sur tout, mais elles ont négocié. Mme Stanovich laissait Bo taper sur les casseroles dans la cuisine et Bo laissait Mme Stanovich nettoyer le reste de la maison ; puis Mme Stanovich laissait Bo emporter les casseroles dans la salle à manger pendant que Bo laissait Mme Stanovich laver la cuisine. Puis Bo avait le droit de choisir tous les livres qu'elle voulait emporter dans son lit, si elle y restait une heure, pendant que Mme Stanovich récurait les casseroles et préparait le dîner. Quand je rentrais de l'école, Bo pouvait se lever et nous avions toutes les deux le droit de faire ce que nous voulions, dans la mesure où nous la laissions « finir ces vitres » ou toute autre tâche prévue ce jour-là. Je n'ai connu personne capable d'abattre autant de travail en un après-midi. La maison était transformée.

Elle était plus facile à supporter qu'avant, parce qu'elle était moins désespérée. Au début, elle galopait à la porte et me serrait dans ses bras chaque fois que je rentrais, mais ça lui est vite passé. J'imagine qu'elle devait voir à quel point je détestais ça. Comment ne pas s'en rendre compte ? Ce devait être comme embrasser un lézard.

J'espère qu'elle savait que nous lui étions reconnaissants. Non, je devrais plutôt dire : j'espère que nous lui étions reconnaissants. J'ai le sentiment désagréable que ce n'était pas le cas, à l'époque. Mais cela n'a peut-être pas d'importance. Elle ne le faisait pas seulement pour nous.

Dix-huit

Laurie Pye est parti un samedi après-midi d'avril. Je ne suis pas sûre de la date parce que je n'ai pas mentionné l'incident dans mes lettres à tante Annie, mais je sais que c'était en avril car nous avions eu une période de temps chaud qui nous avait fait croire que l'hiver était fini, et c'était un samedi après-midi car Matt était chez eux et l'avait vu partir.

Matt en a peu parlé sur le moment. Il a dit que le père Pye et Laurie s'étaient disputés et que Laurie avait filé, rien de plus. Mais, après tout, Luke et lui avaient assisté à de nombreuses disputes entre Calvin et Laurie par le passé. Et Laurie, qui avait déjà fugué plusieurs fois étant petit, était toujours revenu de son plein gré.

Cette nuit-là, le temps a révélé à quel point il était traître, et la température a chuté à moins dix degrés. Matt était mal à l'aise. Il a dit que Laurie était seulement vêtu d'une chemise légère lorsqu'il était parti. Mais Luke a répondu que ça l'inciterait à rentrer d'autant plus vite. En fait, il était peut-être déjà chez lui, et M. Pye s'était peut-être un peu calmé dans

241

l'intervalle. Après y avoir réfléchi un instant, Matt est tombé d'accord.

Le dimanche, cependant, aucun des Pye n'est venu à l'office, et il n'y avait pas la moindre neige pour justifier leur absence. Sur le chemin du retour, Matt s'est montré assez silencieux, ce qui a déclenché des signaux d'alarme dans ma tête. Quand Matt était inquiet, je l'étais aussi ; les ennuis, me figurais-je, devaient nous concerner. Je me suis donc tenue tranquille et j'ai tendu l'oreille. Après le déjeuner, quand Matt et Luke faisaient la vaisselle, je les ai entendus parler de ce qui s'était passé. Et, si sinistre que soit cette histoire, j'étais soulagée, parce que, en fin de compte, ces ennuis ne nous concernaient pas.

Le samedi après-midi, M. Pye, Laurie et Matt avaient tué un bœuf. De tous les travaux de la ferme, l'abattage était celui que Matt détestait le plus. Il ne faisait pas de sentiment à l'égard des animaux, mais cela l'écœurait, surtout quand, comme dans ce cas-là, le bœuf avait compris ce qui allait lui arriver et mourait terrorisé. Ils avaient dû s'y mettre à trois, et au cours de l'opération M. Pye avait reçu une ruade, ce qui n'avait pas amélioré son humeur.

Matt a raconté que M. Pye s'était mis à hurler après Laurie en disant qu'il ne faisait pas sa part du boulot. Il l'a traité de bon à rien, de fillette inutile. Il a dit qu'en quinze ans Laurie n'avait foutrement rien appris du travail agricole. Qu'il n'avait même pas essayé. Qu'il n'écoutait rien. Qu'il était aussi bête que ce satané bœuf.

Et, pendant tout ce temps-là, le bœuf perdait son sang. Couché sur le flanc, il essayait de se soulever et donnait des coups de sabot, tandis que la vie s'écoulait de lui et pénétrait le sol.

Laurie a dit : « Je dois tenir de toi. »

Il était agenouillé sur la croupe de l'animal, mais il s'est levé en parlant. Le bœuf avait presque cessé de se débattre. Des frémissements le parcouraient par vagues, comme des rides sur un lac. Le sang avait formé une mare sombre et épaisse autour de lui. Matt était toujours accroupi à côté de sa tête, le tenant par les cornes, appuyant de tout son poids. L'une des cornes avait creusé un sillon profond dans le sol.

Calvin Pye essuyait le couteau sur une vieille botte de paille. Il a regardé Laurie par-dessus le grand corps frémissant.

« Qu'est-ce que tu as dit ?

— J'ai dit que je devais tenir de toi. Pour la bêtise », a répondu Laurie.

Matt a dit que pendant un instant tout le monde avait retenu son souffle. Lui-même n'avait pas bougé, il maintenait toujours les cornes du bœuf, sans le quitter des yeux. La langue de l'animal était étalée par terre. Elle lui sortait de la bouche comme un gros caillot de sang.

« Est-ce que j'ai bien entendu ? a demandé Calvin Pye.

— Sauf si tu es devenu sourd », a répliqué Laurie.

Matt a dit qu'il avait levé les yeux en entendant un petit raclement, mais qu'heureusement c'était le bruit du couteau que Calvin avait posé sur un bloc de béton. S'il l'avait ramassé, a dit Matt, il ne savait pas ce qu'il aurait fait. C'était déjà bien assez angoissant comme ça.

Calvin est allé jusqu'à la grange. Il a disparu à l'intérieur, puis en est ressorti presque immédiatement, tenant quelque chose à la main. Une ceinture.

Il est revenu vers eux, les yeux fixés sur Laurie. Matt le regardait ; il était toujours agenouillé près de la tête du bœuf, lui tenant les cornes. Laurie aussi regardait son père. Il n'avait pas l'air d'avoir peur, a dit Matt. Lui, en revanche, était terrifié.

Calvin Pye n'a rien dit. Il contournait la mare de sang autour du corps du bœuf, et tout en marchant il enroulait une extrémité de la ceinture autour de sa main, l'extrémité lisse, pas celle avec la boucle.

Matt s'est levé. « Monsieur Pye. » Il a dit que sa voix était sortie comme un croassement.

Aucun des deux autres ne l'a entendu. Ils se regardaient. La boucle de la ceinture se balançait librement, mais Laurie ne la regardait pas. Ses yeux étaient braqués sur ceux de son père.

Le temps semblait s'être ralenti. Moins de douze pas séparaient Calvin de son fils, mais chaque pas paraissait durer une éternité. Laurie ne faisait rien. Il restait là. Il a attendu que son père arrive au niveau de la queue de l'animal, donc à trois pas de lui, pour parler.

Il a dit : « Tu ne me frapperas plus jamais, espèce de salaud. Je m'en vais. Mais j'espère que tu vas crever. Que tu vas crever comme ce bœuf. J'espère que quelqu'un te tranchera la gorge. »

Il a fait volte-face et il est parti en courant.

Calvin s'est lancé à sa poursuite, mais il s'est arrêté au bout de quelques mètres et il a fait demi-tour. Il n'a pas adressé un regard à Matt. Tête baissée, les yeux fixés sur le bœuf, maintenant sans vie, il enroulait la ceinture autour de sa main. Puis il a dit, d'un ton neutre, comme si rien n'était arrivé : « Qu'est-ce que tu attends ? Vas-y, nettoie. »

Rien à voir avec nous. C'est ce que j'ai pensé. J'ignorais que l'histoire des Pye et la nôtre avaient commencé à converger. Personne ne le savait. Nous avancions tous tant bien que mal, les Morrison, les Pye, les Janie, les Mitchell, les Stanovich et les autres, côte à côte, une semaine après l'autre, sur des chemins en partie semblables, en partie différents, apparemment tous en parallèle. Mais les parallèles ne se rejoignent jamais.

Dix-neuf

À l'époque, j'ignorais aussi que je vivais mon dernier printemps avec Matt. Nos visites aux étangs, ces moments devenus si fondamentaux dans ma vie que je les croyais immuables et infinis, touchaient à leur fin. D'ici au mois de septembre, les étangs eux-mêmes seraient pour moi par deux fois profanés, et pendant les quelques années suivantes je n'allais pas y retourner du tout. Ou alors sans Matt et ce ne serait donc plus pareil.

Peut-être est-ce la raison pour laquelle nos expéditions de ce printemps-là sont si claires dans ma mémoire. Comme le dernier repas avec mes parents, elles ont acquis une signification particulière. Et puis, bien sûr, j'arrivais à un âge où je commençais à comprendre ce que je voyais et à y réfléchir. L'intérêt que Matt avait allumé en moi s'était transformé en une curiosité plus profonde, je remarquais des choses et m'interrogeais par moi-même, sans avoir besoin d'être guidée.

Les cycles de vie étant ce qu'ils sont, le printemps est la meilleure saison pour l'observation des étangs,

246

et, ce printemps-là, chaque forme de vie semblait décidée à nous révéler ses secrets. Je me revois un soir, dévalant le sentier qui menait à « notre étang », tout excitée, parce que la surface de l'eau paraissait en ébullition. Elle bouillonnait et glougloutait comme de la soupe dans un chaudron. Nous n'avions aucune idée de ce qui se passait. En fait, c'étaient des grenouilles, par centaines, qui se bousculaient à la surface de l'eau, grimpaient les unes sur les autres, glissaient, essayaient tant bien que mal de remonter. J'ai demandé à Matt ce qu'elles faisaient et il m'a répondu : « Elles s'accouplent, Kate. Elles fabriquent le frai. » Lui aussi avait l'air surpris par cette urgence frénétique.

Il m'a alors dit que pour tous les êtres vivants, de la simple cellule à la créature la plus complexe, le but ultime de la vie était de se reproduire. Je me souviens d'avoir été perplexe. Je trouvais étrange que quelque chose doive exister uniquement pour donner naissance à autre chose. Cela était assez peu satisfaisant. Voire vain, comme de voyager à seule fin de voyager.

Je n'ai pas eu l'idée de lui demander s'il en allait de même pour nous : si nous existions seulement pour la reproduction. J'ignore ce qu'il aurait répondu, ce printemps-là, si je lui avais posé la question.

Juin était aussi, comme aujourd'hui, la période des examens. Matt devait être l'un des rares élèves de l'école à passer le diplôme de fin d'études secondaires, et le seul à postuler pour entrer à l'université. La plupart des adolescents de Crow Lake devaient déjà s'estimer heureux d'aller jusqu'en première. Dans les familles de fermiers, seules les filles pouvaient espérer être autorisées à poursuivre jusqu'en terminale : moins fortes physiquement, elles étaient moins utiles.

De manière générale, les femmes de fermiers que je connaissais étaient plus instruites que leurs maris. On y voyait un bon compromis ; les femmes tenaient la comptabilité de la ferme et s'occupaient des lettres à rédiger. En soi, on faisait peu de cas de l'enseignement. L'arrière-grand-mère Morrison était une exception.

Je me rappelle ces mois, durant lesquels Matt batailla avec le programme de terminale (avant de gagner haut la main), comme les plus paisibles depuis la mort de nos parents. Nous avions enfin trouvé un équilibre. La pression financière s'était un peu relâchée, et Matt avait fini par accepter le sacrifice de Luke, ne serait-ce que parce qu'il avait trouvé un moyen de le rembourser, même s'il n'en avait pas encore parlé.

Moi, je tirais du réconfort, voire une certaine gloire, du fait que Luke soit associé à l'école, malgré la modestie de ses fonctions. Parfois, les jours de Mme Stanovich, si les travaux agricoles le permettaient, il passait à l'école pendant la récréation pour voir s'il n'y avait pas quelque chose à faire. Je me souviens de les avoir regardés, Mlle Carrington et lui, à quatre pattes, évaluant les dégâts causés par un porc-épic aux fondations de bois de l'école. Luke s'était relevé et essuyé les mains sur son jean, disant gaiement que ce n'était pas grand-chose, il réparerait au cours de l'été et traiterait toute la surface à la créosote ; Mlle Carrington, elle, hochait la tête, apparemment rassurée. J'étais fière de lui, et je me demandais si les autres avaient remarqué que mon frère avait rassuré l'institutrice.

Entre-temps, Rosie Pye était revenue à l'école. Après la disparition de Laurie, on ne l'avait pas vue pendant plusieurs semaines ; en fait, toute la famille

248

Pye était demeurée invisible. Mais, petit à petit, les choses avaient repris un cours plus ou moins normal. Rosie était tellement silencieuse et bizarre avant qu'elle ne semblait guère différente. Marie passait ses journées sur le tracteur, à faire le travail de son frère, et si elle paraissait plus effacée qu'avant, eh bien, cela n'avait rien d'étonnant.

Calvin était égal à lui-même. Matt travaillait toujours pour lui le samedi. À l'époque, il était le seul, au village, à avoir des contacts réguliers avec les Pye. Il racontait que maintenant Calvin était plus agréable, parce qu'en l'absence de Laurie il n'était plus constamment en fureur.

Seule Mme Pye était visiblement changée. Les dames de la paroisse secouaient la tête et disaient qu'elle était très affectée par la disparition de Laurie. Elle ne sortait plus de chez elle et, quand quelqu'un passait, elle n'ouvrait pas la porte. Le révérend Mitchell avait tenté d'en parler à Calvin, mais on lui avait répondu de s'occuper de ses affaires.

Quant à Laurie, on n'avait vu aucun signe de lui depuis son départ, bien que le plus jeune fils de M. Janie, en allant à New Liskeard, ait cru l'apercevoir, travaillant sur le marché.

Il peut sembler bizarre, quand on y songe, que sa disparition n'ait pas suscité plus de réactions. Il n'avait pas d'argent, pas de nourriture, pas de vêtements et aucune expérience du monde en dehors de Crow Lake. On aurait pu croire que les gens auraient alerté la police.

Je suppose qu'ils étaient habitués. Laurie n'était qu'un autre point sauté dans cette tapisserie familiale déjà pleine de trous.

Ce printemps, j'ai commencé à sortir de la coquille dans laquelle j'étais restée enfermée presque une année. Jusque-là, j'avais peu participé aux événements. Comme si j'avais subi un rétrécissement de mon champ visuel, je n'étais capable de me concentrer que sur un espace restreint : Matt, Bo et Luke m'apparaissaient clairement, tout le reste était flou. Mais finalement, ce printemps-là, mon champ visuel a recommencé à s'élargir. Janie Mitchell, la cadette du révérend et de Mme Mitchell, était autrefois ma meilleure amie ; un jour de mai, elle m'a proposé d'aller jouer chez elle après l'école et j'ai accepté. Elle m'avait déjà invitée, mais je n'avais jamais voulu. Maintenant, si.

J'y suis allée un mercredi. On s'est déguisées, si mes souvenirs sont bons. L'après-midi s'est bien passé, et Mme Mitchell a suggéré que je vienne de manière régulière. Puis elle a proposé que Bo vienne aussi, d'abord en même temps que moi. Là encore, cela s'est bien passé, aussi a-t-elle demandé à Luke si Bo aimerait rester l'après-midi entier. Bo était contente. Les Mitchell avaient un bébé qui l'intriguait, et aussi un chien (pas aussi gentil que Molly, mais tout de même assez gentil).

Luke avait donc un autre après-midi de libre. Nous progressions, comme vous le voyez. Je me rappelle le plaisir fébrile de Matt et Luke, quand ils nous pressaient de questions sur les événements de ces après-midi. À quoi avions-nous joué ? Est-ce que nous nous étions bien amusées ? Bo avait-elle joué avec nous ? Est-ce que nous nous étions disputées ? Un vrai couple de mères poules, ces deux-là.

J'ai eu huit ans à la fin du mois de mai : nous nous sommes alors rendu compte, avec un choc, que nous avions oublié l'anniversaire de Bo quatre mois plus tôt. Bo ne s'était doutée de rien, bien sûr, mais nous autres étions consumés de honte. Mme Stanovich était consternée. Elle m'avait préparé un gâteau avec un glaçage rose ; et la voilà qui s'agitait comme une tornade dans la cuisine, pour en préparer un autre. Sur le bord supérieur de chacun elle a planté des morceaux de sucre, tous surmontés d'une petite fleur en sucre couleur pastel. J'étais fascinée. Je n'avais jamais vu autant de raffinement, autant d'art au service de la nourriture. Dieu seul sait où elle se les était procurées – elles avaient dû lui coûter une petite fortune. Je suis sûre qu'elle n'aurait jamais imaginé les donner à ses propres enfants.

Je me rappelle sa conversation avec Bo. Elles avaient entamé le dialogue à ce moment-là et développé une relation qui, je crois, les satisfaisait toutes les deux.

Mme Stanovich a posé le gâteau sur le buffet, à côté du mien, et dit quelque chose du genre : « Voilà, mon petit agneau. Ton gâteau à toi.

— Suis pas mon petit agneau », a dit Bo. Elle léchait le bol du glaçage, si bien que le gâteau l'intéressait moins qu'il ne l'aurait pu.

« Mon Dieu, tu as raison, a dit Mme Stanovich. Suis-je bête. Tu es ma Petite Beauté. »

Bo semblait ravie. Elle a plongé dans le bol de glaçage, a brièvement réapparu, agitant sa cuillère vers Mme Stanovich et disant d'un air triomphal : « Bo-té, Bo-té ! »

Mme Stanovich lui a fait un grand sourire mais la scène (cette adorable petite fille, privée de maman, le visage tout rose de glaçage, avec son gâteau d'anniversaire atrocement en retard) était trop poignante pour elle. J'ai vu sa bouche se mettre à frémir. J'ai voulu me glisser hors de la pièce, mais elle m'a rappelée.

« Katherine, trésor ? »

Je suis revenue à contrecœur. « Oui ?

— Trésor, comme il y a deux gâteaux... » Elle a tiré un grand mouchoir de sa large poitrine, s'est mouchée un bon coup, a fourré le mouchoir à sa place, avant de prendre une inspiration tremblante. Elle faisait des efforts héroïques, vraiment. « Comme il y a deux gâteaux, je me demandais si ça te plairait que je mette le tien dans une boîte pour que tu puisses l'emporter à l'école et le partager avec tes amis demain. »

C'était une bonne idée. Elle me faisait grand plaisir. « D'accord, merci. »

Peut-être lui ai-je souri, à moins que ce ne soit le « merci », ou le fait qu'entre-temps Bo s'était collé du glaçage rose dans les cheveux : en tout cas, c'était trop pour elle. Cessant de lutter, elle a fondu en larmes.

En arrière-plan, il y avait toujours Matt et ses livres. Pendant tous les mois de mai et juin, tandis que le reste de la maisonnée s'agitait autour de lui, dans le chaos habituel, Matt demeurait assis à la table de la cuisine, à griffonner. C'était lui qui nous gardait la plupart du temps et il ne devait sans doute pas vouloir s'éloigner de Bo mais, même quand Luke était à la maison, il ne recherchait pas le calme de sa chambre. Nous n'étions peut-être qu'un bruit de fond. Il devait avoir des facultés de concentration exceptionnelles.

J'adorais le regarder. Il m'arrivait parfois de m'asseoir à côté de lui et de faire des dessins au dos de ses feuilles de notes ou d'observer le mouvement de son stylo. Il écrivait si vite que les mots me semblaient courir le long de son bras avant d'atterrir sur le papier. Quand il faisait des maths, il y avait une grande ligne de chiffres qui serpentait sur la feuille ; le crayon traçait des signes et des gribouillis entre les chiffres qui, je le savais, avaient une signification même si j'ignorais laquelle. À la fin d'un problème, lorsqu'il avait trouvé la bonne réponse, il la soulignait à grands traits. Si le résultat n'était pas juste, s'il avait fait une erreur en cours de route, il disait : « Quoi ? QUOI ? » d'un ton indigné qui me faisait toujours pouffer de rire, puis il barrait la page et recommençait.

Je n'ai pas le souvenir qu'il ait montré le moindre signe d'angoisse, ni avant ni pendant les examens, même si, durant une courte période précédant l'échéance, nos expéditions aux étangs ont été plus courtes. Mais dès le début des épreuves, il est devenu carrément relax. Quand Luke lui demandait si telle ou telle matière avait bien marché, il se contentait de répondre « pas mal », d'un ton neutre, sans s'étendre sur le sujet.

Et puis la fin des examens est arrivée, sans tapage et sans donner lieu à des réjouissances particulières. Matt a retiré ses papiers de la table de la cuisine, les a rangés en piles bien nettes par terre dans sa chambre, et il a repris le boulot chez Calvin Pye pour l'été.

Songez à tout ce travail. À tant d'abnégation et de volonté. Aux heures et aux heures d'études. Tout ce travail en hommage à nos parents, pour tirer quelque chose de positif de cette année de malheur, pour se prouver quelque chose à lui-même et à Luke, pour moi, pour lui-même, pour le simple plaisir – peut-être ça par-dessus tout. Tout ce travail pour pouvoir à son tour nous entretenir, pour l'avenir de la famille. Tout ce travail parce qu'il savait qu'il en était capable et que ses efforts seraient récompensés.

Comme si la vie était aussi simple que cela.

Les gens disent : « On peut réussir tout ce qu'on veut si on le veut assez fort. » C'est une aberration, évidemment, mais je suppose qu'on travaille tous avec l'idée que c'est vrai : que la vie est simple et que l'effort sera récompensé. Ça ne vaudrait pas la peine de se lever le matin si on n'y croyait pas. Je suis sûre que cette croyance étayait la volonté de l'arrière-grand-mère d'éduquer ses enfants. Jackson Pye aussi devait y croire – songez à l'incroyable quantité d'efforts et d'énergie qu'il avait déployée pour faire sortir sa ferme de cette terre inhospitalière. Le beau corps de bâtiment, la grange solide, les remises et les dépendances, les champs, gagnés sur la forêt, les tonnes de pierre soulevées, les arbres déracinés, les clôtures autour des prés. Arthur Pye avait dû croire la même chose : croire qu'il réussirait là où son père avait échoué, si seulement il travaillait assez dur. Et Calvin après lui.

Et les femmes de la famille Pye : en découvrant cette ferme pour la première fois, toutes avaient dû être emplies d'excitation et de détermination, toutes avaient dû imaginer une grande famille heureuse, les allées et venues sous cette large véranda, la porte qui claquait. De tout leur cœur, elles avaient dû partager les rêves de leurs maris, y croire et se raccrocher désespérément à cette foi pendant des années. Parce que, dans un monde idéal, l'effort, à l'instar de la vertu, est récompensé, et il serait idiot de ne pas faire comme si c'était un monde idéal.

J'ai fini l'école une semaine ou deux après les examens de Matt, et nous nous sommes installés dans une routine estivale. Mme Stanovich venait toujours les mardis et jeudis après-midi, Bo et moi continuions de passer le mercredi chez les Mitchell, ce qui permettait à Luke de travailler ces jours-là. M. Tadworth, dont il avait défriché le champ un peu plus tôt ce printemps, lui avait demandé de l'aider à bâtir une nouvelle grange. Il lui avait offert plus d'argent que Calvin Pye n'était prêt à le payer, et se montrait un employeur beaucoup plus agréable, aussi Luke avait-il accepté, même s'il devait se sentir coupable de laisser Matt aller seul à la ferme. Avec le départ de Laurie, Calvin manquait cruellement de main-d'œuvre et Matt travaillait douze heures par jour. Il disait que Marie en faisait plutôt vingt-quatre : elle passait la journée sur le tracteur et, le soir, s'occupait de la cuisine et du ménage. Mme Pye était mal en point. Un soir, on l'avait retrouvée, bouleversée, errant sur les routes autour de la ferme. M. McLean l'avait croisée alors qu'il rentrait de la ville, avec l'approvisionnement de la semaine pour le magasin. Elle lui avait dit qu'elle cherchait Laurie. D'après M. McLean, elle avait dû tomber dans un fossé : elle avait les cheveux emmêlés, le visage et les mains sales et écorchés, la jupe déchirée. Il avait voulu la conduire chez le révérend Mitchell, mais elle avait refusé et il l'avait raccompagnée chez elle.

Juillet est arrivé. Un soir, j'ai surpris Matt et Luke dans la cuisine, disant que cela paraissait incroyable que cela fasse déjà un an. Je ne savais pas de quoi ils parlaient. Qu'est-ce qui faisait un an ? J'écoutais, mais ils n'ont pas développé. Au bout d'une minute, Luke a dit : « Quand auras-tu tes résultats ?

— D'un jour à l'autre », a répondu Matt. Il a marqué une pause puis il a ajouté : « Tu pourrais toujours y aller, tu sais.

— Aller où ?

— À l'École normale. Je suis sûr qu'ils t'accepteraient encore. »

Il y a eu un silence. Même cachée derrière la porte, je devinais qu'il était lourd de menaces.

« Tout ce que je dis, a repris Matt, c'est que si tu as changé d'avis, il n'est probablement pas trop tard. Je suis sûr qu'ils t'accepteraient. Je pourrais rester avec les filles. »

Le silence s'est prolongé. Puis Luke a dit : « Écoute-moi bien, d'accord ? C'est moi qui reste avec les filles. Et je ne veux plus que le sujet soit abordé. Jamais. Même si on vit tous les deux mille ans, je ne veux plus jamais en entendre parler. »

J'ai attendu, le visage crispé d'appréhension. Mais Matt n'a pas répondu et Luke a conclu, plus calme : « À quoi tu penses, de toute façon ? Je croyais que tu étais censé être intelligent. Même si je le voulais, il n'y aurait pas assez d'argent. C'est pour ça que tu dois décrocher une bourse. »

Je me souviens du soulagement que j'ai ressenti : ils n'allaient pas se disputer. C'était là tout ce qui m'intéressait. Le sujet de leur conversation ne m'inquiétait pas du tout, parce que, si impensable que cela soit et bien qu'ils aient passé une année à se disputer pour savoir si oui ou non Matt allait « y aller », je n'avais jamais vraiment pris conscience qu'il allait partir. Je me demande comment j'ai pu passer à côté de ça, mais c'est un fait. Je n'en avais aucune idée.

Nul ne doutait que Matt obtiendrait une bourse, mais même ses professeurs n'avaient pas dû anticiper un tel succès. Il a littéralement tout raflé.

Je me rappelle la soirée qui a suivi l'arrivée des résultats. Le dîner était constamment interrompu par les gens qui passaient le féliciter, tous rayonnant de fierté à l'idée que Crow Lake ait été le berceau d'une telle réussite.

Mlle Carrington est venue la première. Le lycée avait dû la prévenir dès la confirmation des résultats, elle l'avait donc appris presque en même temps que Matt. Je ne l'avais pas vue depuis plusieurs semaines et, intimidée, j'étais restée en retrait. Je me souviens de son rire (ils riaient tous les trois) ; de Matt, à la fois ravi et gêné, et de Luke qui lui donnait des coups, assez rudes, sur l'épaule. En les regardant, je ne comprenais pas très bien ce que signifiait tout ce remue-ménage, sinon que Matt était la personne la plus intelligente du monde, ce que j'avais toujours su, et j'étais contente que les autres aient fini par s'en apercevoir. Et là encore, de manière incroyable, je n'avais toujours aucune idée des conséquences.

Matt a appelé tante Annie. Elle devait connaître la date des résultats et avait dû lui demander de téléphoner. J'ignore ce qu'elle lui a dit mais je revois Matt, tout rouge, un grand sourire aux lèvres.

Marie Pye est passée. Matt s'est levé d'un bond en la voyant descendre l'allée, et il est allé à sa rencontre. Je l'ai vue sourire, de son sourire nerveux, et lui dire quelque chose qui l'a fait sourire en retour. Je me souviens d'autres amis, parmi lesquels le révérend Mitchell, tous désireux de serrer vigoureusement la main de Matt. Le Dr Christopherson est passé le dernier, après avoir appris la nouvelle et parcouru tout le chemin depuis la ville.

Je le vois encore dans la cuisine, Bo et Molly dansant autour de ses jambes, s'exclamant : « Une réussite extraordinaire, Matt. Extraordinaire. »

Je me souviens de l'avoir entendu ajouter : « Quand pars-tu ? Début septembre ? »

Et de ma confusion. Je me souviens de ma confusion.

« Pour combien de temps ? » ai-je demandé.

Une hésitation. Puis, doucement : « Quelques années.

— Tu n'aimes plus être ici ?

— Si, j'adore être ici, Kate. C'est chez moi. Et je reviendrai très, très souvent. Mais il faut que je parte.

— Tu reviendras tous les week-ends ? »

Il avait le visage tendu, mais je ne ressentais aucune pitié pour lui.

« Pas tous les week-ends. Ça coûte cher, les aller et retour. »

Un long silence, pendant que je luttais contre la douleur dans ma gorge.

« C'est très loin ?

— Environ six cents kilomètres. »

Une distance inimaginable.

Il a tendu la main pour toucher une de mes nattes. « Viens ici. J'ai quelque chose à te montrer. » Mes larmes s'étaient mises à couler mais il n'a fait aucun commentaire. Il m'a emmenée dans la chambre de nos parents et m'a placée devant la photo de notre arrière-grand-mère.

« Tu sais qui c'est ? »

J'ai hoché la tête ; bien sûr que je le savais.

« C'est la grand-mère de papa. La mère de son père. Elle a passé sa vie à la ferme. Elle n'est jamais allée à l'école, mais elle avait une énorme soif d'apprendre. Une énorme soif de connaître les choses, de les comprendre. Elle trouvait le monde fascinant, et voulait tout savoir sur lui. Elle était très intelligente, mais c'est très dur de s'instruire quand on n'a presque pas le temps d'étudier et personne pour vous y aider. Alors elle avait décidé que, quand elle aurait des enfants, chacun aurait la chance d'apprendre.

« Et tous sont allés à l'école primaire. Mais ils ont

dû arrêter pour gagner leur vie, parce qu'ils étaient vraiment très pauvres.

« Son plus jeune fils, notre grand-père – c'était le plus intelligent –, a grandi et a eu à son tour six enfants. Il était fermier, très pauvre également, mais lui aussi a envoyé tous ses enfants à l'école primaire, et puis tous les aînés ont fait le travail du plus jeune afin qu'il puisse aller au lycée. C'était papa. »

Il s'est assis au bout du lit de nos parents. Pendant une minute ou deux, il m'a regardée, et peut-être parce que je venais juste de voir les yeux de l'arrière-grand-mère, je me suis rendu compte à quel point ceux de Matt leur ressemblaient. Ses yeux et sa bouche.

« J'ai la chance d'aller encore plus loin, Kate, a-t-il repris. J'ai la possibilité d'apprendre des choses dont notre arrière-grand-mère n'aurait même pas osé rêver. Il faut que j'y aille. Tu comprends ? »

En fait – et cela montre à quel point il avait été bon professeur, pendant nos années ensemble – je comprenais très bien.

« Écoute, je voudrais te dire quelque chose, d'accord ? J'ai un plan. Je n'en ai pas encore parlé et je compte sur toi pour ne le dire à personne. Ce sera notre secret. D'accord ? Tu promets ? »

J'ai hoché la tête.

« Quand je quitterai l'université, et si j'ai très bien travaillé, je pourrai trouver un bon emploi et gagner des tonnes d'argent. Et je paierai pour que tu puisses aller à l'université à ton tour. Et quand tu auras fini, tous les deux, on paiera pour que Luke et Bo y aillent. Voilà mon plan. Qu'en penses-tu ? »

Ce que j'en pensais ? Je pensais que j'allais sans doute mourir de le perdre, mais que si je m'en sortais, ça vaudrait presque le coup d'avoir survécu pour participer à un plan aussi glorieux.

CINQUIÈME PARTIE

Vingt

« Te rends-tu compte que c'est ma première incursion en territoire inexploré ? J'ai déjà survolé la région, mais je n'y ai jamais pénétré, a dit Daniel.

— Elle est explorée depuis plus d'un siècle. Si tu fais attention, tu t'apercevras que nous sommes sur une route.

— Une piste, a rectifié gaiement Daniel. Une misérable piste. »

Ce n'est pas une piste, mais une route pavée. Et même avant qu'elle le soit, c'était une route très correcte, un peu bourbeuse au printemps, un peu poussiéreuse l'été, parfois enneigée l'hiver, mais sinon tout à fait carrossable. Daniel était aux anges. Pour lui, c'était ça le Vrai Truc, la Nature Brute. Daniel en connaît autant sur les grands espaces que le chauffeur de taxi lambda de Toronto.

Je n'avais pas cours le vendredi après-midi, et lui n'avait qu'un TD jusqu'à onze heures, aussi sommes-nous partis juste après. Nous avions six cents kilomètres à parcourir : si ce n'est plus une distance inimaginable, cela reste un long voyage.

C'était une belle journée d'avril, claire et ensoleillée. Les banlieues de Toronto ont vite laissé place à des champs, puis, le sol s'appauvrissant, les champs ont laissé la place à des prairies bordées d'arbres, avec des affleurements ronds et gris de granite fendant çà et là la surface comme des baleines. Enfin, les baleines ont pris le dessus, et les prairies se sont bientôt réduites à de pauvres carrés d'herbe entre les rochers.

Nous avons atteint la région de Cottage country à deux heures. Après Huntsville, la circulation s'est clairsemée, et, à partir de North Bay, nous avons eu la route pour nous tout seuls. Aujourd'hui, elle est asphaltée jusqu'à Struan. Au-delà seulement, quand on tourne pour continuer jusqu'à Crow Lake, le macadam s'arrête, la forêt reprend ses droits et on a l'impression de remonter le temps.

Un peu plus loin, repérant un bosquet de pins blancs rabougris en bordure de route, j'ai ralenti et me suis arrêtée.

« Encore ? a demandé Daniel.

— J'en ai bien peur. »

Je suis sortie de la voiture et me suis frayé un chemin à travers les sous-bois. Les pins poussaient sur une faible pente, entre des arêtes nues de granite ; autour d'eux, des buissons d'airelles, grêles et tenaces, disputaient la place à l'herbe, la mousse et le lichen, tous en quête d'espace pour s'enraciner. Par endroits, la couche de terre arable est si fine que l'effort pour s'y développer semble vain, et pourtant ils y arrivent. Ils prospèrent, même. Ils dénichent chaque fissure, chaque fente, chaque grain de terre, ils déploient leurs solides petites racines et s'enfoncent, s'accrochent, ils amassent chaque feuille morte, chaque brindille, chaque grain de sable ou de poussière apporté par le vent, et petit à petit constituent assez de sol autour d'eux pour se reproduire. Et ainsi la vie continue, au fil des siècles. J'oublie, quand je suis loin, à quel point j'aime ce paysage. Je me suis accroupie, derrière le maigre abri des pins, battant des mains derrière moi pour chasser les mouches noires, et j'ai uriné sur un coussin de mousse d'un vert brillant, avec un plaisir presque douloureux.

« Ça va ? m'a demandé Daniel quand je suis retournée à la voiture. Tu veux que je prenne le volant ?

— Ça va. »

J'étais tendue, c'est tout.

Ma petite crise de confiance dans l'amphithéâtre remontait au mardi précédent. Ensuite, j'avais été un peu fébrile et je n'avais pas bien dormi pendant les deux nuits suivantes. Le jeudi, j'avais donné un autre cours et, même s'il s'était bien passé – pas de flash-back, pas de trou de mémoire en plein milieu d'une phrase, une bonne séance de questions-réponses à la fin –, j'en étais sortie épuisée. J'étais retournée au labo pour travailler, mais j'étais incapable de me concentrer. Je ne cessais de penser à Matt. J'avais en tête une image de lui, debout près du lac. Je suis entrée dans mon bureau, me suis assise et j'ai regardé le ciel par la fenêtre. Il pleuvait. Cette pluie triste et grise de Toronto. Je me suis dit : Ça ne va pas, moi. Je suis peut-être malade.

Mais je savais bien que non. Un souvenir m'est revenu : Mme Stanovich, pleurant au-dessus de l'évier de la cuisine, disant au Seigneur qu'elle supposait qu'Il devait avoir Ses raisons, mais que ça la rendait malade. « J'en suis malade », disait-elle d'un ton féroce, bien décidée à Lui exprimer le fond de sa pensée. Je ne crois pas que c'était à cause de nous, cette fois-là. Il me semble que le petit-fils de Mme Tadworth venait de mourir d'une maladie infantile dont on ne mourait pas d'ordinaire.

Je regardais la pluie couler lentement sur la fenêtre, petites rigoles de lumière. Ces temps-ci, j'avais l'impression de ne faire que penser à la maison. Cela ne me menait nulle part. Je me suis dit : Tu dois te reprendre. Déterminer le problème pour le démêler. Tu es censée être bonne pour résoudre les problèmes.

Sauf que j'ai peu l'habitude de m'attaquer à des problèmes sur lesquels je ne suis même pas capable de mettre un nom.

À cet instant, un coup hésitant a retenti à la porte et, me retournant, j'ai découvert Fiona deJong, une étudiante de deuxième année, dans l'encadrement. En temps normal, la vue d'un étudiant à ma porte suscite chez moi une impatience irraisonnée, mais là, toute distraction paraissant la bienvenue, je lui ai demandé ce que je pouvais faire pour elle. C'est une fille pas très jolie, au teint pâle, aux cheveux châtains, mous et ternes. D'après ce que j'en ai vu en classe, elle ne devait pas être très bien intégrée, mais elle est un de mes seuls étudiants pour qui, scolairement parlant, je nourris quelque espoir, et son travail me déprime moins que celui de la plupart.

« Pourrais-je… vous parler un moment, mademoiselle Morrison ? m'a-t-elle demandé.

— Bien sûr. Entrez, Fiona. Asseyez-vous. » J'ai désigné la chaise près du mur et, encore un peu hésitante, elle est allée s'asseoir.

Certains collègues (surtout des femmes) se plaignent d'être constamment dérangés par des élèves (surtout des filles), qui viennent leur demander conseil sur des sujets sans rapport avec leurs études. Des problèmes personnels ou autres. Moi, je suis rarement importunée. Je ne dois pas avoir le genre du prof sympa.

J'imagine que je ne suis pas un prof sympa. Après tout, sympathie et empathie sont liées. Je m'attendais donc que Fiona me soumette un problème de travail, et j'ai été surprise, pour ne pas dire inquiète, en voyant sa bouche trembler.

Je me suis éclairci la gorge. Au bout d'une minute, comme la situation n'avait pas l'air de s'améliorer, j'ai dit d'un ton très calme : « Qu'y a-t-il, Fiona ? »

Tête baissée, elle faisait des efforts évidents pour se reprendre, et soudain j'ai pensé : Oh, mon Dieu, elle est enceinte.

Je suis incapable de gérer ce genre de situation. L'université possède un service social, où des psychologues qualifiés ont l'expérience de ces choses-là et savent ce qu'il faut répondre.

J'ai dit très vite : « Si c'est une affaire personnelle, Fiona... Si c'est sans rapport avec votre travail, je ne suis peut-être pas la meilleure personne... »

Elle a levé les yeux. « C'est en rapport avec mon travail. C'est... enfin, je voulais juste vous informer que j'abandonnais. J'ai décidé que c'était la meilleure chose à faire. Mais je voulais vous prévenir. Parce que j'ai beaucoup aimé votre cours, alors je tenais à vous le dire. »

Je l'ai regardée. En plus de la surprise, j'étais consciente de ressentir une petite pointe de plaisir. Enfin une étudiante qui appréciait mon cours.

« Abandonner ? Vous voulez dire abandonner l'université ? Ou changer d'orientation ?

— Abandonner l'université. C'est... c'est difficile à expliquer, mais en bref, je ne pense pas vouloir continuer. »

J'ai cligné les yeux. « Mais vous êtes une très bonne élève. Quel... quel est le problème d'après vous ? »

Elle me l'a expliqué, et cela n'avait rien à voir avec

une grossesse. Elle m'a dit qu'elle venait d'une petite ferme du Québec. Elle l'a décrite, mais ce n'était pas nécessaire, je la voyais très bien. J'arrivais presque à discerner les motifs bleus sur la porcelaine blanche, sur la table de la cuisine.

Dans une famille de cinq enfants, elle était la seule à s'intéresser aux études. Elle avait décroché une bourse pour aller à l'université. Son père avait été à la fois surpris et contrarié quand elle avait annoncé qu'elle comptait y aller. Il ne voyait pas ce qu'un diplôme lui apporterait. Une perte de temps, avait-il dit, et de l'argent jeté par les fenêtres. Sa mère était fière d'elle, mais assez perplexe. Pourquoi voulait-elle quitter la maison ? Ses frères et sœurs, qui la trouvaient bizarre avant, ont été confortés dans leur opinion. Son petit ami a essayé de comprendre. Elle m'a lancé un regard suppliant en disant cela ; elle voulait que je l'apprécie, ce garçon, que je l'admire d'avoir essayé.

Le problème, c'est qu'elle s'éloignait d'eux tous. Quand elle rentrait chez elle maintenant, plus personne ne savait quoi lui dire. Son père faisait des plaisanteries aigres sur son intelligence, il l'appelait miss Fiona deJong-ai-là-dedans. Sa mère, dont elle avait été très proche, était devenue timide avec elle. Elle n'osait plus lui parler parce qu'elle n'avait rien d'intelligent à dire.

Son petit ami était souvent en colère. Il essayait de se contenir, mais sans succès. Il voyait chez elle de la condescendance là où il n'y en avait pas. Il voyait du mépris alors qu'en réalité elle l'admirait. Il avait quitté l'école à seize ans. Deux ans plus tard, son père avait eu une attaque, et depuis il s'occupait de la ferme presque tout seul. Il était gentil, m'a-t-elle dit, et, à sa façon, aussi intelligent que tous les garçons de la classe, et dix fois plus mûr, mais il ne croyait pas qu'elle le pensait. Même s'il ne le disait pas, elle était sûre qu'en secret il considérait que, si son amour pour lui avait été réel, elle aurait laissé tomber ses études, serait rentrée chez elle et l'aurait épousé.

Fiona a cessé de parler, m'a regardée, le visage plein d'une supplication muette. J'ai réfléchi, puis, finalement, je lui ai demandé : « Quel âge avez-vous, Fiona ?

— Vingt et un ans.

— Ne croyez-vous pas que vous êtes... un peu jeune pour prendre ce genre de décision ?

— Mais... je suis bien obligée. Dans tous les cas, il faut bien prendre une décision, non ?

— Mais vous avez déjà fait deux ans d'études. Vous êtes à mi-chemin. Si vous abandonnez maintenant, ces années seront perdues... À ce stade, le plus raisonnable serait sûrement de finir le cycle, et ensuite... ensuite vous serez plus à même de... choisir. »

Elle a de nouveau baissé la tête. « Je ne crois pas que ça en vaille la peine.

— Vous m'avez dit que vous aimiez les cours...

— Oui, mais...

— Vous m'avez dit que votre mère était fière de vous. Je suis sûre que votre père l'est également. Il ne comprend peut-être pas ce que vous faites, mais je suis sûre qu'au fond de lui il sera fier de votre réussite. Vos frères et sœurs aussi, même s'ils ne veulent pas le montrer. Quant à votre petit ami... vous ne croyez pas que s'il tenait véritablement à vous, il ne voudrait pas vous voir abandonner une chose aussi importante ? Une chose qui pourrait réellement changer votre vie ? »

Elle est restée silencieuse, les yeux fixés sur ses genoux.

« Je comprends ce que vous ressentez, ai-je

poursuivi. Je viens d'un milieu pas si différent du vôtre, mais je vous assure que cela en vaut la peine. Le plaisir, la satisfaction... »

Une larme est tombée sur ses genoux. Des larmes roulaient doucement sur ses joues. J'ai détourné les yeux et, par la porte ouverte, j'ai regardé le chaos organisé de mon labo. Un tissu de mensonges, ai-je pensé. Tu ne comprends pas ce qu'elle ressent. Tu viens d'un milieu complètement différent. Le fait qu'il y ait eu des arbres et des champs ne les rend pas semblables. Qu'est-ce qui te prend, d'essayer de la convaincre de faire le choix que toi tu aurais fait ? Elle est venue pour t'annoncer qu'elle abandonnait, pas pour demander conseil. Elle est venue par politesse.

Elle avait sorti un Kleenex de la poche de sa veste et s'essuyait le visage.

« Je suis désolée, ai-je dit. Oubliez ce que je viens de dire. »

D'une voix étouffée par le Kleenex, elle a répondu : « C'est bon. Je sais que vous avez sûrement raison.

— J'ai sûrement tort. »

Elle avait besoin d'un mouchoir propre. Je me suis levée pour aller fouiller dans mes poches de manteau et en ai trouvé un.

« Merci, a-t-elle dit, et elle s'est mouchée. Je n'ai pas arrêté d'y penser, et maintenant j'ai tellement mal à la tête que je n'arrive même plus à réfléchir du tout. »

J'ai hoché la tête. Ça, c'était un sentiment que nous partagions. Au bout d'une minute, j'ai dit : « Vous voulez me faire plaisir ? »

Elle a eu l'air incertaine.

« Pourquoi n'iriez-vous pas au service social pour en parler à quelqu'un ? Je ne pense pas qu'ils essaieront de vous influencer dans votre décision, mais ils vous aideront à y voir plus clair, de manière que vous soyez sûre de votre choix. »

Elle a accepté et, deux minutes plus tard, plus ou moins remise, elle est ressortie.

Après son départ, j'ai tourné ma chaise vers la fenêtre et j'ai de nouveau contemplé la pluie. J'ai pensé à ses frères et sœurs, qui l'avaient toujours trouvée « bizarre », puis à la fierté que ma réussite inspirait à Luke et à Matt. Non, nous ne venions pas du même milieu. Personne n'avait jamais dit que je ne devais pas aller aussi loin que possible. Au contraire, c'est ce qu'on attendait de moi, et on m'avait encouragée à chaque étape.

Jamais je ne l'avais regretté. Pas une seule minute. Pas même maintenant. Parce que maintenant, en y repensant, je me rendais compte que, quelle que soit la cause de ma petite « crise » ou de mes problèmes actuels, elle n'était pas liée à mon travail. C'était un prétexte. Même si je n'étais pas un professeur formidable, Daniel avait raison, je n'étais pas pire que la plupart. Et j'étais une excellente chercheuse. Nous apportions notre contribution à la science, mes petits invertébrés et moi.

J'ai songé à Fiona. À sa peur de s'éloigner de sa famille. Où était le problème ? Mon esprit conscient me soufflait que moi, j'étais prête à payer ce prix-là, mais mon inconscient n'était peut-être pas d'accord.

Sauf que je ne m'étais pas éloignée d'eux. En tout cas pas de Luke et de Bo. Il y avait eu une cassure temporaire, pendant mes premières années d'études, mais aujourd'hui j'étais aussi proche d'eux, affectivement, que si j'étais restée à Crow Lake. Nous n'avions pas grand-chose en commun mais n'en étions pas moins proches.

Matt, alors ?

J'ai songé à Matt et il y a eu... un instant de vérité, je suppose. Fiona avait peur de laisser sa famille et son petit ami derrière elle, et, en vérité, c'est probablement ce qui arriverait. Son petit ami avait beau être intelligent « à sa façon », il n'était pas comme Fiona.

Matt, lui, était comme moi. Il aurait dû être impossible de laisser Matt derrière moi.

Cette crise que je traversais, sans parler de la douleur que j'avais traînée avec moi presque ma vie entière, semblait-il, était liée à Matt, bien sûr. Comment eût-il pu en être autrement ? Tout ce que j'étais aujourd'hui, je le lui devais. Toutes ces années passées à l'écouter, à apprendre de lui, à partager sa passion... comment aurais-je pu ne pas être affectée par la façon dont les événements avaient tourné ? Cette chance qu'il avait si passionnément désirée, et amplement méritée, il l'avait gâchée par sa propre faute – et c'était bien ça le pire.

Assise à mon bureau, j'écoutais le brouhaha de l'université derrière moi, souffrant de ce gâchis. Autrefois, je m'imaginais que nous serions toujours ensemble. Tous les deux, côte à côte pour toujours, à observer les étangs. Son plan... ce plan glorieux, absurde et naïf. Des enfantillages. Les choses changent. Tout le monde doit grandir.

Grandir, mais pas forcément s'éloigner comme nous l'avions fait, si ?

Là était le cœur du problème. Je n'avais jamais aimé personne comme j'avais aimé Matt, mais aujourd'hui, quand nous nous voyions, il y avait comme un fossé infranchissable entre nous, et nous n'avions rien à nous dire.

Vingt et un

« Ça paraît dingue de cultiver la terre par ici », a dit Daniel en se grattant la cheville. Nous avions embarqué une cargaison de mouches noires lors de mon arrêt pipi.

J'étais si absorbée dans mes pensées qu'il m'a prise au dépourvu, et il m'a fallu une minute pour comprendre de quoi il parlait. Du paysage, bien sûr. Il y avait pas mal de rochers alentour.

« Le sol n'est pas mauvais. Plutôt bon même, dans les environs de Crow Lake. Forcément, la période de pousse est assez courte.

— Mais tu imagines le travail ! Ils devaient être désespérés pour venir si loin au nord.

— Ils n'avaient guère le choix. La plupart n'avaient pas d'argent, et la terre était gratuite. De la terre de la Couronne. À l'époque, si on s'engageait à défricher, on pouvait l'obtenir pour rien.

— Excuse-moi, mais je comprends pourquoi. » Il s'est gratté énergiquement. Son histoire d'amour avec le Territoire Inexploré serait, semble-t-il, de courte durée. Daniel connaît les mouches noires en théorie,

273

mais en matière d'insectes rien ne vaut l'expérience pratique.

« Ce n'est pas si terrible près du lac, ai-je dit. Ni à la ferme, sauf aux endroits où les champs bordent les bois.

— Tu vivais tout près du lac, étant petite ?

— Oui.

— Tu n'as jamais vécu à la ferme ?

— Non. »

J'ai commencé à lui raconter l'histoire, toute l'histoire, juste avant d'arriver à New Liskeard. Je n'en avais pas l'intention : c'est avant tout l'histoire de Matt, et je l'avais protégée des regards extérieurs pendant toutes ces années. Mais, à mesure que défilaient les kilomètres, je me suis rendu compte que Daniel devait savoir : deux minutes de conversation avec Matt lui apprendraient que mon frère n'était pas à sa place. Malgré tout, j'ai retardé le moment de me lancer jusqu'à ce qu'on ait dépassé Cobalt, quand Daniel s'est étonné, parlant de moi, qu'un tel environnement ait produit une universitaire. Sa remarque m'a agacée. S'il y a un endroit peu propice à la production d'universitaires, n'est-ce pas plutôt la ville, avec le bruit, le chaos, le manque de temps pour la réflexion ou la contemplation ?

Je me suis mise à défendre mon point de vue, tentant de lui expliquer en quoi Crow Lake était au contraire le terreau le plus propice au développement intellectuel, compte tenu de certaines autres conditions telles que les encouragements et le temps pour étudier. Inévitablement, j'ai cité Matt et sa passion pour les étangs en exemple, et inévitablement cela a généré des questions, et toute l'histoire est sortie. À mon extrême contrariété, j'ai eu du mal à empêcher ma voix de trembler quand je suis parvenue à la fin.

Daniel s'en est aperçu, bien sûr, même s'il n'en a rien laissé paraître. S'il était déconcerté de me voir aussi bouleversée, après tant d'années, eh bien, je l'étais tout autant.

D'un ton timide, il m'a demandé : « Luke et ta sœur, Bo. Habitent-ils toujours dans votre maison ?

— Oui.

— Que font-ils ? Bo doit avoir... vingt ans ?

— Vingt et un. Elle travaille à Struan. Elle est cuisinière dans un restaurant. »

Balançant toujours joyeusement des casseroles à la ronde. Elle a suivi une formation en cuisine dans le nouvel établissement technique de Struan. Elle aurait pu passer un diplôme d'économie ménagère, ou quel que soit le nom – j'ai offert mon aide pour le financement –, mais elle a dit qu'elle n'était pas intéressée par le côté théorique.

« Elle a un petit ami ?

— De temps en temps. Rien de stable jusqu'ici, mais ça viendra. »

Dans un monde de peu de certitudes, c'en est une. Matt dit qu'un pauvre gars erre ici-bas, encore parfaitement inconscient du sort qui l'attend.

« Luke est-il toujours l'intendant de l'école ?

— En plus du reste. Il fabrique des meubles.

— Des meubles ? Il a monté une entreprise ?

— Plus ou moins. Il a transformé notre garage en atelier. Il emploie un ou deux garçons des fermes. Ça marche pas mal. »

En fait, il se débrouille très bien. Les meubles rustiques sont très à la mode.

« Il est marié ?

— Non.

— Cette fille... tu sais, celle qui lui courait après...

— Sally McLean.

— Oui. Il n'est jamais sorti avec elle, en fin de compte ?

— Non, Dieu merci. Elle a réussi à se faire mettre enceinte par quelqu'un d'autre environ un an après que Luke... l'a éconduite.

— Quelqu'un de Crow Lake ?

— Oui. Tomek Lucas. Il n'était pas persuadé d'être le père, mais elle a juré que si, et ils se sont mariés. Ensuite, elle a croisé un type plus séduisant à la foire aux bestiaux de New Liskeard et elle est partie avec lui en laissant le bébé. C'est la mère de Tomek qui l'a élevé. Sally a dû en avoir dix autres depuis. Je parie qu'elle est dix fois grand-mère à l'heure qu'il est. »

Soudain, j'ai pensé à M. et Mme McLean, qui adoreraient avoir dix petits-enfants.

« À t'entendre, cela remonte à des siècles, a dit Daniel. Si tes parents sont morts quand tu avais sept ans et si tu as vingt-six ans aujourd'hui, ça fait seulement dix-neuf ans.

— J'ai l'impression que c'était il y a des siècles. »

Sally McLean, aux longs cheveux roux. À l'âge de treize ans, lorsque j'étais entrée au lycée, un nouveau camarade de classe m'avait dit : « C'est toi qui n'as pas de parents, hein ? C'est toi qui as un frère pédé ? »

Je ne savais pas ce que ça signifiait. Quel choc quand je l'avais appris ! Je m'étais alors rappelé la petite scène que j'avais surprise : Sally adossée contre un arbre, prenant la main de Luke pour la guider doucement, avec assurance, vers ses seins. Luke figé, la tête baissée. Et puis son effort, comme s'il luttait contre une force invisible, pour s'écarter.

Pendant longtemps, j'ai été persuadée que Sally avait dû lancer elle-même la rumeur. À présent, je ne sais plus. Je soupçonne que beaucoup de gens ont eu du mal à accepter le sacrifice de Luke pour ce qu'il était. Il n'avait que dix-neuf ans, n'oubliez pas : autant de générosité à un si jeune âge a de quoi faire honte aux autres. Donc, ils n'ont pas pu s'empêcher de le dénigrer. Il n'y a rien de noble à renoncer à quelque chose dont on n'a pas envie. Rien de noble à résister aux avances d'une femme quand on est homosexuel. Rien de noble à refuser une place à l'École normale si on ne veut de toute façon pas y aller. Une autre théorie que j'ai entendue.

Celle-là n'était peut-être pas sans fondement. À mon avis, Luke n'était pas très attiré par le métier d'enseignant. C'est ce que nos parents souhaitaient pour lui, et il n'avait pas de solution de rechange à l'époque ou n'avait pas osé la formuler. Il est sûrement vrai aussi qu'il ne mesurait pas, le jour où il avait annoncé à tante Annie qu'il s'occuperait de nous, tout ce à quoi il allait devoir renoncer pour nous.

À mes yeux, cela n'enlève rien à la valeur de son sacrifice. Quand il l'avait découvert, il y avait renoncé. Comme Sally s'en était aperçue.

Je me demande s'il a eu vent de ces rumeurs. S'il a dû faire face à cela aussi.

« Il n'y a donc toujours pas de femme dans sa vie ? » m'a demandé Daniel. Il paraissait déçu. Je l'ai regardé, amusée. Daniel serait étonné si on lui disait qu'il a l'âme romantique. « Quel âge a-t-il, maintenant ?

— Trente-huit ans. À ma connaissance, il n'a personne. »

Quoique, bizarrement, je me sois posé la question lors de ma dernière visite. Mlle Carrington était passée, comme toujours quand je rentre à la maison, et j'ai cru discerner une certaine... comment dire ? une certaine intimité entre eux. J'ai pu l'imaginer, certes.

Elle a au moins dix ans de plus que lui, même si leur différence d'âge ne semble plus si grande aujourd'hui.

« C'est peut-être devenu une habitude, a dit Daniel.

— Quoi donc ?

— L'abnégation. Le fait de résister à la tentation.

— Peut-être », ai-je répondu, songeant à Matt.

J'ai allumé les phares. Nous avions atteint ce moment du crépuscule où le ciel est encore clair et lumineux, mais où la route, les arbres et les rochers se fondent dans un flou brumeux. Beaucoup plus loin, on voyait une lumière clignoter chaque fois qu'on franchissait la crête d'une colline. Struan. Après Struan, plus qu'une demi-heure et nous serions à la maison.

Dans cette histoire, il y a beaucoup de choses que je dois deviner. Je devine, par exemple, que Mme Pye était dans un état très critique cet été-là, et que ce souci, ajouté à tout le reste, était plus que Marie ne pouvait supporter seule. Elle avait donc cherché du réconfort auprès de Matt. Si seulement elle avait eu plus d'amis, si sa mère avait eu de la famille dans les environs, ou si Calvin ne s'était pas aliéné toute la collectivité, au point que plus personne n'allait frapper à leur porte, si seulement... alors peut-être Marie n'aurait-elle pas ressenti le besoin si fort, si pressant, si pathétique de se tourner vers Matt.

Matt était disponible, voyez-vous. Il était là, bien que la plupart du temps dans les champs, chaque jour, six jours sur sept, pendant tout cet été. Il amassait chaque penny qu'il pouvait, pas pour lui – il avait décroché tant de bourses que même le coût de ses manuels était couvert – mais pour apaiser sa mauvaise conscience à l'idée de nous abandonner.

278

Il était donc disponible. Et ils étaient amis, du moins assez amis, depuis longtemps. Je crois aussi que le chagrin de Matt l'été précédent, après la mort de nos parents, avait en partie brisé la réserve qui existait entre eux. Il lui avait laissé voir qu'il souffrait. Cela a pu créer un lien.

Elle ne lui a pas tout dit, même à ce moment-là, mais je serais prête à parier qu'elle a pleuré sur son épaule. Je suppose que tout a commencé ainsi.

Il a dû passer son bras autour d'elle. Bien sûr : c'est la réaction normale quand quelqu'un pleure sur votre épaule, même chez les presbytériens. Il l'aura tenue dans ses bras, lui aura peut-être tapoté le dos, d'un geste maladroit, comme si c'était Bo. Ça se sera passé derrière la grange ou la remise des tracteurs, en tout cas à l'abri du regard de Calvin. Je suis sûre qu'ils ne se sont jamais adressé la parole devant lui.

Il l'aura prise dans ses bras, par pitié et par compassion, sachant d'expérience ce que ça fait d'être malheureux, et incapable de parler. Je ne crois pas une seconde qu'il ait été amoureux d'elle. Mais il avait dix-huit ans et, en passant les bras autour d'elle, il a dû sentir comme elle était douce. Elle n'était pas jolie, à mon avis. Pas du tout. Trop charnue, et les traits pas assez bien dessinés. Mais elle était féminine, indéniablement, et quand il l'a tenue, il aura senti ses seins, pressés contre lui, il aura caressé ses cheveux du menton ; il aura senti son parfum chaud. Il avait dix-huit ans. Elle était sans doute la première personne qu'il embrassait, en dehors de la famille.

La première fois, ce sera arrivé par accident. Ils tombent l'un sur l'autre alors qu'elle est en larmes. Il reste immobile un moment, gêné, puis pose ce qu'il a dans les bras, et ils se rapprochent, peut-être même sans s'en rendre compte. Elle s'appuie sur lui, parce

279

que enfin elle a trouvé quelqu'un sur qui s'appuyer, et il passe les bras autour d'elle. Après quelques minutes, elle fait un pas en arrière, s'essuie le visage puis dit : « Je suis désolée », de sa petite voix timide et sans timbre.

Et il répond : « Ce n'est rien, Marie. Tout va bien. »

Vingt-deux

Matt et moi n'avons pas passé beaucoup de temps ensemble, cet été-là. Il partait travailler à la ferme avant que je me lève le matin et, le soir, il était trop fatigué pour faire autre chose que s'effondrer sur son lit et lire. Dans la journée, je faisais à contrecœur avec Luke et Mme Stanovich les travaux domestiques, ou j'allais, sans enthousiasme, jouer avec les enfants des voisins qui nous invitaient gentiment, Bo et moi, pour soulager Luke. Je vivais dans l'attente des dimanches, quand Matt était libre. Au début, il m'emmenait aux étangs, comme avant, et me racontait qu'à l'université il allait étudier les créatures qui y vivaient, qu'il y aurait de puissants microscopes permettant de voir comment tout ça marchait. Il disait qu'il m'écrirait, au moins deux lettres par semaine, pour me parler de ce qu'il apprenait, comme ça, quand mon tour viendrait, j'aurais de l'avance. Il me faisait comprendre que, même si nous étions séparés, nous continuerions à observer les étangs, l'un et l'autre, et à en discuter. Et puis, il y aurait les étés. Il me l'avait promis. Quelle que soit la situation financière, il rentrerait pour l'été.

Ça, c'était pendant les premières semaines après la fin de ses examens – notre routine habituelle, mais pleine de projets et de promesses. Puis les choses ont changé. Matt a commencé à disparaître juste après le déjeuner, le dimanche. Parfois, il ne rentrait pas avant l'heure du dîner, et tout l'après-midi était perdu.

Inutile de préciser que je lui en voulais beaucoup. Je l'interrogeais pour savoir où il allait, et il répondait qu'il allait marcher. J'ai demandé si je pouvais l'accompagner, et il a répondu, vaguement mais gentiment, qu'il avait quelquefois besoin d'être seul. J'ai demandé pourquoi, et il m'a dit qu'il devait réfléchir à certaines choses.

Je m'en suis plainte auprès de Luke.

« Matt n'est plus jamais là.

— Oui, il travaille.

— Non, je veux dire quand il ne travaille pas. Le dimanche.

— Ah bon ? a dit Luke. Passe-moi le marteau, s'il te plaît. »

Il réparait les marches menant à la plage, qui étaient abîmées par la glace chaque hiver. Bo arpentait le bord de l'eau, en beuglant des cantiques. « Jésus m'aime, ça je le sais, car la la la me le dit. » Nous ignorions s'il fallait accuser Mme Stanovich ou si elle les avait appris à l'école du dimanche.

« Mais il va où ?

— Je ne sais pas, Kate. J'ai besoin de cette planche. Non, la plus petite. Passe-la-moi, d'accord ?

— Mais il va bien quelque part ? Moi, je veux aller aux étangs ! »

Luke m'a regardée, le marteau en équilibre dans sa main. « Il t'a emmenée des millions de fois à ces maudits étangs. Fiche-lui la paix, OK ? Sans rire, on croirait qu'il t'appartient. »

282

Il a commencé à donner des coups de marteau, très fort. Si l'absence de Matt le gênait lui aussi, s'il eût préféré qu'il soit là pour l'aider le seul jour où ils étaient libres tous les deux, il ne l'a pas dit. C'était impossible, j'imagine, après avoir clamé haut et fort qu'il était capable de se débrouiller seul. Peut-être pensait-il aussi que Matt était inquiet à la perspective de nous quitter, qu'il essayait d'y voir clair et avait besoin de solitude. Ce qui était le cas, bien sûr, mais là n'était pas la question.

Moi, je ne faisais pas la part des choses. Tout ce que j'avais en tête, c'était le peu d'heures qui me restaient à passer avec Matt. Et quand j'y repense aujourd'hui, j'en pleurerais, parce que dans mon ressentiment j'ai réussi à gâcher ces quelques moments. Lorsqu'il avait recommencé à m'emmener aux étangs, j'avais été incapable d'y prendre plaisir. J'avais l'impression qu'il était distrait, pas aussi concentré qu'il l'aurait dû. Je l'ai accusé. J'ai dit : « Tu n'aimes plus les étangs ? »

Il m'a répondu d'un ton las : « Qu'est-ce que tu racontes, Kate ? Écoute, si toi ça ne t'amuse pas, on rentre à la maison. »

On m'avait défendu d'aller seule aux étangs. Ils étaient profonds, et un enfant s'y était noyé un jour. C'est probablement pour cela que j'y suis allée – comme un acte de rébellion.

C'était une journée caniculaire, lourde et silencieuse. J'ai marché en équilibre sur les rails, l'acier chaud me brûlant à travers les semelles de mes chaussures, puis j'ai descendu le sentier jusqu'à « notre » étang. C'était bizarre d'être toute seule là-bas. Pendant un moment, je suis restée à plat ventre, à observer l'eau, mais tous les êtres vivants s'étaient réfugiés à l'abri du soleil. Même en donnant des petits coups dans l'eau, on n'obtenait qu'une brève poussée d'activité puis tout redevenait immobile. Quand je me suis levée, j'avais la tête qui tournait à cause de la chaleur. Si Matt avait été là, il aurait recherché l'ombre de l'autre côté de la berge qui séparait notre étang de celui d'après. Au pied du talus, j'ai hésité, croyant entendre des voix. Mais c'était impossible : personne ne venait ici à part nous. J'ai escaladé le talus, utilisant les touffes d'herbe comme prises, jusqu'au sommet plat et herbeux. Il y avait bel et bien des voix. Sans aucun doute. Je me suis redressée et j'ai scruté l'autre bord.

Ils étaient installés dans l'ombre de la berge en surplomb, à environ six mètres en dessous de moi, sur la gauche. Matt avait retiré sa chemise, l'avait étalée par terre, et tous deux étaient dessus. Marie était couchée, et Matt à genoux près d'elle.

Marie se tenait en chien de fusil. Elle pleurait. D'où j'étais, je ne voyais pas son visage mais je l'entendais. Matt lui parlait, répétant sans cesse la même chose. Je me rappelle sa voix, pressante, presque apeurée, qui ne lui ressemblait pas du tout. Il n'arrêtait pas de dire : « Mon Dieu, je suis désolé, Marie, je suis désolé. Je suis désolé. »

Je n'avais aucune idée de ce qu'il avait fait. Peut-être l'avait-il frappée, violemment, et mise par terre. Mais j'avais du mal à le croire : il en fallait beaucoup pour le mettre en colère au point de frapper quelqu'un, et seul Luke y parvenait. Puis j'ai de nouveau remarqué la chemise, et je me suis dit qu'il ne l'aurait pas étalée pour que Marie tombe dessus, ce n'était donc pas la bonne explication.

Au bout d'un moment, il l'a aidée à se relever et a voulu passer les bras autour d'elle, mais elle s'est détournée. Sa robe légère, en coton imprimé, était toute chiffonnée et s'était complètement défaite devant. Elle a tenté de la reboutonner, d'un geste maladroit, en reniflant. Matt l'examinait, les mains sur les hanches.

« Je suis désolé, a-t-il répété. Je ne voulais pas, Marie. Mais je n'ai pas pu... Mais ça va aller. Ne t'inquiète pas. Ça va aller. »

Elle a secoué la tête, sans le regarder. Je me souviens que malgré ma confusion, je l'ai détestée pour ça. On voyait bien qu'il était bouleversé, mais elle ne voulait rien entendre. Elle a fini de reboutonner sa robe, s'est redressée et a lissé ses cheveux en arrière.

C'est à ce moment-là qu'elle m'a vue. Elle a poussé un cri de pure panique, Matt a fait un bond en arrière et m'a vue à son tour. Pendant une minute, nous nous sommes figés tous les trois. Puis Marie s'est mise à hurler comme une hystérique. Sa peur était si grande qu'elle me l'a communiquée : j'ai fait volte-face et je suis partie en courant, dérapant sur la pente de l'autre côté de la berge, contournant notre étang sans cesser de courir, courir comme je ne l'avais jamais fait de ma vie, mon cœur battant à tout rompre. J'avais parcouru la moitié du sentier vers la voie ferrée quand Matt m'a rattrapée.

« Kate ! Kate, arrête-toi ! » Il m'a saisie par la taille et m'a retenue. Je luttais pour me dégager, donnant des coups de pied, tentant de l'atteindre aux jambes. « Kate, arrête ! De quoi as-tu peur ? Tu n'as aucune raison d'avoir peur ! Arrête, Kate !

— Je veux rentrer à la maison !

— On va rentrer. Dans une minute. On va rentrer ensemble tous les deux. Mais on doit d'abord retourner voir Marie.

— Je vais pas la voir ! Elle est horrible ! À crier comme ça… elle est dégoûtante !

— Elle est bouleversée. Tu lui as fait peur. Allez, viens. »

Marie n'avait pas bougé et, les bras serrés autour d'elle, frissonnait dans cette chaleur ardente. Matt m'a conduite jusqu'à elle, mais il ne savait pas quoi dire. C'est elle qui a parlé.

« Elle va le dire. » Elle était blanche comme un linge. Blanche comme un ventre de poisson. Elle tremblait, sanglotait, reniflait.

« Mais non. Tu ne diras rien, n'est-ce pas, Kate ? »

À présent remise de ma terreur, j'étais gagnée par l'indignation. C'était donc là qu'il était ? Était-ce possible ? Pendant nos précieux dimanches ?

« Dire quoi ? ai-je demandé.

— Oh Matt ! Elle va le dire, c'est sûr ! » Nouveaux sanglots.

Matt s'est tourné vers elle, puis vers moi. « Kate, tu dois promettre. Promettre de ne pas dire que tu nous as vus ici. »

Je ne voulais pas le regarder. J'observais Marie. Marie Pye, que Matt me préférait, alors qu'elle se fichait complètement des étangs, c'était écrit sur son visage.

« Kate ? Tu promets ?

— Je promets de ne pas dire que je t'ai vu », ai-je enfin répondu en me tournant vers lui. Mais il était trop malin pour accepter ça.

« Ni Marie. Tu dois promettre de ne pas dire que tu l'as vue avec quiconque. Parole d'honneur. »

Le silence s'est intensifié.

« Parole d'honneur, Kate, a répété Matt. Tu promets sur toutes les fois où je t'ai emmenée aux étangs. Sur la vie de tous les êtres qui y vivent. »

286

Je n'avais plus le choix. De mauvaise grâce, en marmonnant, j'ai donné ma parole. Marie a eu l'air un peu moins effrayée. Matt a passé un bras autour d'elle et l'a emmenée un peu à l'écart. Je les observais, tellement jalouse que ma lèvre inférieure tremblait. Il lui a parlé très doucement, pendant un long moment. À la fin, elle a hoché la tête et elle s'est éloignée sur le sable en direction du sentier qui menait à la ferme de son père.

Matt et moi sommes rentrés ensemble à la maison. Je me souviens que je n'arrêtais pas de lever les yeux vers lui, espérant qu'il allait sourire et que tout redeviendrait comme avant, mais il ne semblait pas remarquer ma présence. Dans la fraîcheur des bois, j'ai rassemblé le courage de lui demander s'il était en colère contre moi.

« Non, non, je ne suis pas en colère contre toi », a-t-il dit. Il m'a fait un sourire si misérable que, de honte, j'ai cessé de m'apitoyer sur mon sort.

« Ça va ? ai-je demandé, si pleine d'amour que je lui avais presque pardonné. Ça va aller ? »

Après ça, il n'a plus été le même. Il a continué à travailler à la ferme, mais le soir et le dimanche il restait enfermé dans sa chambre. J'ignorais ce qu'il avait. En fait, je ne réfléchissais pas en ces termes. J'étais trop déroutée par cette porte close pour penser à autre chose qu'à moi-même. Mais aujourd'hui j'imagine ce qu'il a dû vivre, tandis que les semaines s'écoulaient, et qu'il attendait, espérait, et priait aussi sans doute, car nous avions été élevés dans la croyance en un Dieu miséricordieux.

J'imagine comment, en pensée, il essayait d'inverser le cours du temps pour revenir à cet instant ultime où il aurait pu s'arrêter, mais où il ne l'avait pas fait. Des années plus tard, quand j'avais fait le parallèle entre ce qui lui était arrivé et ce qui aurait pu arriver à Luke avec Sally McLean, il m'était apparu qu'on pouvait définir la vie de mes frères à partir d'un moment, et que c'était le même pour tous les deux. Le moment où Luke s'était écarté, et où Matt ne l'avait pas fait.

Dieu n'était pas miséricordieux. Un soir de septembre, quelques semaines avant la date prévue de son départ pour Toronto, Marie Pye a frappé chez nous, les cheveux fous, les yeux fous, et a demandé à le voir.

Il était dans sa chambre mais avait dû l'entendre, ou sentir sa présence, parce qu'il était à la porte avant que Luke ou moi ayons eu le temps d'aller le chercher. Il est passé devant nous et l'a entraînée dehors, et nous l'avons entendu dire : « Attends. Attends. Allons à la plage. » Mais elle ne pouvait pas attendre, sa terreur était trop forte pour être contenue, elle était courbée sous son poids, presque à genoux. Elle a dit – et on l'a entendue distinctement parce que la peur la faisait parler trop fort, et nous n'avions même pas eu le temps de fermer la porte – « Matt, il va me tuer ! Il va me tuer ! Matt, il va me tuer ! Tu ne me crois pas mais je t'assure ! Il a tué Laurie, et il va me tuer aussi ! ».

SIXIÈME PARTIE

Vingt-trois

Cette dernière partie du trajet entre Toronto et Crow Lake me prend toujours à la gorge. En raison de sa familiarité : je connais si bien chaque arbre, chaque rocher, chaque parcelle bourbeuse de marécage que, même si j'arrive toujours après la nuit tombée, je les sens tout autour de moi, là, dans l'obscurité, aussi présents que mes propres os. Et aussi, en partie, parce que j'ai la sensation de remonter le temps, d'aller de « maintenant » à « autrefois », et cela me rappelle que, où que l'on soit et où que l'on puisse être dans l'avenir, rien n'altère le lieu de nos origines.

D'ordinaire, cette sensation me procure autant de plaisir que de peine. Elle m'emplit d'un regret diffus, mais m'offre également un point d'ancrage et m'aide à savoir qui je suis. Ce vendredi-là, pourtant, avec Daniel sur le siège du passager, scrutant les ténèbres par la fenêtre comme si, en les pénétrant, il pouvait y apprendre ce qu'il y avait à savoir de moi, les souvenirs étaient trop proches. Trop pesants. Je ne voyais pas comment j'allais pouvoir supporter les festivités à venir : plaisanter, m'amuser, être aimable avec tout le monde, et le tout avec Daniel en plein milieu. Et s'ils allaient s'imaginer que je l'affichais ? Que je l'amenais à la maison afin de montrer ma réussite ? Me voici, avec ma superbe carrière, et voici mon petit ami avec sa superbe carrière, et regardez-vous ! Je préférerais mourir plutôt que de savoir qu'ils pensent des choses pareilles.

« Encore combien de temps ? a soudain demandé Daniel, dans le noir.

— Cinq minutes.

— Oh, tant mieux ! Je ne pensais pas qu'on était si près. » Il a changé de position, pour tenter de se dégourdir. Il n'avait pratiquement rien dit pendant la dernière demi-heure, et je lui en étais reconnaissante.

J'ai dû me souvenir de tourner à droite à la Northern Side Road au lieu de continuer vers le lac. D'habitude, quand je viens, je m'installe chez Luke et Bo, mais la ferme est à un petit kilomètre sur la route secondaire, à gauche. On l'a aperçue dès qu'on a quitté la route du lac. Elle était tout illuminée ; ils avaient aussi allumé les lumières au-dessus de la grange et du silo, en signe de bienvenue. Le silo n'existait pas du temps de Calvin Pye. Et la grange n'est pas d'origine. Matt a brûlé celle de Calvin.

Matt et Marie étaient sortis dans l'allée quand nous sommes arrivés ; ils avaient dû voir la lumière des phares au moment où nous voyions celles de la maison, et deviner que c'était nous. Marie est restée en arrière quand Matt et moi sommes tombés dans les bras l'un de l'autre. Enfants, nous ne nous étreignions jamais – c'est assez récent. Tout comme le retour à la maison, ces embrassades me procurent un mélange de plaisir et de peine. J'adore sentir Matt contre moi, mais elles paraissent tellement chargées de symbole, dans notre cas, comme une tentative physique de combler une distance affective, un fossé qui ne devrait pas être.

« Bon voyage ? a-t-il demandé, m'entourant de ses bras.

— Très bon. »

Nous nous sommes lâchés, et il a souri à Daniel. « Vous êtes donc venu.

— Je n'aurais pas voulu rater ça, a répondu Daniel.

— En revanche, il se serait passé des insectes, ai-je dit, essayant d'adopter un ton léger, et y parvenant plus ou moins. Bonsoir, Marie. »

Marie et moi ne nous touchons pas. Nous nous contentons du sourire poli réservé aux connaissances.

« Bonsoir, a-t-elle répondu, restant toujours un peu en retrait. Vous avez bien roulé.

— Des insectes ? s'est exclamé Matt. Il y a des insectes, chez nous ?

— Je vous présente, ai-je dit. Daniel, voici Matt et Marie. »

C'était dit. Daniel, voici Matt... Après avoir redouté ce moment pendant des semaines, l'avoir visualisé, l'avoir vécu en pensée une centaine de fois, c'était dit. Et d'une voix normale. On n'aurait pas pu deviner, en prêtant l'oreille, l'énorme et indéfinissable poids derrière ces mots-là. Ils avaient été prononcés, et j'avais survécu. La terre tournait toujours sur son axe. J'aurais dû être soulagée.

« Vous avez sûrement faim, a dit Marie. Nous vous avons attendus pour dîner. »

Simon est sorti de l'ombre, grand et dégingandé, comme son père. Tellement comme son père.

« Salut, tata. Tu m'embrasses ? »

Il m'appelle tata pour plaisanter. Il y a moins de neuf ans d'écart entre nous. Nous nous sommes embrassés, il a serré la main de Daniel, disant que c'était gentil à lui d'être venu.

« La fête est donc en ton honneur ? a demandé Daniel.

— Ouais. » Puis il a ajouté : « Non, en fait, c'est un prétexte pour attirer tante Kate à la maison, parce qu'on ne la voit presque jamais. Mais vous ne regretterez pas d'être venu. Il y a des tonnes de nourriture. Maman, Bo et les autres se sont déchaînées en cuisine.

— À ce propos, a dit Matt, passons à table. Marie nous a tous forcés à vous attendre. » Il nous a poussés vers la maison.

Daniel se battait encore contre les mouches noires. À côté de lui, Matt souriait. « Il faudra revenir dans un mois, pour qu'on vous présente aussi aux moustiques.

— Pourquoi ne s'en prennent-elles qu'à moi ? s'est enquis Daniel en se donnant une claque dans le cou. Qu'est-ce que vous avez, vous ?

— Elles en ont marre de nous. On a du produit dans la maison dont vous pourrez vous asperger. »

Quand on les regardait tous les deux, Matt faisait beaucoup plus âgé que Daniel. Il est certes plus âgé – il a presque trente-sept ans, et Daniel trente-quatre – mais la différence semblait plus importante. Ce n'est pas exactement d'ordre physique : en réalité, il a l'air beaucoup plus en forme que Daniel et a beaucoup plus de cheveux. Mais son visage paraît marqué par davantage d'années d'expérience. Et puis, Matt dégage une espèce de calme. C'était déjà le cas lorsqu'il était jeune, et cela le faisait déjà paraître plus âgé à l'époque.

« Avez-vous fait bon voyage ? a demandé Marie, bien que la question ait déjà été posée.

— Très bon, merci.

— Tout le monde meurt d'envie de te voir. » Elle m'a adressé son sourire timide. Elle a très peu changé au fil des années. Physiquement, elle s'est plutôt arrangée. Elle donne toujours l'impression d'être anxieuse, mais son regard est moins effrayé. Nous nous sommes dirigés tous les cinq vers la maison, Simon ouvrant la marche. « Bo et Luke passeront un peu plus tard, a annoncé Marie. On leur a proposé de venir dîner, mais ils ont dit non, qu'ils viendraient juste faire un brin de causette.

— Ils s'arrangeront pour arriver au dessert, a dit Simon, on peut faire confiance à Luke.

— Il y en a bien assez, a dit doucement Marie.

— Luke traverse une sale période, a fait Simon, se retournant pour nous adresser un grand sourire. Il a repris les leçons de conduite avec Bo.

— Sérieusement ? Elle a donc fini par l'avoir à l'usure.

— C'est la troisième tentative, a expliqué Matt à Daniel. Il a commencé à lui apprendre il y a environ cinq ans, quand Bo avait seize ans, et ça n'a pas été très concluant. Ils ont laissé tomber puis ont réessayé, deux ans après. Cette nouvelle tentative a dû durer dix minutes. Bo a un rapport à la conduite assez... » Il a fait des gestes circulaires avec ses mains, en cherchant le terme exact. « Assez désinvolte. Un mélange de désinvolture et d'extrême assurance. Luke trouve ça un peu stressant.

— C'est le moins qu'on puisse dire, a commenté Simon. Il est à bout. »

Simon, je m'en souvenais, avait eu son permis le jour de ses seize ans. C'était quasiment le seul sujet à propos duquel il pouvait narguer Bo (comme elle a trois ans de plus que lui, elle a tout fait la première), et il ne s'en privait pas.

295

« Tu ne devrais pas te moquer d'elle, l'a tancé Marie. Je suis sûre qu'elle va très bien réussir cette fois. » Elle s'est tournée vers moi. « Mme Stanovich meurt d'envie de te voir. Elle viendra demain à la fête. Et Mlle Carrington aussi viendra.

— Les mêmes que d'habitude », ai-je dit. Simon a attendu que les hommes le rejoignent. Matt montrait du doigt quelque chose à Daniel. Je l'ai entendu dire : « Au-dessus de la maison. » J'ai levé les yeux et vu une demi-douzaine de petites chauves-souris brunes qui allaient et venaient à toute vitesse, en silence, comme si elles cousaient des morceaux de ciel bleu-noir. Les trois hommes se sont arrêtés pour les regarder, la tête en arrière.

« Et les Tadworth, bien sûr, continuait Marie. Et les camarades de classe de Simon. »

J'ai reporté mon attention sur elle. Marie ne s'intéresse pas aux chauves-souris, pas plus qu'aux étangs.

« À quelle heure doivent-ils venir ?

— Vers midi.

— Bien. On aura toute la matinée pour préparer. Il y a beaucoup à faire ?

— Non. Quelques desserts, c'est tout.

— Je parie que tu cuisines depuis des semaines.

— Oh, tu sais, j'ai le congélateur, et c'est bien d'avoir des choses préparées d'avance. »

Entre Marie et moi, c'est comme ça : nous nous en tenons aux détails pratiques. À quelle heure fait-on ceci ? Où veux-tu que je mette cela ? Quel beau vase ! Où l'as-tu trouvé ? Veux-tu que j'épluche les pommes de terre ?

Luke et Bo sont arrivés au moment où Marie coupait la première tranche de cheese-cake.

« Vous voilà ! s'est exclamé Simon. Quel sens du timing !

— On s'est dit qu'on allait passer dire bonjour à l'étrangère, a déclaré Luke. Aux étrangers », a-t-il corrigé en voyant Daniel et en lui tendant la main. Daniel s'est levé et ils se sont serré la main par-dessus la table. « Content que vous soyez venu, a dit Luke. Je suis Luke. Et voici Bo.

— Daniel, a dit Daniel.

— Bonsoir, a dit Bo. J'ai apporté un bavarois. » Elle l'a posé sur la table.

« Oh, comme c'est gentil. C'est pour demain ? a demandé Marie.

— Il y en a un autre pour demain. Celui-là est pour ce soir. À propos, tu savais que Mme Stanovich avait préparé un gâteau d'anniversaire ? Un truc gigantesque. Trois étages, avec un petit Simon en sucre sur le dessus ?

— Oui, a dit Marie, l'air angoissé. Je sais que tu en as fait un, mais elle en avait très envie, alors je me suis dit : bon, on les mangera bien tous les deux.

— Ça c'est sûr, a dit Bo gaiement, pas de problème. Je me demandais seulement si tu étais au courant. Mon petit Simon sera bien capable de manger les deux à lui tout seul. Comment vas-tu, le môme ? Qu'est-ce que ça te fait d'être presque un adulte ? » Elle a tapoté la tête de Simon. Il l'a saisie au poignet, mais elle s'est dégagée doucement. « Salut, Kate. » Elle s'est penchée pour m'embrasser sur la joue. « Tu es très élégante, mais un peu maigre. »

Elle-même était magnifique. C'est une amazone, ma sœur : grande, blonde, avec une beauté guerrière. Simon n'aurait aucune chance contre elle dans un combat loyal. Je soupçonne qu'elle donnerait même du fil à retordre à Luke, bien que lui aussi ait eu l'air

297

en pleine forme. Maintenant, chaque fois que je vois Luke, je suis stupéfaite par sa beauté. Enfant, je ne m'en rendais pas compte. Il a trente-huit ans et ne cesse d'embellir. Sally McLean en crèverait de désir.

« Asseyez-vous, a dit Matt. Prenez du cheese-cake et du pâté de Bo. Vas-y, Marie, sers tout le monde. »

Luke s'est laissé tomber sur une chaise. J'ai vu Simon lui sourire et préparer une question sur les leçons de conduite ; Marie l'a vu aussi, a incliné la tête vers lui pour le mettre en garde et il n'a pas insisté.

« Vous avez fait bon voyage ? a demandé Luke. Tant que j'y pense, Laura Carrington vous transmet ses amitiés. Elle viendra demain. Comment va la grande ville ? Vous avez une nouvelle grève de la poste, si j'ai bien compris ?

— Comme toujours, ai-je dit. Merci, Marie, je veux bien une part de chaque. »

Bo s'est assise à côté de moi. « Il faut que je te raconte tous les potins. Où en es-tu restée ?

— Je ne suis pas sûre...

— Tu savais que Janie Mitchell – je devrais plutôt dire Janie Laplant – divorçait ? Elle ne s'appellera donc plus Janie Laplant, mais de nouveau Janie Mitchell.

— Je ne savais même pas qu'elle était devenue Janie Laplant.

— Mais si. Je te l'ai dit. Tu savais que Mme Stanovich était encore une fois arrière-grand-mère ?

— Je crois que oui.

— Tu penses à celui d'avant. Celui-là est né dimanche dernier. Savais-tu que le troupeau de vaches laitières de M. Janie a gagné un prix ? Ou plutôt qu'Ophélie a gagné un prix ? Elle produit plus de lait que n'importe quelle autre vache en Amérique du

Nord. À moins que ce ne soit dans le comté de Struan.

— Daniel ? a demandé Marie. Du cheese-cake ? Du bavarois ? »

Daniel avait l'air un peu étourdi, soit à cause de Bo, soit à cause du bruit. « Hum, les deux, s'il vous plaît. »

Luke disait : « ... il a donc acheté toute l'île. Il est en train de faire construire cet énorme pavillon de chasse. Il s'imagine que les riches Américains vont y venir avec leurs millions.

— Il croit vraiment qu'ils vont conduire jusque-là ? a demandé Simon.

— Il va les faire venir en hydravion. »

Matt a dit d'un ton solennel : « Découvrez l'Extraordinaire Beauté de la Nature Canadienne. Éprouvez la... » Il chercha ses mots.

« La Puissance Indomptée ? a suggéré Simon, tout aussi solennel. La Splendeur Inviolée ?

— Les deux. Éprouvez la Puissance Indomptée des Torrents Déchaînés. Contemplez la Splendeur Inviolée des Forêts. Voyez l'Impressionnant Spectacle...

— Pourquoi pas plutôt "Frissonnez" ?

— Frissonnez devant l'Impressionnant Spectacle de l'Élégant Élan...

— Ou de l'Éblouissant Élan...

— Ou de l'Époustouflant Élan...

— Jim Sumack compte se laisser pousser les cheveux, planter des plumes dedans et se faire embaucher comme guide, a dit Luke. La fortune assurée. Moi, j'espère qu'ils auront besoin d'une grande quantité de meubles rustiques. Oh, merci, Marie. Un peu des deux.

— Tu penses que ce sera le cas ?

— Il leur faudra bien acheter des meubles quelque

part. Ça leur reviendra moins cher de se fournir sur place que de les faire venir.

— Souffrez la Rude Noblesse des Meubles Rustiques de Luke...

— Bo ? a demandé Marie. Cheese-cake ou bavarois ? »

Elle avait les joues empourprées, mais le dîner touchait à son terme, la tension suscitée par la présence d'invités allait retomber, et elle paraissait moins crispée qu'au début. En réalité, tandis que, pleine d'espoir, elle tenait sa pelle à tarte au-dessus des gâteaux, elle me semblait presque contente.

J'ai pensé : Alors, comme ça, tu oublies tout ? En vivant ici, dans cette maison qui a vu tant d'événements dramatiques, parviens-tu simplement à ne pas y penser ? Est-ce cela qui te permet de tenir ?

Ce soir-là – ce mémorable soir de septembre –, c'est Luke qui, malgré sa stupeur et son incrédulité, avait pris les choses en main. Matt n'était pas en état de faire quoi que ce soit. Je le revois, avec Marie. Ils étaient encore dehors, elle sanglotait toujours, terrorisée. Il la tenait, impuissant, une impuissance marquée dans chaque ligne de son corps. Je me souviens que Luke les a rejoints et les a fait rentrer dans la maison. Il a voulu calmer Marie, mais elle était folle de terreur. Je crois qu'elle ne s'était même pas rendu compte de notre présence, à Luke et moi. Elle n'arrêtait pas de répéter : « Matt, j'ai deux mois de retard. Je suis malade tous les matins et j'ai deux mois de retard. Matt, il va me tuer. Oh, mon Dieu, il va me tuer. »

« Allons, Marie, calme-toi », a dit Luke, mais elle en était incapable. Lui-même avait l'air de quelqu'un qui vient de se réveiller et ne sait pas où il est. « Kate, va mettre la bouilloire à chauffer, m'a-t-il dit. Fais-lui du thé ou autre chose. » Je suis donc allée mettre la bouilloire sur le feu, mais je suis revenue aussitôt.

Marie s'accrochait toujours à Matt, et Luke tentait de lui parler. « Marie ? Je dois te demander quelque chose. Tu as dit qu'il avait tué Laurie. Qu'est-ce que tu entends par là ? Marie, écoute-moi. Qui a tué Laurie ?

— Laisse-la tranquille, Luke », a dit Matt. C'étaient ses premiers mots depuis qu'elle avait commencé sa crise. Il avait la voix rauque et tremblante.

« Non, on doit savoir, a dit Luke. Marie ? Qui a tué Laurie ? Ton père ?

— Je t'ai dit de la laisser tranquille ! Bon sang, tu ne vois pas dans quel état elle est ? »

Luke ne l'a pas regardé. Il ne pouvait pas le regarder. Il gardait les yeux rivés sur Marie. « Je vois bien dans quel état elle est. Mais que doit-on faire, d'après toi ? La calmer et la renvoyer chez son père, c'est ça ? »

Matt l'observait, mais Luke refusait de croiser son regard.

« Marie, tu dois nous dire, a-t-il repris. Ton père a-t-il tué Laurie ? »

Elle l'a regardé. On la voyait se concentrer sur lui, et enfin réaliser qui il était. Elle a murmuré : « Oui.

— Tu en es sûre ? Tu étais témoin ?

— Oui.

— Mais Laurie s'est enfui, Marie. Matt l'a vu partir. »

Ses yeux étaient immenses dans la pâleur de son visage. « Il est revenu. Il faisait froid. Il est revenu chercher son manteau, mais mon père l'a attrapé et l'a emmené dans la grange. On a essayé de l'arrêter mais on n'a pas pu, et il l'a frappé, et Laurie l'a frappé

301

aussi, alors il s'est mis à taper, taper, et Laurie est tombé, il s'est cogné la tête et il y avait du sang, du sang...

— OK, OK, Marie, a dit Luke.

— ... et il y avait du sang et... »

Luke a dit à Matt sans le regarder : « Emmène-la dans l'autre pièce.

— Qu'est-ce que tu vas faire ?

— Je vais appeler le Dr Christopherson et ensuite j'appelle la police. »

Marie a poussé un cri. « Il ne voulait pas le tuer ! Il le battait, et nous, on essayait de l'arrêter, et il le battait et Laurie est tombé ! Il s'est cogné la tête sur la lame de la charrue ! Oh, mon Dieu, mon Dieu, n'appelle pas la police ! Il va me tuer !

— Emmène-la dans l'autre pièce, a répété Luke.

— Oh non ! Non ! Je t'en prie ! Oh, je t'en prie, ne fais pas ça, il va tous nous tuer ! Il va tuer ma mère ! Il va tous nous tuer ! »

Comme Matt était incapable de bouger, Luke l'a écarté, il a soulevé Marie, qui criait et se débattait, et l'a transportée dans la pièce à côté, Matt, impuissant, dans son sillage. « Qu'elle reste là ! » a-t-il dit. Puis il est revenu, il a appelé le Dr Christopherson et la police.

Calvin Pye s'est suicidé trois heures plus tard.

Des policiers étaient venus de Struan et s'étaient d'abord arrêtés chez nous pour parler à Marie, en présence du Dr Christopherson. De là ils sont allés à la ferme. C'est Calvin qui leur a ouvert la porte. Quand ils ont déclaré qu'ils venaient lui poser quelques questions sur la disparition de Laurie, il a dit d'accord, mais pouvait-il d'abord aller prévenir sa femme, qui devait se demander qui avait frappé à la

302

porte ? Ils ont accepté, et, mal à l'aise, ont attendu sur le seuil. Tout de suite après, il y a eu un coup de feu. Calvin gardait un fusil chargé au-dessus de la cheminée du salon, et c'est là qu'il s'est tiré une balle dans la tête, sous les yeux de Mme Pye, avant qu'elle ait eu le temps de se lever de sa chaise. Heureusement, Rosie dormait en haut.

Calvin est mort sans avoir révélé où se trouvait le corps de Laurie, et ni Marie ni sa mère ne le savaient. Les policiers ont mis deux semaines à le trouver, et encore l'ont-ils seulement découvert grâce à la conjonction d'un été sec et d'un curieux hasard. Calvin avait mis le corps de Laurie dans un vieux sac à grains, lesté de pierres, et l'avait lancé dans un des étangs. L'étang qu'il avait choisi – pas le plus proche de la ferme, ni « notre » étang, mais l'un des plus profonds entre les deux – était très encaissé, et le sac aurait dû couler à six mètres de profondeur, sauf qu'il s'était accroché à un rocher en saillie. En octobre, quand le niveau de l'eau fut au plus bas, le haut du sac devint visible sous la surface.

Le Dr Christopherson a emmené Mme Pye à l'hôpital psychiatrique de St. Thomas deux jours après la découverte du corps de Laurie. Elle est morte dans l'année, d'un mal que personne n'aurait pu qualifier. Rosie a été envoyée chez des parents de sa mère à New Liskeard. Je sais que Marie a essayé de rester en contact avec elle, mais Rosie n'avait jamais vraiment su écrire, aussi était-ce difficile. Elle s'est mariée très jeune et a quitté la région. Marie sait-elle où elle est aujourd'hui ? Je n'ai jamais voulu lui poser la question.

Matt et Marie se sont mariés en octobre, et Matt a repris la ferme. Je suis sûre que c'était la dernière chose au monde qu'ils souhaitaient l'un et l'autre.

La semaine précédant le mariage, quand les policiers eurent fini leurs investigations et n'eurent plus besoin d'accéder à la grange où Laurie était mort, Matt la brûla. Ce fut son cadeau de mariage à Marie. Luke l'aida ensuite à en construire une nouvelle : son cadeau de mariage à tous les deux.

Simon est né en avril l'année suivante. L'accouchement a été difficile, et, en conséquence, Marie n'a pas pu porter d'autres enfants.

Vingt-quatre

J'ai été réveillée vers cinq heures du matin par le tracteur qui démarrait. Daniel a grogné, ouvert les yeux et dit : « Qu'est-ce que c'est que ça, bon sang ?

— Le tracteur », ai-je répondu, mais il s'était déjà rendormi.

Je suis restée allongée un moment ; le bruit du lac me manquait. D'habitude, je l'ai dit, je loge chez Luke et Bo quand je rentre à la maison, et le lent et doux schhh-schhh des vagues est le premier et le dernier son que j'entends de la journée. Ici, c'étaient des bruits de cour de ferme. Et celui de la respiration de Daniel à côté de moi.

Comme je l'avais pressenti, il y avait eu un moment de gêne, la veille au soir, à propos de l'organisation du couchage. Une fois la table débarrassée, Luke et Bo partis et Simon monté après avoir dit bonsoir, j'avais entendu Marie, dans la cuisine, dire à Matt : « Vas-y, toi, demande-lui. Moi, je ne peux pas. » Une seconde après, Matt était entré dans le salon, l'air mal à l'aise.

Mais j'avais anticipé la scène et réfléchi à ce que j'allais dire. J'aurais pu proposer de nous installer dans

305

des chambres séparées, pour nous épargner à tous cette gêne. Daniel aurait joué le jeu, même s'il ne l'eût pas compris. Mais même si au départ je n'avais pas voulu qu'il vienne, puisqu'il était là je m'apercevais que je le voulais à mes côtés. Je voulais qu'il serve de tampon entre moi et les autres. Il représentait le présent. Lui ici, le passé ne se déploierait peut-être pas dans la nuit pour me submerger. De plus, me disais-je, avec un soupçon de défi, Matt était mal placé pour porter un jugement. Idiot, je sais. Jamais il ne lui viendrait à l'idée de me juger.

Quand il est entré dans le salon en examinant avec un intérêt inhabituel une petite égratignure sur sa main, j'ai annoncé d'un ton détaché : « Je crois que nous allons nous coucher, nous aussi. Où voulez-vous qu'on s'installe ? Dans la chambre de devant ? » Connaissant l'aménagement de l'étage, je savais qu'en dehors de la chambre de Matt et Marie celle de devant était la seule avec un grand lit. L'air soulagé, Matt a répondu : Oui, bien sûr. Ce serait très bien.

Nous avons monté nos bagages, nous nous sommes déshabillés et hissés dans le grand lit aux ressorts détendus. Je m'attendais que Daniel me tienne éveillée la moitié de la nuit à disséquer ma famille, mais la Splendeur Inviolée de la Nature Sauvage avait dû l'épuiser, parce que, après m'avoir dit que ma description d'eux n'était pas du tout ressemblante, il s'est endormi presque aussitôt. Pendant une demi-heure environ, j'ai écouté les mouvements de la maison en pensant à de vieux souvenirs, puis je suis tombée dans le sommeil comme on tombe dans un puits et n'en suis pas sortie avant d'entendre le tracteur.

Je suis restée éveillée un moment en essayant de ne pas trop penser à la chambre dans laquelle nous nous trouvions. C'était la plus grande de la maison, et la mieux située, au-dessus de la cour de la ferme. Ce devait être celle de M. et Mme Pye, sinon Matt et Marie l'auraient prise pour eux. Elle avait « de belles proportions », aurait dit Mlle Vernon, et deux fenêtres-moustiquaires. Matt et Marie étaient installés dans une chambre sur un des côtés de la maison, et Simon dans une plus petite près de la salle de bains. Il y en avait trois autres, dont une avec des lits superposés, une meublée d'un bureau pour la comptabilité de la ferme, et une dernière qui servait de débarras. Mis à part les lits superposés, scellés au mur, j'étais presque sûre que la plupart des meubles de la maison dataient d'après les Pye. Je suppose que Matt et Marie se sont débarrassés du mobilier d'origine et l'ont remplacé petit à petit, quand ils en avaient les moyens. Ils devaient vouloir conserver aussi peu de souvenirs du passé que possible.

Allongée, entre la veille et le sommeil, je me disais vaguement qu'on aurait malgré tout pu s'attendre à sentir encore une atmosphère de désespoir dans la maison, mais apparemment ce n'était pas le cas. Puis j'ai dû me rendormir, parce que la première chose que j'ai entendue ensuite a été le tracteur qui rentrait, et les voix étouffées de Matt et de Simon dans la cour. Il était sept heures. J'ai doucement secoué Daniel et je me suis levée.

Marie était en train de préparer des toasts et du bacon, des saucisses, du pain de maïs, des muffins et des œufs brouillés. Elle a eu l'air un peu paniquée quand je lui ai proposé mon aide et m'a répondu : « Oh, merci, mais... ce n'est pas la peine. Tu peux peut-être aller chercher les hommes et leur dire que le petit déjeuner sera prêt dans dix minutes ? Je crois qu'ils sont dans la cour. »

Je suis donc sortie. Le soleil était déjà chaud, et le

ciel d'un bleu pâle et dégagé. Daniel avait rejoint Matt et Simon, et tous trois admiraient le tracteur.

« Et vous en avez eu pour combien ? demandait Daniel. Si ce n'est pas indiscret. »

Simon et Matt se sont lancé un regard dénué de toute expression.

« Combien ça nous a coûté, à la fin ? a dit Matt. On lui a fait pas mal baisser son prix.

— Tu parles ! s'est exclamé Simon. Tu t'es dégonflé. C'était lamentable. Voilà tata Kate. Comment trouves-tu notre bébé ? » Il a tapoté le flanc boueux du tracteur. Là où l'on pouvait voir sous la boue, il était d'un rouge flamboyant ; il avait l'air puissant et performant, avec ses énormes roues et ses larges chenilles, et aussi, curieusement, assez gracieux, comme l'est toute chose bien conçue.

J'ai dit : « Joyeux anniversaire, Simon. Votre bébé est adorable. Il est neuf ?

— Il a deux semaines aujourd'hui.

— Il a une toux terrible au réveil. Tu es sûr qu'il n'est pas malade ?

— Tu parles en vrai rat des villes, m'a dit Matt. On va emmener Daniel faire une petite promenade. Si tu as de la chance, ton tour viendra après.

— En fait, je suis venue vous prévenir que le petit déjeuner était presque prêt. Marie a dit dix minutes.

— Oh ! » Matt s'est tourné vers Daniel. « Plus tard, alors ? Après la fête ? Je dirais bien après le petit déjeuner, mais Marie a sûrement d'autres projets pour nous.

— Plus tard, ce sera très bien. »

Nous nous sommes dirigés vers la maison ; Simon et Daniel parlaient toujours tracteurs, Matt et moi marchions quelques pas derrière.

« Alors, comment ça va ? ai-je demandé. Avec la ferme, je veux dire. Elle a l'air prospère. »

Il a souri. « On survit. On ne fera jamais fortune, mais on se débrouille. »

J'ai hoché la tête. Au moins, il n'avait jamais désiré faire fortune.

Il y a eu un silence. Un de ces silences que je redoute. Nos conversations, polies et prudentes, comme entre des étrangers, sont déjà assez pénibles, mais ce sont ces silences que je remporte avec moi ensuite.

« Et toi ? Comment avancent tes recherches ?

— Ça va.

— Sur... sur quoi portent-elles, Kate ? Je crois que tu ne me l'as jamais dit. »

Je regardais nos pieds, nos chaussures qui soulevaient la fine poussière de la ferme. Non, je ne le lui avais jamais dit. Pourquoi lui rappeler que je faisais le genre de choses qu'il aurait tant aimé faire ? Mais cette fois, semble-t-il, j'étais au pied du mur.

« Bon, en gros, j'étudie les effets des surfactants sur les habitants du film de surface.

— Comme les détergents ?

— Oui, ou les agents mouillants des pesticides et des herbicides. Ce genre de choses. »

Il a hoché la tête. « Intéressant.

— Oui, oui, très. »

Intéressant.

Ce que dirait n'importe qui. Comme s'il était n'importe qui. Comme s'il ne m'avait pas enseigné la plus grande partie de ce que je sais. Et je le pense vraiment. C'est la démarche qui importe, l'ouverture d'esprit, la capacité de *voir*, sans être aveuglé par des idées préconçues, et cela, c'est Matt qui me l'a

309

enseigné. Tout ce que j'ai appris depuis, ce ne sont que des détails.

Il attendait que je poursuive, que je lui décrive mon travail, mais je ne pouvais pas m'y résoudre. Non que je craigne qu'il ne comprenne pas : si je pouvais l'expliquer à des étudiants de première année, je pouvais l'expliquer à Matt. Mais le problème était justement de devoir expliquer. Je ne puis exprimer à quel point cela me semblait injuste et cruel.

Il avait ralenti le pas et j'ai dû faire de même. Les autres continuaient devant. Je lui ai lancé un coup d'œil et il m'a adressé un bref sourire. Quand Matt est tendu, son sourire s'étire d'une manière particulière. La plupart des gens ne s'en rendraient pas compte, mais moi je l'ai tant observé, étant enfant. Je connais si bien son visage.

« Daniel a l'air d'être un type bien, a-t-il dit enfin.

— Oui, ai-je répondu, immensément soulagée qu'il ait changé de sujet. Oui, c'est vrai.

— Est-ce que c'est… sérieux ? Entre vous deux ?

— Ça se pourrait. Je crois, oui.

— Bon, bon. C'est très bien. »

Il s'est baissé pour ramasser une pierre plate. Si nous avions été sur la plage, il aurait fait des ricochets, mais là, il l'a retournée plusieurs fois avant de la laisser retomber. Puis il m'a regardée, de ce regard clair et gris, et franc.

« Tu devrais l'emmener aux étangs, après. Ils sont magnifiques. »

J'ai vite détourné les yeux. En pensée, je le voyais, dérobant quelques instants aux obligations incessantes que lui imposait la ferme pour retourner aux étangs, et là, seul et immobile, scrutant leur profondeur.

J'ai attendu une minute, pour être sûre d'avoir la

voix claire. Simon et Daniel avaient atteint la maison. Marie était sur le seuil.

« Oui, ai-je dit enfin. Oui, bonne idée. »

Marie semblait nous observer. Je ne parvenais pas à lire son expression.

« Je crois que le petit déjeuner est prêt », ai-je ajouté.

Matt a hoché la tête, puis il a poussé la pierre avec sa chaussure. « Bien, rentrons. »

Matt, Simon et Daniel ont commencé à déplacer les meubles juste après le petit déjeuner. Ils avaient décidé que la journée serait assez belle pour que la fête ait lieu dehors, et transportaient des tables et des chaises qu'ils ont disposées derrière une aile de la maison, là où il y avait de l'herbe et une pauvre frange de jardin.

Marie et moi sommes restées dans la cuisine, à nous acquitter des tâches féminines. Ou, du moins, Marie s'en acquittait pendant que je regardais. Elle avait l'air distraite. D'habitude, Marie est plutôt assurée dans sa cuisine, mais là, elle s'agitait en vain, sortait des choses du réfrigérateur avant de les y remettre, ouvrait des tiroirs qu'elle refermait aussitôt. Devant elle, sur le plan de travail, il y avait deux douzaines de desserts à divers stades d'inachèvement, et elle ne semblait pas savoir par lequel commencer. Je me demandais si c'était la fête qui la mettait dans cet état ou bien moi. Je sais qu'il n'est pas facile pour elle de m'avoir dans les parages. Je l'aurais volontiers laissée pour aller dehors, si ça n'avait pas paru aussi impoli.

Pour la troisième fois, j'ai dit : « Il y a bien quelque chose que je peux faire, Marie. Laisse-moi m'occuper de la crème fouettée.

— Oh, eh bien… d'accord. Merci. » Elle a ouvert le

réfrigérateur et en a sorti un pot de crème. « Je vais te donner le batteur.

— Il est là.

— Ah, oui. Très bien. Je te donne un bol. »

Elle a posé la crème, a ouvert le placard et en a sorti une jatte. Au lieu de me la donner, elle s'est immobilisée un instant, le dos tourné, la tenant à deux mains. Soudain, sans me regarder, elle m'a demandé : « Que penses-tu du tracteur ?

— Du tracteur ? ai-je répété, surprise.

— Oui.

— Je le trouve super. Je ne m'y connais pas beaucoup en tracteurs, mais il a l'air très bien. »

Elle a hoché la tête, me tournant toujours le dos. « Matt et Simon l'ont choisi ensemble. Ils ont passé des semaines à déterminer ce qu'ils voulaient. Tous les deux ensemble. Pendant des semaines, ils ont étalé des brochures et des magazines sur la table de la cuisine. Ils en sont très fiers. »

J'ai ri. « Je sais. »

Elle s'est retournée, tenant la jatte devant elle. Elle avait un sourire bizarre. « Que penses-tu de Simon ? »

J'ai ouvert de grands yeux. « Je l'aime beaucoup. Beaucoup. C'est un garçon adorable. Vraiment très gentil. »

Je me suis sentie rougir ; sa question était tellement étrange, et ma réponse si vieux jeu et condescendante. J'ai été frappée par l'idée que Simon avait dix-huit ans, l'âge qu'avait Matt lors de ce désastreux été. Je me demandai si elle se faisait du souci pour lui. J'étais persuadée qu'il était bien trop avisé pour commettre les mêmes erreurs que son père, malgré tout, elle s'inquiétait peut-être.

« Je crois aussi qu'il a beaucoup de bon sens, Marie. Il est bien plus mûr que la plupart des étudiants que

312

je vois. Je suis sûre qu'il réussira très bien l'année prochaine. »

Elle a de nouveau hoché la tête. Elle a posé la jatte et serré les bras autour d'elle – le même geste défensif qu'autrefois, et pourtant assez différent. Elle avait le visage empourpré, mais son expression était plus sombre qu'embarrassée. Presque farouche. Ça lui ressemblait si peu que j'en ai été troublée.

« Et Matt, tu le trouves comment ? Est-ce qu'il a l'air bien, d'après toi ?

— Je trouve qu'il a l'air très bien, oui. Très bien. »

Maintenant, j'étais inquiète. On ne pose pas ce genre de question dans la famille.

« Pour moi, il a l'air heureux, Marie. Pourquoi ? Que se passe-t-il ?

— Rien. » Elle a vaguement haussé les épaules. « Je me demandais seulement si tu étais capable de le voir, c'est tout. De voir qu'il est heureux, qu'il a un fils merveilleux qu'il aime et avec qui il passe de bons moments. Je voulais juste que tu t'en rendes compte, pour une fois, après tout ce temps. »

Dans le silence, on entendait les bruits du déménagement. Un meuble était coincé dans une embrasure de porte. Matt jurait, Simon s'esclaffait. J'ai entendu Daniel dire : « Peut-être que si on essayait de reculer... »

Marie a repris : « Si tu savais à quel point ton opinion compte pour lui. Si tu le voyais, quand il sait que tu vas venir, Kate... au début, il est si heureux... puis, à mesure que la date approche, il ne dort plus. Luke lui a pardonné il y a des années, et Bo n'a jamais su qu'il y avait quoi que ce soit à pardonner. Mais ta déception – le fait que tu considères qu'il a raté sa vie, que tu aies pitié de lui parce qu'il a tout gâché –, c'est tellement dur à supporter pour lui. C'est ça qui a été le plus dur. Tout ce qui lui est arrivé a été facile comparé à cela. »

J'étais si étonnée que j'avais du mal à assimiler ce qu'elle disait. Elle était tellement bouleversée, tellement à fleur de peau, et ses accusations n'avaient pour moi aucun sens. Que valait ma déception au regard des rêves brisés de Matt ?

« Je ne crois pas qu'il a raté sa vie, Marie. Je pense que vous vous en êtes très bien sortis, tous les deux, et que Simon fait honneur...

— Si, tu es persuadée qu'il a raté sa vie. » Elle serrait fort les bras autour d'elle, les mains agrippées aux coudes. J'étais choquée, non seulement par ses paroles, mais par le moment qu'elle avait choisi pour les exprimer, une fête d'anniversaire, juste avant la venue des invités. « Tu crois que ce qui est arrivé est la grande tragédie de sa vie. Tu as du mal à le regarder en face ! Tu as tellement pitié de lui et tu lui en veux toujours tellement ! Après toutes ces années, Kate, tu as encore du mal à le regarder en face. »

Je ne sais ce que j'aurais répondu, si je n'avais pas été sauvée par l'arrivée de Simon. Il a passé en revue les desserts, a fourré le doigt dans l'un d'eux en disant : « C'est quoi, ça ?

— Pas touche ! » a rétorqué Marie.

Il a fait un bond, a dit « OK, OK » en reculant et en la regardant bizarrement. On l'a entendu dire : « N'entrez pas. Maman a ses nerfs. »

Marie m'a tendu la jatte. Je l'ai prise, sans un mot, l'ai posée sur la table, y ai versé la crème et j'ai commencé à fouetter. J'ai battu trop fort, la crème a tourné et fait des grumeaux.

« Je l'ai ratée, ai-je dit. Désolée. » J'avais une voix étrange. J'ai rendu la jatte à Marie.

« Ça n'a pas d'importance. Tu peux en mettre sur

les tartes ? m'a-t-elle demandé, avant de continuer à décorer les cheese-cakes. Sa voix était redevenue douce, comme si elle avait dit ce qu'elle avait à dire et que le reste dépendît de moi. Mais je ne savais que répondre. Si, après tout ce temps, elle ne comprenait toujours pas ce que Matt avait perdu, il n'y avait rien à dire.

« Autre chose ? ai-je demandé, quand j'ai eu fini avec les tartes.

— Pas dans l'immédiat. Tu peux apporter du café aux hommes. »

J'ai servi trois tasses du café que Marie tenait toujours prêt et les ai disposées sur un plateau. J'ai trouvé un petit pot dans le placard, l'ai rempli de crème, ai déniché le sucrier, pris trois cuillères dans le tiroir. Tout ça en silence. Je suis sortie avec le plateau. Les hommes avaient fini d'installer les tables, sous les arbres, selon les ordres de Marie. Matt et Simon parlaient chaises (combien et où ?).

« Qu'en penses-tu ? m'a demandé Matt quand je les ai rejoints. Combien vont vouloir s'asseoir ? Et plutôt au soleil ou à l'ombre ?

— Uniquement les femmes, ai-je répondu, tenant le plateau pendant qu'ils mélangeaient tous deux trois sucres dans leur café. Et elles voudront s'asseoir à l'ombre.

— Bien. » Matt a regardé Simon. « Il y aura combien de femmes ?

— Mme Stanovich, Mme Lucas, Mme Tadworth, Mme Mitchell, Mlle Carrington... »

J'ai cherché des yeux Daniel. Il était au coin de la maison et regardait avec intérêt le désordre des machines dans la basse-cour. Je suis allée le retrouver. Je me sentais étourdie, comme si j'avais attrapé une insolation. Daniel a pris sa tasse et dit : « Est-ce que tu penses parfois que tu aimerais vivre dans une ferme ? Pour de vrai. Faire de la culture. Du vrai boulot, où tu vois les progrès à la fin de la journée.

— Non. »

Il m'a regardée en souriant, puis son regard s'est fait plus attentif. « Qu'y a-t-il ?

— Rien.

— Si. Qu'y a-t-il ? »

J'ai haussé les épaules. « Juste une chose que Marie m'a dite. » Ses mots résonnaient encore dans ma tête. Ses accusations me perturbaient beaucoup. Je n'arrêtais pas d'y penser, je cherchais des explications, je tentais de comprendre comment elle en était arrivée à penser cela. Peut-être était-ce naturel, compte tenu de ses origines. Elle ne devait avoir aucune idée de ce qu'aurait pu être la vie de Matt, si les choses avaient tourné différemment. Et, dans le cas contraire, elle ne voudrait pas le reconnaître. Après tout, c'est elle qui avait causé sa perte.

« À quel propos ? a demandé Daniel.

— Pardon ?

— Tu dis que Marie t'a dit quelque chose. À quel propos ?

— À propos… de moi. De moi et de Matt.

— Qu'a-t-elle dit ? »

Je lui avais raconté tout le reste, je pouvais aussi bien lui dire ça aussi. « Oh, eh bien… elle pense que je pense que ce qui est arrivé à Matt est une tragédie. »

Il a mélangé son café, sans me quitter des yeux.

« Ce qui est vrai. D'après elle, je pense aussi que Matt a raté sa vie, ce qui est faux, mais c'est vrai que ce qui lui est arrivé est une tragédie. »

Daniel a reposé sa cuillère sur le plateau. Il n'a rien dit. « Le problème, ai-je repris, c'est qu'elle ne s'en rend même pas compte. Ce n'est pas sa faute, elle ne comprend pas. Mais tu vois, ça aussi, c'est tragique – que Matt soit marié à une femme qui ne le comprend absolument pas. »

Daniel sirotait son café, me regardant toujours. Plus loin, par-delà les champs, on voyait monter un nuage de poussière sur la petite route. Une voiture : Luke et Bo, venant donner un coup de main. La voiture avançait à toute allure et semblait occuper toute la route ; une partie de mon esprit s'en est étonnée, jusqu'à ce que je me souvienne : la leçon de conduite. Daniel a dit : « Je suis d'accord avec toi sur un point, Kate. Je pense qu'il y a une tragédie. Mais je ne crois pas qu'elle soit là où tu le crois. »

Un moustique – avant-coureur des hordes à venir – s'est posé sur son poignet. Daniel a plissé les yeux, m'a tendu sa tasse et l'a écrasé. Il s'est essuyé la main sur sa chemise, a récupéré son café et poursuivi : « Tu vas dire que je ne comprends pas, tout comme tu penses que Marie ne comprend pas, mais je crois que si. Du moins en partie. Ta famille s'est battue, pendant toutes ces générations, vous avez tous bataillé pour cette grande ambition. Et Matt est quelqu'un de brillant, c'est évident, n'importe qui peut s'en apercevoir. Donc je vois bien que ç'a été une déception. Il n'a pas su saisir sa chance, ce qui est tout à fait dommage. »

Il m'a fait un sourire bref, presque un sourire d'excuse. « Dommage, oui. Mais sûrement pas tragique. Ça ne change rien à ce qu'est Matt. Ne le vois-tu pas ? Ça ne change rien du tout. Ce qui est tragique, c'est que tu trouves cela si important. Important au point de gâcher la relation que vous aviez tous les deux... »

Il a dû voir mon incrédulité, parce qu'il a hésité, m'observant avec inquiétude. « Je ne dis pas qu'il s'en fiche, Kate – qu'il a miraculeusement découvert qu'il adore cultiver la terre, et donc que tout est pour le mieux, ou ce genre de bêtise. Non. Je dis juste que d'après ce que tu m'as raconté de lui et d'après ce que j'en ai vu, j'ai l'impression qu'il a depuis longtemps réglé ses comptes avec le passé. Mais pas toi, et c'est ça, le problème. Résultat : il a perdu ce lien qu'il avait avec toi. Elle est là, la tragédie. »

Étrange, comme des parties de notre esprit peuvent continuer à fonctionner normalement tandis que d'autres se sont arrêtées net. J'entendais les voix de Matt et de Simon ; je voyais la voiture approcher ; au loin, deux corbeaux se disputaient ; mon esprit enregistrait fidèlement tout cela. Mais, pendant un long moment, à l'intérieur de moi ç'a été le silence complet. Une paralysie du cerveau. Et puis, petit à petit, il s'est remis à fonctionner, et avec le retour de la pensée consciente j'ai été submergée par une gigantesque vague d'incrédulité, de confusion et d'un furieux ressentiment. Daniel, entre tous, un étranger, un *invité*, qui m'avait littéralement arraché cette histoire, qui connaissait Matt depuis douze heures à peine. Qu'il se permette de considérer nos vies, et négligemment, en passant, sans rien savoir, en arrive à une telle conclusion. J'avais du mal à croire que j'avais bien entendu – qu'il l'avait vraiment dit.

J'ai regardé la voiture de Luke, gardant les yeux rivés sur sa progression. Elle a disparu un bref instant derrière la maison, puis est reparue quand Bo est entrée en trombe dans la cour, avant de s'arrêter, dans un nuage de poussière, à trois mètres de nous. Elle parlait en sortant. « Tu vois ?! » disait-elle, d'un air arrogant. Elle nous faisait signe, à Daniel et moi, mais s'adressait à Luke, assis sur le siège du passager. Elle s'est penchée pour s'assurer qu'il avait bien entendu. « Tu vois ?! »

Je la regardais, mon esprit enregistrait la scène. Matt et Simon s'avançaient pour les accueillir. Ils nous ont souri en passant ; je savais que leurs sourires étaient provoqués par Bo et Luke, mais j'étais incapable de répondre. Je regardais Matt, et les mots de Daniel, les mots de Marie bourdonnaient dans ma tête. *« Si tu le voyais, quand il sait que tu vas venir, Kate... au début, il est si heureux... puis, à mesure que la date approche, il ne dort plus. »*

Bo a claqué sa portière, contourné la voiture pour aller ouvrir celle de Luke. Il avait un gâteau d'anniversaire en équilibre sur les genoux, et un énorme récipient de gelée verte coincé entre les pieds. J'ai entendu Simon dire à Matt : « Il a l'air plutôt... résigné. » Matt a hoché la tête. « C'est ce qui arrive, j'imagine, quand on côtoie la mort tous les jours. Au bout d'un moment, on s'habitue. »

Bo, qui avait passé la tête dans l'habitacle, n'a pas entendu. Elle a attrapé le gâteau, Luke s'est penché pour ramasser la gelée qu'il a posée sur ses genoux, puis s'est extirpé de la voiture.

« Alors, comment ça se passe, Luke ? » a demandé Matt d'un ton innocent.

Luke lui a lancé un regard et tendu la gelée. « Colle ça à l'abri du soleil.

— Tout ça ?

— Bon anniversaire, le môme, a dit Bo, les ignorant, et tendant à Simon son gâteau, une imposante construction toute tarabiscotée, enrobée de chocolat. On ne te donnerait pas plus de douze ans. As-tu déjà ouvert tes cadeaux ? Bonjour, tous les deux », a-t-elle ajouté, à l'intention de Daniel et moi. J'ai senti la main de Daniel dans le creux de mon dos, me poussant doucement en avant.

« Bonjour, a-t-il dit. Impressionnant, le gâteau.

— Bon, ça se fête, a répondu Bo. On croyait qu'il ne grandirait jamais. »

Nous nous sommes dirigés vers la maison. La main de Daniel était toujours posée dans mon dos. À son contact, ma peau se hérissait tant je lui en voulais. J'aurais préféré qu'il me laisse tranquille. Qu'ils me laissent tous tranquille. Qu'ils disparaissent pour me permettre de réfléchir. Marie est apparue, un torchon à la main.

« Fais-nous travailler, Marie, a dit Luke. Nous sommes venus aider.

— Oh... Oh, eh bien... bon. Je crois que vous pouvez commencer à sortir les choses. Les assiettes et tout ça. »

La terre continuait de tourner. Marie a réparti les tâches, tant bien que mal. J'ai été chargée de laver les verres. D'après moi, ils étaient tout à fait propres, mais j'étais ravie de m'y atteler ; cela me permettait de rester devant l'évier de la cuisine, le dos tourné. Je les ai lavés méticuleusement, l'un après l'autre, les ai essuyés avec soin et les ai placés sur des plateaux pour que les hommes aillent les mettre sur les tables dehors. Daniel s'est planté à côté de moi. « Tu veux que j'essuie ? » Mais j'ai secoué la tête et, après avoir hésité une seconde ou deux, il s'est éloigné. Quand j'ai eu fini les verres, j'ai lavé les jattes que Marie avait utilisées, puis les couverts, les moules à gâteaux et les plaques du four. Derrière moi, Bo et Marie mettaient la dernière main aux plats de nourriture, et les hommes étaient plantés là, à parler, à rire et à encombrer le passage. Daniel était présent, quelque part. Je sentais ses yeux sur moi. Ceux de Marie aussi.

Elle m'a remerciée plusieurs fois, disant timidement que j'avais plus qu'assez travaillé et me proposant un café, mais je lui ai adressé un vague sourire et j'ai répondu que ça allait. J'étais soulagée de découvrir que je pouvais parler et que ma voix paraissait normale.

Je me demandais si je ne pouvais pas rester ici la journée entière dans la cuisine, à faire la vaisselle jusqu'à la fin de la fête, puis prétexter un mal de tête pour aller me coucher. Mais je savais que c'était impossible. Il est des occasions auxquelles aucune excuse, la mort mise à part, ne vous permet d'échapper, et c'en était une. Mais je ne savais pas comment j'allais pouvoir le supporter. Il y avait un tel remue-ménage dans ma tête. Tout au fond, ma colère contre Daniel bouillonnait encore, mais par-dessus mon esprit m'envoyait des instantanés du passé : Matt, assis à côté de moi sur le canapé du salon, après que tante Annie nous avait annoncé que la famille allait être séparée, et essayant de localiser New Richmond sur la carte, essayant de me persuader qu'on réussirait encore à se voir. Je me revoyais, enfant, assise à côté de lui, l'esprit habité par un tourbillon de désespoir.

Autre cliché : Matt, après l'arrivée des résultats de ses examens, m'emmenant dans la chambre de nos parents, me faisant asseoir devant la photo de l'arrière-grand-mère Morrison et m'expliquant pourquoi il devait partir. Il me racontait l'histoire de la famille et me montrait quel rôle nous jouions dedans. Je voyais que c'était important, je savais que ce devait être terriblement important, sinon il ne m'aurait pas quittée. Et puis il me dévoilait son plan. Notre glorieux plan.

Encore une autre image, douze ans plus tard cette fois, la veille de mon départ pour l'université. Matt était passé pour me dire au revoir. Pendant des années, j'avais réussi à refouler le souvenir de cette soirée, mais à présent il me revenait, aussi frais et lumineux, aussi clair et plein de détails que s'il datait d'hier. Nous étions descendus à la plage tous les deux. Assis sur le sable, nous regardions la nuit tomber sur le lac et parlions, empruntés, de choses sans importance (le voyage en train du lendemain, la résidence universitaire, les téléphones qu'il y aurait, ou n'y aurait pas, à chaque étage). On se parlait comme des étrangers. À cette époque-là, nous l'étions presque devenus. Le poids de douze années de non-dits, de problèmes non résolus, nous avait rendus étrangers l'un à l'autre.

Quand il a été l'heure pour lui de rentrer – chez lui à la ferme, auprès de Marie et de son fils –, nous sommes retournés à la maison en silence. Il faisait noir. Les arbres autour de la maison s'étaient rapprochés dans l'obscurité, comme ils le faisaient toujours. À la porte, je me suis retournée pour lui dire au revoir. Il se tenait un peu en retrait, les mains dans les poches. Il m'a souri et dit : « Tu dois m'écrire et tout me raconter en détail, d'accord ? Je veux savoir absolument tout ce que tu fais. »

Il se tenait dans le rectangle de lumière provenant de l'entrée, et c'était à peine si je supportais de le regarder tant son visage était tendu. J'ai essayé de m'imaginer lui écrivant et lui racontant ce que je faisais – tout ce que lui aurait dû faire. Je l'imaginais lisant mes lettres, puis sortant traire les vaches. C'était inconcevable. Ce serait comme de remuer le couteau dans la plaie, en lui rappelant en permanence ce qu'il avait perdu. Je ne croyais pas qu'il puisse réellement désirer une chose pareille, de plus je savais que je n'en aurais pas le courage.

Je n'écrivais donc que rarement et ne disais à peu près rien de mon travail. Je voulais l'épargner ; nous épargner tous les deux. Et maintenant, Daniel tentait de me dire que Matt ne voulait pas être épargné. Que cette tension que j'avais perçue, et que je continuais de percevoir, venait du fait que, malgré ses efforts, il ne parvenait pas à rétablir le lien entre nous. Qu'il voulait juste que je lui écrive, peu importe le sujet des lettres, tout en sachant aussi bien que moi que je ne le ferais pas.

Je ne pouvais pas croire cette interprétation. Non, impossible. Daniel s'imagine avoir toujours raison, mais ce n'est pas vrai. Je l'ai déjà vu se tromper par le passé.

Maintenant, pourtant, tandis que j'essayais de fermer mon esprit aux paroles de Daniel et regardais frénétiquement autour de moi en quête de vaisselle à laver – n'importe quoi, un fouet, un couteau, une cuillère –, ses mots s'infiltraient dans ma tête, se glissaient à l'intérieur, comme de l'eau sous une porte.

Les invités ont commencé à arriver juste après midi, et à ce moment-là je ne ressentais presque plus rien. J'avais l'impression d'être hébétée. Irréelle. C'était presque agréable. Mme Stanovich a été la première, et, quand Marie a vu son camion rouler sur la petite route et m'a priée de sortir l'accueillir, je me suis exécutée assez calmement. Les hommes avaient été envoyés en mission, Daniel compris. J'étais soulagée de ne pas avoir à le présenter. Je ne savais pas encore ce que j'allais faire avec lui. Au cours de la matinée, j'avais perçu son inquiétude croissante et, pour être honnête, j'en avais conçu une certaine satisfaction. Je ne lui avais absolument pas pardonné. Plus tard seulement, après avoir retrouvé un état d'esprit plus rationnel, je m'étais dit que ç'avait dû être difficile pour lui de me parler comme il l'avait fait. Ce week-end comptait beaucoup pour lui, or il devait savoir qu'il risquait de le gâcher, voire de perdre bien davantage. Au moment de parler, je suis sûre qu'il croyait faire ce qu'il fallait faire, mais je le soupçonne de l'avoir regretté aussitôt après.

Il avait raison de s'inquiéter. Les sentiments qu'il m'inspirait... eh bien, si on m'avait demandé, à ce stade de l'après-midi, si notre histoire allait durer, j'aurais répondu non. Sans doute une variation sur le thème du messager qu'on blâme pour les mauvaises nouvelles qu'il apporte. Je sais que c'était injuste.

Je suis sortie seule pour aller accueillir Mme Stanovich. Elle s'extrayait de derrière le volant de son camion et a poussé un petit cri de joie en me voyant. Elle n'a pas changé, je suis ravie de le dire, sauf peut-être quelques plis supplémentaires au menton.

« Katherine, trésor ! Trésor, tu es superbe, et tu ressembles tellement à ta maman, tu lui ressembles chaque jour un peu plus. » Elle m'a attirée contre sa poitrine, comme elle le faisait autrefois, comme elle le fera toujours. Et, pour preuve de l'état dans lequel j'étais, pour la première fois de ma vie j'avais presque envie d'accepter cette poitrine pour ce qu'elle est : un oreiller dans lequel pleurer. Un gros oreiller, doux et chaud, dans lequel se décharger de toute souffrance, de toute peine et de tout regret, avec la certitude que Mme Stanovich les transmettrait directement à Jésus. Mais je suis ce que je suis, incapable de faire une chose pareille, même si je lui ai rendu son étreinte, plus longuement que ce à quoi elle était habituée.

« Trésor », a-t-elle répété, fouillant dans son corsage pour en extraire son éternel mouchoir. (Matt a dit un jour qu'il aurait parié qu'il y en avait des centaines quelque part en dessous.) « Regarde cette journée que nous a donnée le Seigneur ! Pas un nuage ! Et toi tu es là, tu as fait tout ce chemin pour être de la fête. Simon n'est-il pas le plus merveilleux des garçons ? Il y a un gâteau quelque part là-dedans. » Elle a contourné le véhicule, haletante, en s'épongeant le front au passage, puis a baissé le hayon avec fracas. « Je n'ai pas pu le mettre devant parce que La Pie a posé une boîte de vitesses sur le siège. J'espère qu'il a survécu... regarde-moi ça, il est parfait. Il suffit de faire confiance au Seigneur, trésor. Il se charge de tout. Qui est le jeune homme avec Matt ? »

C'était Daniel. Matt venait le présenter. Ils marchaient lentement, tête baissée. Matt agitait les mains pour expliquer quelque chose, et Daniel hochait la tête. Alors qu'ils approchaient, j'ai entendu Matt dire : « ... seulement pendant environ six mois de l'année, quand il fait plus de 5 °C, qui est le minimum absolu. Il faut donc planter dès que possible après la fonte des neiges : dès que le sol est suffisamment sec pour qu'on puisse tracer des sillons. » Daniel a demandé : « Utilisez-vous des variétés particulières ? Qui résistent mieux au gel, par exemple ? »

Je ne sais pourquoi je l'ai vu juste à ce moment-là. Peut-être parce qu'ils étaient tous les deux si concentrés sur leur sujet de conversation, si absorbés. Deux hommes remarquables, en pleine discussion, traversant lentement la cour poussiéreuse. Ce n'était pas une image tragique. Loin de là.

La vraie question, je suppose, n'est pas pourquoi je m'en apercevais maintenant, mais plutôt pourquoi je ne m'en étais pas aperçue des années plus tôt. Arrière-grand-mère Morrison, la faute m'en incombe largement, je l'admets, mais je vous en tiens en partie pour responsable. C'est vous, avec votre amour de l'instruction, qui avez défini les critères à l'aune desquels j'ai jugé tout mon entourage, ma vie entière. J'ai résolument brigué votre rêve ; des livres et des idées que vous n'avez même pas imaginés me sont devenus familiers, et pourtant, tout en acquérant ce savoir, je me suis débrouillée pour ne rien apprendre du tout.

Pendant qu'on présentait Daniel à Mme Stanovich, Mlle Carrington est arrivée, suivie de près par les Tadworth ; puis plusieurs voitures et des camions de ferme cabossés sont entrés tous ensemble, et la fête a commencé. C'était une belle fête. Comme l'avait dit Mme Stanovich, la météo était de notre côté ; bien vite, l'événement a pris les allures d'un grand piquenique assez désordonné, avec des gens assis par petits groupes sur l'herbe ou agglutinés près des tables du buffet, parlant, buvant et tentant de résoudre le problème de savoir comment manger quand on a une assiette pleine dans une main et un verre de punch aux fruits dans l'autre.

J'aimerais pouvoir dire que je me suis mêlée de bon cœur aux festivités, mais à la vérité je me sentais toujours un peu étourdie. Un peu absente. Il va me falloir du temps, je suppose. Quand on a pensé d'une certaine manière pendant de nombreuses années, quand on s'est fait une certaine idée des choses, et que cette idée se révèle soudain erronée, eh bien, il est logique qu'il faille du temps pour s'y habituer. Et, pendant ce temps-là, on se sent forcément... déconnecté. En tout cas, c'est ce que moi je ressentais – et ce que je ressens encore un petit peu. J'aurais aimé m'asseoir au calme quelque part, de préférence sous un arbre, et regarder les événements de loin. Et, en particulier, regarder Matt. Laisser mes yeux se pénétrer de cette nouvelle vision de lui, de cette nouvelle perspective sur nos vies.

C'est ce que j'aurais choisi de faire cet après-midi-là, si j'avais eu le choix, plutôt que d'aider à animer une fête d'anniversaire. Malgré tout, j'étais contente de voir tout le monde – très contente, même. Ils étaient tous là, mise à part Mlle Vernon, qui avait envoyé un message disant qu'elle était un peu trop vieille pour les fêtes mais transmettait tous ses vœux à Simon. Je crois avoir présenté Daniel à la plupart d'entre eux. Lui-même s'est montré assez réservé, se demandant sans doute dans quel état d'esprit j'étais. Mais il a été à la hauteur de la situation – tous les professeurs Crane font merveille dans les grandes occasions. Nous avons parlé assez longtemps avec Mlle Carrington. Elle est aujourd'hui la principale de l'école, qui compte à présent trois salles de classe, et elle a deux institutrices sous ses ordres. Elle avait l'air en pleine forme. Il émanait d'elle une grande sérénité. Peut-être avait-elle toujours été ainsi, sans que je m'en aperçoive. En tout cas, sa compagnie est très reposante.

Simon s'est bien amusé, je crois, ce qui était le but de la fête, après tout.

La soirée a été particulièrement réussie, et je ne l'oublierai pas. Après dîner, une fois les tables débarrassées et Simon parti avec ses amis, Matt et moi avons aspergé Daniel d'insecticide de la tête aux pieds et l'avons emmené aux étangs. Matt a comblé celui dans lequel on avait retrouvé le corps de Laurie et y a planté un petit groupe de bouleaux argentés. Ils commençaient à se couvrir de feuilles et paraissaient très paisibles.

Les autres étangs, le nôtre y compris, sont pareils à ce qu'ils ont toujours été.

Remerciements

Le Choix des Morrison est une œuvre de fiction. Il y a tellement de lacs dans le nord de l'Ontario qu'au moins une demi-douzaine doivent porter le nom de Crow, mais aucun n'est le Crow Lake du roman. De même, à deux exceptions près, tous les personnages sont des créations de mon imagination. La première est mon arrière-grand-mère, qui avait bel et bien fixé un pupitre à son rouet. Elle a eu quatre et non pas quatorze enfants, mais vivait dans une ferme de la péninsule de Gaspé et manquait de temps pour lire. La deuxième exception est ma petite sœur Eleanor, qui a servi de modèle à Bo enfant. Je la remercie de m'avoir permis d'utiliser sa jeunesse et aussi de m'avoir soutenue, conseillée et encouragée sans répit pendant la rédaction de ce livre.

Je voudrais également remercier mes frères, George et Bill, non seulement pour leur humour, leur fidélité et leurs encouragements au fil des années, mais aussi pour leurs conseils à propos de l'« histoire naturelle » de Crow Lake. Tous deux connaissent mille fois mieux le Nord que je ne le connaîtrai jamais, et leur amour de cette région m'a beaucoup inspirée.

Je suis aussi infiniment redevable à :

— Amanda Milner-Brown, Norah Adams et Hilary Clark pour leurs bonnes idées, leur soutien, et aussi pour s'être montrées honnêtes quand il aurait été plus facile et plus poli de mentir.

— Stephen Smith, poète et professeur, pour ses encouragements et pour avoir été une source d'inspiration.

— Penny Battes, qui m'a aidée à débuter, il y a bien des années, et n'a jamais paru douter que je finirais par y arriver.

— Aux professeurs Deborah McLennan et Hélène Cyr, du département de zoologie de l'université de Toronto, qui m'ont donné un aperçu du monde de la recherche académique (je parie que j'ai tout compris de travers, mais c'est ma faute, pas la leur).

— Felicity Rubinstein, Sarah Lutyens et Susannah Godman, de chez Lutyens and Rubinstein, pour leurs compétences, leur tact, leur énergie et leur enthousiasme.

— Alison Samuel, chez Chatto & Windus à Londres, Susan Kamil, chez Dial Press à New York, et Louise Dennys, chez Knopf Canada à Toronto, pour la finesse, la sensibilité et la compétence avec lesquelles elles ont assuré la publication du roman.

Je tiens aussi à mentionner l'ouvrage de Marjorie Guthrie, *Animals of the Surface Film* (Richmond Publishing Company Ltd), une précieuse source d'informations techniques.

Enfin, et surtout, je remercie mon mari, Richard, et mes fils, Nick et Nathaniel, pour des années et des années de confiance, de réconfort et de soutien.

Pour en savoir plus
sur les éditions Belfond
(catalogue complet, auteurs, titres,
extraits de livres),
vous pouvez consulter notre site Internet :

www.belfond.fr